LE GUIDE COMPLET DE

# l'alimentation
# sans gluten

# LE GUIDE COMPLET DE
# l'alimentation
# sans gluten

30 jours de menus et plus de 100 recettes

Alexandra Anca, MH .Sc, RD,
avec la collaboration de Theresa Santandrea-Cull

Traduit de l'anglais (Canada) par Virginie Dansereau

## TRÉCARRÉ
Une société de Québecor Média

**Catalogage avant publication de Bibliothèque et Archives nationales du Québec et Bibliothèque et Archives Canada**

Anca, Alexandra
    Le guide complet de l'alimentation sans gluten : 30 jours de menus et plus de 100 recettes
    Traduction de: Complete gluten-free diet & nutrition guide.
    Comprend un index.
    ISBN  978-2-89568-585-2
    1. Régimes sans gluten. 2. Régimes sans gluten - Recettes. 3. Maladie cœliaque - Diétothérapie. I. Santandrea-Cull, Theresa, 1958-  . II. Titre.
RM237.86.A5314 2013    641.5'638    C2012-942607-5

Traduction: Virginie Dansereau
Édition: Miléna Stojanac
Révision linguistique: Nicole Henri
Correction d'épreuves: Caroline Hugny
Couverture, grille graphique intérieure et mise en pages: Clémence Beaudoin

**Pour l'édition originale en langue anglaise**
Direction artistique et production: Daniella Zanchetta/PageWave Graphics Inc.
Éditeurs: Bob Hilderley, éditeur sénior, santé; Jennifer MacKenzie et Sue Sumeraj, recettes
Analyses nutritives: Barbara Selley, Cathie Martin (Food Intelligence)
Révision linguistique et préparation de l'index: Gillian Watts
Correction d'épreuves: Sheila Wawanash
Illustrations: Kveta/Three in a Box

**Avertissement**
Ce livre est un guide général; il ne pourra, à ce titre, jamais se substituer à la compétence, aux connaissances et à l'expérience d'un professionnel de la santé qualifié qui, lui, aura à composer avec les faits, les circonstances et les symptômes d'un cas particulier.
Exactes et complètes au meilleur de la connaissance de l'auteure, les informations nutritionnelles, médicales de bien-être présentées dans ce livre sont tirées de la recherche, de la formation et de l'expérience professionnelle de celle-ci. Cet ouvrage n'est toutefois censé constituer qu'un guide informatif pour tous ceux qui désirent en connaître davantage sur la santé, la nutrition et la médecine; il ne doit aucunement remplacer ni contredire les conseils du médecin de famille du lecteur. Puisque chaque personne et chaque cas est unique, l'auteure et l'éditeur conseillent vivement au lecteur de consulter un professionnel de la santé qualifié avant d'utiliser une quelconque procédure dont l'adéquation à sa situation n'est pas établie. Un médecin devrait également être consulté avant de commencer tout programme d'exercice physique. L'auteure et l'éditeur ne sauront être tenus responsables des conséquences ou d'effets négatifs qui résulteraient de l'utilisation de ce livre. Il en va de la responsabilité du lecteur de consulter un médecin ou autre professionnel de la santé en ce qui concerne son bien-être personnel.
Ce livre renferme des références à des produits qui ne seront pas nécessairement offerts partout. Les informations présentées dans ce livre se veulent utiles; cependant, aucune garantie de résultats ne leur est associée. L'emploi de noms de marques commerciales se fait à titre informatif seulement et n'entraîne aucune recommandation.
Les recettes présentées dans ce livre ont été rigoureusement éprouvées dans nos cuisines et par nos collaborateurs. À notre connaissance, elles conviennent aux critères de santé et de nutrition des utilisateurs ordinaires et à un usage ordinaire. Tous ceux qui souffrent d'allergies alimentaires ou autres, ou qui ont des exigences particulières en alimentation, devront prendre connaissance des ingrédients de chaque recette puis déterminer si ces derniers pourraient leur poser problème. Toutes les recettes seront réalisées et utilisées aux risques du lecteur. Nous ne saurons être responsables des risques, préjudices ou dommages qui pourraient survenir à la suite de la réalisation de toute recette. En cas de doute, il incombe à tous ceux ayant des besoins particuliers, des allergies, des exigences médicales ou autres problèmes de santé de consulter leur médecin avant d'utiliser toute recette.

**Remerciements**
Nous reconnaissons l'aide financière du gouvernement du Canada par l'entremise du Fonds du livre du Canada pour nos activités d'édition.
Gouvernement du Québec – Programme de crédit d'impôt pour l'édition de livres – gestion SODEC.

Titre original: Complete Gluten-Free Diet & Nutrition Guide
Publié avec l'accord de Robert Rose Inc./Published under arrangement with Robert Rose Inc.
120, Eglinton Avenue East, bureau 800
Toronto (Ontario) M4P 1E2 Canada

Les Éditions du Trécarré
Groupe Librex inc.
Une société de Québecor Média
La Tourelle
1055, boul. René-Lévesque Est, bureau 800
Montréal (Québec)  H2L 4S5
Tél.: 514 849-5259
Téléc.: 514 849-1388
www.edtrecarre.com

Dépôt légal – Bibliothèque et Archives nationales du Québec et Bibliothèque et Archives Canada, 2013
ISBN: 978-2-89568-585-2

**Distribution au Canada**
Messageries ADP
2315, rue de la Province
Longueuil (Québec)  J4G 1G4
Tél.: 450 640-1234
Sans frais: 1 800 771-3022
www.messageries-adp.com

**Diffusion hors Canada**
Interforum
Immeuble Paryseine
3, allée de la Seine
F-94854 Ivry-sur-Seine Cedex
Tél.: 33 (0)1 49 59 10 10
www.interforum.fr

# Table des matières

# Préface

Un nombre croissant de Nord-Américains démontre un vif intérêt envers le rôle que la nutrition joue dans leur santé et leur bien-être. Il est maintenant inhabituel de rencontrer un adulte qui n'a jamais été « au régime » – et un bon nombre de ceux qui ne l'ont jamais été devraient véritablement l'être. L'obésité est devenue notre principal problème nutritionnel, avec une augmentation de 48 % du taux d'obésité dans les quinze dernières années ; 66 % des adultes américains et 20 % des enfants américains souffrent maintenant d'embonpoint. Si l'on se fie aux données de Statistiques Canada, le taux d'obésité au pays a presque doublé entre 1978 et 2005. Les maladies cardiovasculaires, le diabète, les problèmes articulaires et l'apnée du sommeil sont quelques-unes des conséquences liées à l'embonpoint. Les médias clament constamment la portée du conditionnement physique, du végétarisme, de la viande rouge, des gras trans, du scl, des aliments bio, des régimes de groupes, des régimes yo-yo et de la chirurgie bariatrique. Il devient facile d'oublier qu'environ les deux tiers de la population mondiale, des enfants pour la plupart, ne peuvent consommer la quantité minimale requise de calories, de protéines et de vitamines.

La maladie cœliaque est un problème nutritionnel courant dont l'incidence a également augmenté. La prévalence de la maladie en Amérique du Nord est d'environ 1 %, soit une augmentation de 4,5 fois au cours des cinquante dernières années, et ce, pour des raisons incertaines. La plupart des cas sont maintenant diagnostiqués quand les patients sont âgés de 40 à 60 ans, mais la maladie peut être trouvée à tous les âges,

> **La maladie cœliaque est unique avec un traitement unique – un régime sans gluten à vie.**

y compris pendant l'enfance et chez les personnes âgées. Les signes et les symptômes de la maladie sont tous deux variables et suffisamment subtils pour que le diagnostic soit retardé de dix ans ou plus. Ce retard anormal est souvent dû au fait que les professionnels de la santé ne prennent pas en considération ou ne reconnaissent pas la possibilité de la maladie cœliaque.

La maladie cœliaque est unique avec un traitement unique – un régime sans gluten à vie. Ce traitement, simplement présenté, n'est cependant pas facile à entreprendre. Le régime est exigeant et comporte des défis qui sont souvent accablants. Ce régime est toutefois essentiel au rétablissement, au renversement des dommages, si possible, et au maintien de la santé dans le futur. Certains patients trouvent difficile de s'adapter à ce régime permanent et inflexible. Le fait que le public, y compris les chefs incertains, les serveurs indifférents et les sociétés d'alimentation imprévisibles qui ajoutent clandestinement des ingrédients qui contiennent du gluten, ne soit pas éduqué sur la maladie n'aide pas la cause.

Il y a cependant une lumière au bout du tunnel. Le nouveau millénaire nous a apporté des progrès constants au chapitre de la compréhension et de la gestion de la maladie cœliaque. À titre de maladie auto-immune, la maladie cœliaque touche les personnes génétiquement prédisposées. Les patients ont un système immunitaire dysfonctionnel qui réagit de manière indésirable au gluten, qui endommage les tissus. Nous pouvons maintenant démêler les facteurs génétiques complexes de la maladie et comprendre comment ils interagissent avec le système immunitaire et le métabolisme du gluten.

Des tests de dépistage sensibles et non diagnostiques sont maintenant disponibles et les biopsies diagnostiques de l'intestin grêle sont plus raffinées. Les entreprises produisant des aliments sans gluten et les restaurants offrant un menu sans gluten se sont multipliés. Les associations pour la maladie cœliaque servent d'organismes d'éducation et de sensibilisation et de groupes de soutien. Les organismes gouvernementaux fédéraux font la promotion des saines pratiques d'étiquetage et de la transparence dans la sélection des aliments.

Grâce aux recherches laborieuses des chercheurs dans le domaine de la santé, des thérapies nouvelles et parallèles ne tarderont certainement pas à venir. Des bloquants, des inhibiteurs, des antagonistes, des enzymes administrés oralement et même un vaccin sont présentement étudiés. Quelques essais cliniques sont en cours, mais il est présentement impossible de conclure que ces nouvelles thérapies pourraient remplacer le régime sans gluten à vie.

Dans ce contexte, il y a un besoin croissant de diététistes comme Alexandra Anca qui possèdent des connaissances spécialisées sur la maladie cœliaque. Il n'est plus suffisant pour les patients récemment diagnostiqués de recevoir une feuille avec deux colonnes contenant les « aliments permis » et les « aliments interdits ». Une fois le diagnostic confirmé par une biopsie de l'intestin grêle, le diététiste spécialisé joue un rôle plus important que le médecin dans l'éducation du patient, le réconfort et l'observation du régime sans gluten.

La plupart des patients atteints de la maladie veulent des renseignements plus détaillés, non seulement sur les aliments sans gluten, mais également sur la maladie elle-même. Ce livre répond admirablement à ces besoins et fournit des recettes pour préparer des repas nutritifs et délicieux à partir d'ingrédients sans gluten. Rejoindre une association est un bon moyen pour les patients de se garder au courant des nouveaux développements, mais le populaire *Pocket Dictionary: Acceptability of Foods and Food Ingredients for the Gluten-Free Diet* et maintenant le *Guide complet de l'alimentation sans gluten* leur apporteront des renseignements et des conseils faisant autorité.

**Ralph E. Warren, MD, FRCPC, DTM & H**

Membre du Conseil consultatif professionnel, Association canadienne de la maladie cœliaque

Consultant en gastroentérologie, St. Michael's Hospital et Toronto GI Clinic

Une fois le diagnostic confirmé par une biopsie de l'intestin grêle, le diététiste spécialisé joue un rôle plus important que le médecin dans l'éducation du patient, le réconfort et l'observation du régime sans gluten.

# Introduction

L'alimentation constitue la base de notre bien-être. Elle nous fournit l'énergie dont nous avons tant besoin, elle nous réconforte et nous connecte avec nos amis et notre famille autour de la table. Il n'est donc pas étonnant que nous soyons nerveux quand nous sommes atteints d'une allergie alimentaire, d'une intolérance ou d'une sensibilité. Soudainement, les aliments deviennent nos ennemis et mettent notre santé en danger en plus de nous priver des plaisirs de la table. Voilà le sort des personnes atteintes de la maladie cœliaque. Heureusement, un régime sans gluten peut restaurer la bonne santé et ramener le plaisir de manger.

Il y a près d'une décennie, je travaillais dans une clinique du centre-ville de Toronto avec une équipe de gastroentérologues dont faisait partie le Dr Ralph Warren, professeur associé en médecine à l'Université de Toronto et consultant en gastroentérologie à l'hôpital St. Michael's. Le Dr Warren était impliqué depuis de nombreuses années dans l'Association canadienne de la maladie cœliaque à titre de membre du Conseil consultatif professionnel et conseiller médical pour la division de Toronto. À cette époque, la maladie cœliaque n'était pas très bien connue des diététistes, et le Dr Warren était impatient de m'éduquer à ce sujet. Il m'a dirigée vers un livre peu connu appelé le *Pocket Dictionary*, un guide alimentaire pour les patients nouvellement diagnostiqués qui désiraient déchiffrer les ingrédients sur les étiquettes des aliments pour éviter d'intégrer du gluten à leur régime.

Cependant, le dictionnaire avait cruellement besoin d'être mis à jour. J'ai sauté sur l'occasion! Il s'agissait d'un travail énorme qui m'a amenée à faire plus de 1 200 heures de recherches et a impliqué d'autres diététistes et médecins dans le processus de révision. Il n'est donc pas surprenant que j'aie décidé de consacrer ma pratique à l'étude de la maladie cœliaque et au développement d'un régime sans gluten pour aider les gens à reconnaître que ce régime apparemment restrictif leur permet d'expérimenter les aliments de différentes cultures. Je ne pouvais songer à une meilleure profession pour aider ceux qui ont à composer avec la maladie. Pensez-y: il n'existe pas de médicaments contre la maladie cœliaque, seulement un régime sans gluten. Si une diététiste ne peut aider, qui le pourrait?

> J'ai sauté sur l'occasion!
> Il s'agissait d'un travail
> énorme qui m'a amenée
> à faire plus de 1 200 heures
> de recherches et a impliqué
> d'autres diététistes
> et médecins dans le
> processus de révision.

Alors que j'ai commencé à offrir des services d'aide à davantage de patients souffrant de la maladie, j'ai écouté d'entrée de jeu leurs frustrations. Puis, peu à peu, leurs histoires montraient des signes d'espoir quand ils trouvaient des aliments sans gluten qu'ils aimaient et partageaient leur expérience avec leurs amis et leurs familles.

> Chaque jour, j'essaie de me mettre à la place de quelqu'un qui souffre de la maladie quand je fais mes courses et que je mange dans des cafés et des restaurants.

J'ai également commencé à incorporer les aliments sans gluten à mon propre régime et j'ai finalement pu apprécier le quinoa, le sorgho, l'amarante et plusieurs options sans gluten. J'ai commencé à préparer des recettes sans gluten en les testant sur ma propre famille. Mon bébé de trois ans adore la polenta, les céréales chaudes sans gluten le matin et l'amarante soufflée. Quand je prépare un pilaf de quinoa au pesto pour le souper, elle me dit: «Tu fais un bon couscous, maman!» Vous trouverez cette recette à la page 238.

Chaque jour, j'essaie de me mettre à la place de quelqu'un qui souffre de la maladie quand je fais mes courses et que je mange dans des cafés et des restaurants. J'ai un respect sans borne pour les patients qui souffrent de cette maladie. Le régime sans gluten est l'un des plus difficiles à adopter et à suivre. Il nécessite des efforts considérables, une volonté à toute épreuve, de la patience et de la diligence pour apprendre le régime et le suivre. Mais l'effort en vaut la peine. Après des années de symptômes désagréables et de mauvais diagnostics, les patients qui suivent un régime sans gluten se sentent soudainement mieux. Reprendre contact avec la nourriture devient leur but, et la question la plus fréquente est: «Maintenant que je sais que je souffre de la maladie cœliaque, qu'est-ce que je *peux* manger?» Pour la réponse, poursuivez votre lecture!

# Chapitre 1

# Les principes de base de la maladie cœliaque

# Qu'est-ce que la maladie cœliaque?

La maladie cœliaque est une maladie génétique auto-immune: le corps s'attaque lui-même par réaction d'autodéfense. Cette réaction immunitaire chronique est provoquée par la présence du gluten qui se trouve dans les protéines des céréales, dont le blé, l'orge, le seigle et l'épeautre. La liste s'étend à des variétés de blés anciens, tels que le kamut, le triticale, l'amidonnier et l'engrain. La réaction immunitaire au gluten peut engendrer une malabsorption des nutriments, provoquant de nombreux problèmes de santé.

L'intolérance au gluten est permanente et ne peut être guérie même lorsqu'elle est diagnostiquée tôt dans l'enfance. Autrefois considérée comme une maladie infantile rare qui pouvait éventuellement guérir, la maladie cœliaque affecte aujourd'hui surtout des adultes. D'après une étude récente de la Clinique Mayo, la prévalence de la maladie a plus que quadruplé au cours des cinquante dernières années. Globalement, les épidémiologistes estiment que la maladie cœliaque affecte entre 0,5 % et 1 % de la population, même si de nombreux cas ne sont pas diagnostiqués. Le seul traitement véritablement efficace consiste à adopter un régime sans gluten et à compenser les carences de nutriments par un retour à une alimentation équilibrée et à des compléments alimentaires.

## Des conditions auto-immunes d'origine génétique

Grâce au système immunitaire, nous disposons d'une armée d'anticorps destinés à repousser les antigènes (virus, bactéries et toxines) qui pénètrent dans notre corps par les voies de l'air, de la nourriture et de l'eau. La première ligne de défense de notre corps est la muqueuse de notre intestin dont les globules blancs produisent des anticorps appelés IgA (immunoglobulines A) spécifiques au système immunitaire gastro-intestinal.

Quand le gluten entre en contact avec la muqueuse intestinale, le système immunitaire s'emballe, libérant différents types d'anticorps IgA. Ces derniers déclenchent un processus d'inflammation qui entraîne une détérioration des villosités intestinales.

## La masse protéique du gluten

Le gluten est une masse protéique qui se trouve dans l'albumen (tissu contenant des réserves énergétiques) du grain de blé. En

## Le saviez-vous?

### Une maladie insidieuse

La maladie cœliaque est une maladie auto-immune : le système immunitaire détruit la paroi de l'intestin grêle, ce qui entraîne une malabsorption des nutriments. Il en résulte toute une palette de troubles gastro-intestinaux ou extra-gastro-intestinaux associés fréquemment à d'autres maladies telles que le syndrome de l'intestin irritable (colopathie fonctionnelle), l'anémie, les douleurs articulaires, les dermatites, la fibromyalgie, la fatigue chronique et la migraine. Ces diverses manifestations peuvent avoir pour origine commune la maladie cœliaque. Elle est généralement diagnostiquée longtemps après avoir exploré de nombreuses autres pistes. En ce sens, c'est l'une des maladies les plus insidieuses.

# La muqueuse de l'intestin grêle sous l'effet d'une attaque

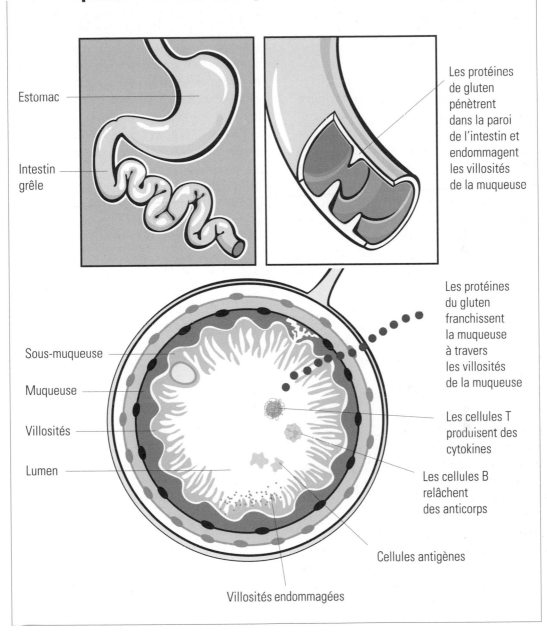

Estomac

Intestin grêle

Les protéines de gluten pénètrent dans la paroi de l'intestin et endommagent les villosités de la muqueuse

Les protéines du gluten franchissent la muqueuse à travers les villosités de la muqueuse

Sous-muqueuse

Muqueuse

Villosités

Lumen

Les cellules T produisent des cytokines

Les cellules B relâchent des anticorps

Cellules antigènes

Villosités endommagées

raison de sa taille importante, il se digère mal. Il traverse l'estomac, résistant à la force de broyage, aux sucs gastriques et aux enzymes de digestion des protéines et se retrouve dans le duodénum où le système immunitaire le repère comme toxique.

La manière dont le gluten pénètre dans la muqueuse est en réalité peu connue : cela peut être en rapport avec des brèches de la muqueuse intestinale qui sont provoquées par une inflammation entraînant ce qu'on appelle une hyperperméabilité intestinale.

## Le grain de blé

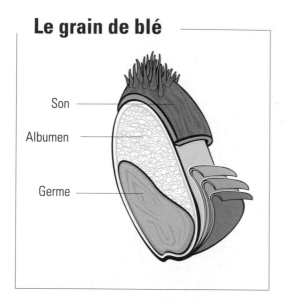

Son

Albumen

Germe

### Composition du grain de blé

Le grain de blé est la graine à partir de laquelle la plante grandit. Chaque minuscule graine contient trois parties distinctes qui se séparent lors du processus de broyage pour obtenir de la farine.

**L'albumen:** 83 % du poids du grain de blé. C'est ce qui correspond à la farine blanche. L'albumen est la partie du grain qui contient le plus de protéines, de glucides, de fer et de vitamines B telles que la riboflavine et la niacine. C'est une source de fibres solubles.

**Le son:** 14 % du poids du grain de blé. Le son contient une petite partie de protéines, des minéraux traces et principalement des fibres alimentaires insolubles.

**Le germe:** 2,5 % du poids du grain de blé. C'est l'embryon, c'est-à-dire la partie qui constitue la pousse lors de la germination. Le germe contient des quantités minimes de protéines de haute qualité et une proportion plus grande de vitamines B et de minéraux traces.

## Prévalence de la maladie cœliaque

Jusqu'à présent, la maladie cœliaque était présente en Europe et dans d'autres pays développés, dont les États-Unis, le Canada et l'Australie. On estime que 1 personne sur 133 est diagnostiquée cœliaque dans ces pays. De nouvelles études épidémiologiques ont montré que la maladie est également présente dans d'autres régions du monde, dont le continent asiatique et en particulier le nord de l'Inde où la prévalence des gènes liés à la maladie cœliaque atteint 15,6 % de la population. Sans surprise puisque la consommation de blé est plus répandue dans les régions du nord de l'Inde où la céréale est un aliment de base dans l'alimentation.

Malgré l'absence de données spécifiques, il existe une forte prévalence de la maladie en Iran, dans la population en général et dans la population à risque. Il en est de même dans les régions d'Afrique du Nord, dont l'Égypte. Mais curieusement, c'est chez les enfants des tribus du désert subsaharien que la maladie est la plus répandue, puisque 6 % des enfants en sont atteints! Aux États-Unis, au Canada et en Europe, on considère que 1 enfant sur 100 est diagnostiqué cœliaque.

## Histoire de cas

### Cœliaque dès l'adolescence

« Bonjour, je m'appelle Charlotte, j'ai 46 ans et je suis atteinte de la maladie cœliaque. J'ai été diagnostiquée il y a trois ans et j'espère que mon histoire va aider d'autres personnes comme moi. Quand j'étais jeune, j'avais toujours des problèmes pour aller aux toilettes. Je me souviens que mon adolescence a été un cauchemar. On allait à l'école à pied, on rentrait à la maison pour le dîner et on était presque toujours en retard parce que j'étais si constipée que ça durait des heures. J'ai toujours eu un problème de poids. J'ai eu à plusieurs reprises un traitement aux rayons baryum X, la pire chose que je connaisse. Plus tard, j'ai commencé à avoir des diarrhées. Il y a quatre ans, c'était terrible, je devais aller aux toilettes de six à huit fois par jour. Au travail, je me sentais constamment épuisée et gonflée comme un ballon de baudruche, avec en plus des nausées ; j'étais toujours très irritable. Finalement, mon médecin de famille après plusieurs visites médicales m'a envoyée faire une biopsie qui a révélé la maladie cœliaque. J'ai entrepris un régime sans gluten et après seulement une semaine, je me sentais beaucoup mieux. Certains disent que je ne suis pas une vraie cœliaque à cause de mon poids, mais ce n'est pas vrai. Il n'est pas nécessaire d'être maigre et anémiée pour être atteint de la maladie. Dans mon cas, mes tests sanguins sont bons. Mais j'ai découvert l'année dernière que j'ai une fibromyalgie qui provoque une douleur partout dans le corps. Je suis aussi intolérante au lactose. La fatigue chronique n'est pas facile à vivre non plus. Si j'avais été diagnostiquée plus tôt, je n'aurais pas toutes ces complications. Mais je ne savais pas… »

# Où se développe la maladie cœliaque ?

L a maladie se développe dans le tube digestif ou tractus gastro-intestinal. Le tube digestif est un long tube musculaire qui permet à la nourriture de passer de la bouche au rectum et à l'anus en passant par l'œsophage, l'estomac, l'intestin grêle et le gros intestin. C'est le siège des réponses allergiques aux aliments et des réactions auto-immunes telles que la maladie cœliaque. La maladie cœliaque affecte en particulier l'intestin grêle.

## Les fonctions du tube digestif

Le tube digestif a deux principales fonctions : assimiler les nutriments de la nourriture et protéger l'organisme contre les maladies. Au cours du processus de digestion mis en œuvre dans le tube digestif, le corps extrait les nutriments de la nourriture dont il a besoin pour survivre et prospérer. La nourriture est décomposée en petits éléments absorbés dans le sang. Ces nutriments comprennent trois familles de macronutriments – les glucides, les protéines et les graisses –, ainsi qu'une variété de micronutriments – les vitamines et les minéraux. Ces nutriments qui permettent à nos principaux organes de fonctionner constituent le carburant de notre corps.

Cependant, tout ce qu'on ingère n'est pas nécessairement de la nourriture à digérer. Les virus, les bactéries, les parasites et d'autres agents pathogènes de notre environnement entrent également dans le tube digestif. L'intestin grêle sert à fabriquer et à maintenir un arsenal solide de défenses immunitaires contre des corps agresseurs étrangers.

# Anatomie du tube digestif

La maladie cœliaque se développe dans le tube digestif. Elle provoque un effet immédiat sur les différentes parties du tube digestif, et par association sur d'autres systèmes du corps humain dont le système nerveux, le système dermatologique et le système musculo-squelettique.

## De la main à la bouche

La digestion commence dans la bouche. Quand vous mâchez, vos dents broient la nourriture et la décomposent en petits morceaux qui, mélangés à la salive et à d'autres liquides, sont faciles à avaler. Votre salive contient des enzymes de prédigestion qui déclenchent le procédé de décomposition de la nourriture en éléments de base. Une fois la nourriture avalée, on parle de bol alimentaire.

## De l'œsophage à l'estomac

Ensuite, le bol alimentaire glisse dans l'œsophage jusqu'à l'estomac situé après le diaphragme. Le sphincter gastro-œsophagien permet de refermer l'œsophage de sorte que le bol alimentaire ne remonte pas. Les cellules de l'estomac produisent des sécrétions acides qui décomposent les particules de nourriture. Le bol alimentaire reste un moment dans l'estomac qui le mélange à des liquides et le broie jusqu'à obtenir une pâte appelée chyme. Puis, petit à petit, l'estomac envoie le chyme dans l'intestin grêle en passant par la valve du pylore qui se referme après son passage.

## L'intestin grêle

Au-dessus de l'intestin grêle, le chyme se mélange à deux fluides qui s'écoulent dans l'intestin grêle en provenance d'organes liés au tube digestif, le pancréas, la vésicule biliaire et le foie. Le chyme traverse l'intestin grêle composé de trois segments : le duodénum, le jéjunum et l'iléum.

Toutes les parties de l'intestin grêle n'absorbent pas les mêmes types de nutriments. Par exemple, le duodénum et le jéjunum absorbent le plus de protéines, de sucres simples, de produits de digestion grasse, de fer, de calcium, de zinc, de folate et de vitamines liposolubles (solubles dans les graisses, K, A, D et E). Une déficience chronique en fer, en calcium, en folate, ou en vitamines liposolubles indique peut-être une malabsorption due à une maladie ou à une infection. L'iléon est la partie de l'intestin grêle qui absorbe la vitamine $B_{12}$. Quand cette portion de l'intestin est endommagée par une maladie comme la maladie cœliaque ou la maladie de Crohn, une carence en vitamine $B_{12}$ se développe.

## Le gros intestin

Après avoir traversé les trois parties de l'intestin grêle, ce qui reste de chyme arrive à un autre clapet appelé la valve iliaque située au début du côlon (gros intestin), du côté droit de l'abdomen. Quand le tube digestif est sain, la plupart des nutriments sont absorbés lorsque le chyme atteint le bout de l'intestin grêle. Ce qui reste se compose d'eau, de quelques sels dissous, de quelques sécrétions corporelles (mucus) et de fibres. Dans le côlon, des bactéries saines dégradent encore plus les fibres, alors que le fluide (eau) et les électrolytes (sodium et potassium) sont réabsorbés dans le corps.

## Le rectum et l'anus

Les déchets qui restent sont évacués par le rectum puis l'anus tous les jours.

# Anatomie du tube digestif

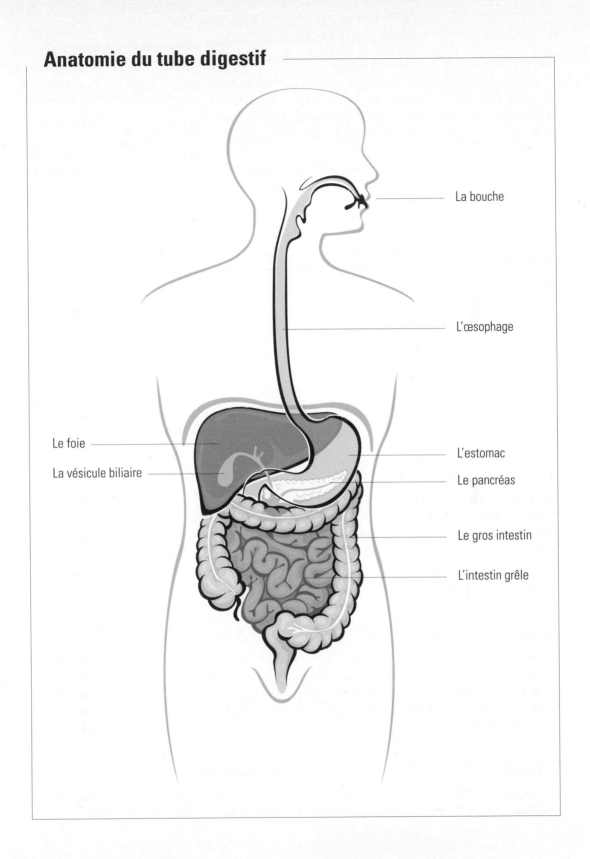

La bouche

L'œsophage

Le foie

La vésicule biliaire

L'estomac

Le pancréas

Le gros intestin

L'intestin grêle

## Les villosités

Au chapitre de l'absorption, l'intestin grêle est l'un des organes les plus sophistiqués de notre corps. Mesurant 6 mètres (20 pieds), sa surface d'absorption de molécules de nutriments correspond à un quart d'un terrain de football. Alors que la paroi interne de l'intestin paraît souple et lisse, quand on la regarde au microscope, on voit qu'elle est formée de centaines de plis. Chaque pli est recouvert de milliers de petites excroissances appelées villosités. Une villosité est composée elle-même de centaines de cellules, chacune recouverte de poils microscopiques appelés microvillosités. Les villosités sont en mouvement constant, elles s'agitent et se tortillent comme des tentacules de coraux marins. Toutes les molécules de nutriments assez petites pour être absorbées sont captées par les microvillosités et pénètrent dans le sang. Les autres, celles qui sont digérées partiellement, sont elles aussi attrapées par les microvillosités, digérées par des enzymes et absorbées dans les cellules.

## Le saviez-vous ?

### La longueur de l'intestin

En moyenne, l'intestin grêle mesure chez les adultes 6 mètres (20 pieds). Le gros intestin est plus large que l'intestin grêle et ne mesure que 1,5 mètre (5 pieds).

## L'intestin grêle

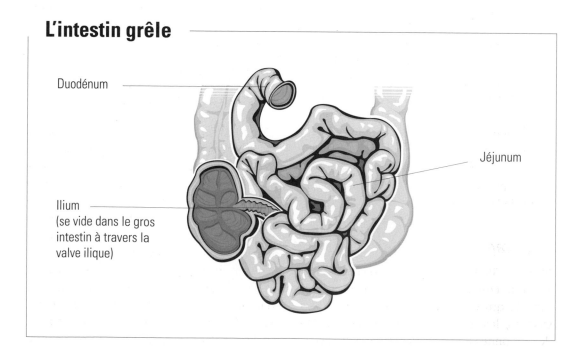

Duodénum

Jéjunum

Ilium
(se vide dans le gros intestin à travers la valve ilique)

# Qu'est-ce qui provoque la maladie cœliaque ?

Les personnes atteintes de la maladie cœliaque présentent une prédisposition génétique. Cependant, des facteurs environnementaux et immunologiques entrent en ligne de compte.

## Les facteurs génétiques

La maladie est héréditaire ; elle est déjà présente dans la famille. Au premier degré de parenté, des enfants de mêmes parents ont 40 % de risques de développer la maladie si l'un des parents est atteint. Dans la population en général, si un membre de la famille est cœliaque, la probabilité de développer la maladie se situe entre 7 et 20 %.

Les deux gènes spécifiques impliqués jusqu'à présent dans la maladie cœliaque appartiennent à la classe HLA. Les protéines qui se trouvent sur les globules blancs encodés par les gènes HLA-DQ2 et HLA-DQ8 interagissent avec le gluten. Environ 95 % de la population cœliaque dispose d'un gène HLA-DQ2 et 5 % possède le gène HLA-DQ8.

Cependant, il a été prouvé récemment que la prédisposition à la maladie cœliaque ne se limite pas à la présence de ces deux types de gènes. En réalité, au moins treize autres gènes ont été identifiés dans le déclenchement de la maladie cœliaque.

### *Dépistage*

Plus de 50 % des patients atteints de la maladie cœliaque ont un membre de leur famille qui n'a pas été diagnostiqué. Les enfants, les frères et sœurs, et les parents de personnes atteintes devraient être testés,

## Qui devrait se faire dépister ?

- Les enfants : chez les enfants, détecter la maladie cœliaque est impératif pour s'assurer qu'ils absorbent bien les nutriments de manière optimale et pour prévenir d'éventuelles complications.
Il peut s'avérer utile de tester les enfants à plusieurs reprises, car la maladie peut être silencieuse pendant l'enfance.

- Les parents de premier degré : parents, frères et sœurs devraient aussi être testés, en particulier s'ils présentent des symptômes gastro-intestinaux ou simplement des troubles depuis longtemps qui n'évoluent pas.

car ils présentent un risque important d'être porteur du gène DQ2 ou DQ8. Le dépistage de la maladie cœliaque inclut des tests sanguins et une biopsie d'une petite fraction de l'intestin grêle. Des tests génétiques peuvent être utiles dans certains cas.

## Des facteurs environnementaux

L'élément environnemental déclencheur de la maladie chez la personne prédisposée à la maladie d'un point de vue génétique est le gluten, une masse de protéines qui se trouve dans le blé, l'orge, le seigle, l'épeautre et le kamut. Ces protéines sont appelées gliadines pour le blé, hordéines pour l'orge et sécalines pour le seigle. Auparavant, on ajoutait à la liste les avenines, les protéines de l'avoine.

Cependant, on considère aujourd'hui que l'avoine est proche du riz et assez éloignée d'un point de vue génétique du blé, de l'orge et du seigle. Pour autant, l'avoine commercialisée suscite à l'heure actuelle des interrogations, car des grains de céréales contenant du gluten peuvent contaminer l'avoine au moment de la récolte, du transport et du broyage.

## Facteurs immunologiques

Chez les personnes porteuses du gène HLA-DQ2 ou HLA-DQ8, il suffit d'un commutateur tel qu'une infection gastro-intestinale, une grossesse ou un acte chirurgical pour déclencher une réaction immunologique qui aura pour effet de produire les symptômes de la maladie cœliaque.

### *Anticorps et antigènes*

Lorsque le gluten entre en contact avec la muqueuse intestinale, le système immunitaire s'emballe, libérant différents types d'anticorps IgA qui déclenchent un processus inflammatoire. Ces derniers provoquent la détérioration des villosités de l'intestin. Les tests sanguins qui consistent à mesurer la concentration dans le système sanguin de ces anticorps – ils sont spécifiques aux interactions avec le gluten – sont très fiables.

# Quels sont les symptômes de la maladie cœliaque?

La maladie cœliaque peut se manifester de manières très variées. Pratiquement tous les systèmes de votre corps peuvent être affectés. C'est la raison pour laquelle il est en général si long de la diagnostiquer. De plus, les symptômes, dont l'intensité diffère d'un cas à l'autre, varient selon les personnes. Certaines personnes se sentiront mal sitôt qu'elles ingèrent un morceau de pain ou de craquelin au blé, d'autres souffriront d'anémie pendant des années sans amélioration malgré les compléments alimentaires. Selon les symptômes, la maladie peut-être plus ou moins grave. Les personnes dont les symptômes sont clairs chercheront des soins médicaux appropriés; par contre, celles qui présentent peu de symptômes peuvent trouver le diagnostic embêtant.

## Sensibilité au gluten et maladie cœliaque

Alors que la maladie cœliaque se définit par une réaction auto-immune provoquant la détérioration de la paroi de l'intestin, la sensibilité au gluten ne cause que des gênes abdominales. Les personnes sensibles au gluten pourront ressentir des ballonnements, des crampes et être constipées, mais la membrane de leur intestin ne sera pas altérée et elles ne souffriront pas de complications telles que la carence en nutriments ou des désordres métaboliques, hormonaux et neurologiques. Pour ces personnes, le simple fait de retirer le gluten de leur alimentation leur permettra de se sentir mieux.

## Le saviez-vous?

### Le consensus autour de l'avoine

L'avoine pure, non contaminée, ne serait pas néfaste aux cœliaques si elle est consommée en petites quantités. C'est l'avis de nombreuses associations de patients, de centres de recherche et d'associations gouvernementales. Néanmoins, quelques associations continuent de recommander une restriction de l'avoine chez les personnes nouvellement diagnostiquées, alors que d'autres comme la Société cœliaque d'Australie recommandent un arrêt total de l'avoine même pure et non contaminée.

### Première ligne de défense

Grâce à notre système immunitaire, notre corps dispose d'une armée d'anticorps destinés à repousser des antigènes (virus, bactéries et toxines) qui entrent en contact avec nous par les voies de l'air, de la nourriture et de l'eau. La première ligne de défense de notre corps est la muqueuse de notre intestin dont les globules blancs produisent des anticorps appelés IgA (immunoglobules A) spécifiques au système immunitaire gastro-intestinal.

### Dermatite herpétiforme

Environ 10 % des patients cœliaques présentent une dermatite herpétiforme (DH), une éruption cutanée qui brûle et démange. Ces lésions sont symétriques sur le corps et se situent en général aux coudes, aux genoux et aux fesses. Plus rarement, elles peuvent apparaître aussi derrière le cou, sur le cuir chevelu et à la base des cheveux.

# Symptômes de la maladie cœliaque

## Gastro-intestinaux

- Diarrhée ou constipation chroniques
- Flatulences, ballonnements et douleurs abdominales
- Nausées et vomissement en particulier chez les enfants
- Régurgitations

## Dermatologiques

- Démangeaisons sévères (dermatite herpétiforme)
- Hématomes fréquents

## Physiologiques et métaboliques

- Anémie et carence en fer, acide folique et vitamine $B_{12}$
- Déficience en vitamines A, D, E et K
- Intolérance au lactose
- Anomalies au niveau du foie (p. ex., enzymes)
- Extrême faiblesse et fatigue
- Perte de poids (malgré un surpoids ou un poids normal)

## Bucaux

- Aphtes
- Défauts de l'émail dentaire

## Système musculo-squelettique

- Douleurs articulaires et osseuses
- Gonflement des mains et des chevilles

- Petite stature (des statures normales et grandes n'excluent pas la maladie cœliaque)

## Système reproducteur

- Aménorrhée
- Infertilité (hommes et femmes)
- Fausses couches à répétition

## Système neurologique

- Maux de tête dont migraines
- Dépression
- Sautes d'humeur
- Picotement surtout au niveau des mains et des pieds (neuropathie périphérique)
- Troubles de la marche et de l'équilibre (gluten ataxie)
- Épilepsie (avec ou sans calcifications cérébrales)

## Chez les jeunes enfants, les symptômes peuvent inclure

- Des diarrhées
- Des nausées et des vomissements
- Une distension abdominale
- Un retard de croissance

## Chez les enfants plus grands et les adolescents

- Une petite stature
- Une grande irritabilité
- Une puberté tardive
- Des troubles de l'émail dentaire

## *Maladie cœliaque atypique*

Quelquefois, la maladie cœliaque n'affecte que la partie supérieure de l'intestin grêle au lieu de s'attaquer à l'ensemble de l'intestin et de générer les troubles classiques gastro-intestinaux. Dans ce cas, les individus touchés souffriront seulement de carence en nutriments, par exemple une carence en fer ou en calcium, ce qui engendrera une ostéopénie (stade précurseur de l'ostéoporose), une ostéoporose ou une anémie. Quelques patients peuvent aussi connaître des troubles gastro-intestinaux légers tels que des ballonnements, de la constipation et

- Trouble de la thyroïde
- Ostéoporose
- Maladie auto-immune du foie
- Syndrome de Down (trisomie 21)
- Syndrome de Turner (anomalie chromosomique qui affecte la croissance)
- Déficit en IgA
- Syndrome Sjögren (syndrome de la bouche sèche)
- Cardiomyopathie
- Maladie d'Addison (maladie endocrinienne)
- Lymphome à cellules T

des indigestions qui sont généralement diagnostiqués comme syndrome du côlon irritable, appelé aussi colopathie fonctionnelle.

## Maladies associées

Bien que la maladie cœliaque se développe en général seule, elle est associée à d'autres maladies caractéristiques. Si vous êtes atteint d'une des maladies suivantes, vous avez un risque important d'être atteint également de la maladie cœliaque, et un test est hautement recommandé.

- Diabète (diabète de type 1 insulo-dépendant)

## Symptômes de malabsorption

Si la maladie cœliaque touche l'ensemble de l'intestin grêle, l'absorption des vitamines solubles dans les graisses telles que les vitamines A, D, E et K est altérée.

- Déficit en vitamine A : problèmes de vue et de reproduction
- Déficit en vitamine D : rachitisme chez l'enfant, ostéopénie et ostéoporose
- Déficit en vitamine E : troubles neurologiques tels que des picotements dans les mains ou troubles de l'équilibre
- Déficit en vitamine K : hématome et saignement faciles

Les carences en nutriments les plus courantes qui peuvent conduire à de sérieuses complications sont les suivantes.

- Déficit en fer : anémie, fatigue, faiblesse
- Déficit en calcium : ostéopénie, ostéoporose
- Déficit en folate : anémie, fatigue, faiblesse
- Déficit en vitamine $B_{12}$ : fatigue et faiblesse dans les cas sévères

## Histoire de cas

### Erreur de diagnostic

Emma est une étudiante de 24 ans qui vient de terminer ses études à l'université. Elle est venue en consultation accompagnée de sa mère. Son histoire a commencé à l'âge de 4 ou 5 ans quand elle a commencé à souffrir de fortes réactions après avoir mangé certains aliments dont les pâtes, le pain et les biscuits. Il s'agissait surtout de ballonnements, de gaz et de douleurs. Comme tout ce qu'elle ingérait lui faisait mal au ventre, elle rejetait la plupart de la nourriture. C'était une enfant facilement irritable, ce qui agaçait beaucoup son entourage. Par la suite, elle a développé une anémie et une intolérance au lactose. Sa croissance a été retardée au début de son adolescence, elle se sentait souvent mal et épuisée. Son médecin de famille l'a envoyée faire de nombreux tests d'allergies alimentaires, mais en vain. Elle est ainsi restée anémiée et en état de grande fatigue au cours de ses années d'études au collège puis à l'université. Elle pensait que son état était dû à la charge de travail – en dépit de sa mauvaise santé, elle tenait à faire des études longues et à travailler à mi-temps pour payer ses études.

Lorsqu'elle est entrée à l'université, elle s'est décidée à consulter un médecin naturopathe qui lui a suggéré d'éviter le blé et les produits laitiers. Elle a commencé un régime évitant pratiquement toutes les sources évidentes de blé – le pain, les pâtes, le couscous, les aliments panés, les pâtisseries – et les produits contenant du lactose ; elle s'est sentie immédiatement mieux. Cependant, au bout de six mois, ses symptômes sont revenus plus forts que jamais. Son taux de fer était toujours aussi bas et ses douleurs abdominales dues à des gaz et à des ballonnements étaient bien pires. Elle s'est alors décidée à consulter un deuxième médecin pour obtenir un contre-diagnostic ; ce dernier lui a suggéré de faire des tests pour vérifier l'hypothèse de la maladie cœliaque. Sans surprise, les tests sanguins montraient un taux anormalement élevé d'anticorps IgA-tTG. Elle a alors été dirigée vers un gastroentérologue qui a ordonné une biopsie de l'intestin grêle. La biopsie a permis de confirmer le diagnostic de la maladie cœliaque et a montré que le régime sans gluten qu'elle avait suivi avait permis à la muqueuse intestinale de commencer à cicatriser. Emma a eu de la chance : si elle avait été encore plus rigoureuse pour s'imposer un régime absolu sans gluten avant de faire les tests, elle aurait pu passer à côté du diagnostic de la maladie cœliaque ! Elle a subi également un test d'ostéoporose qui se développe chez les personnes non diagnostiquées.

# Comment diagnostiquer la maladie cœliaque ?

Nombreux sont les patients qui racontent à quel point ils sont passés de médecin en médecin, de spécialiste en spécialiste pendant de nombreuses années avant de se faire diagnostiquer cœliaques.

D'autres racontent qu'ils avaient l'intuition d'être cœliaques et qu'ils insistaient auprès de leurs médecins pour faire des recherches dans cette direction. Il existe plusieurs moyens pour diagnostiquer la maladie. Le moyen le plus sûr est la biopsie de l'intestin grêle, qui demeure l'étalon d'or en matière de tests. Il existe cependant d'autres moyens moins invasifs par lesquels vous devriez commencer avant d'entreprendre une biopsie.

## Test de malabsorption

Certains tests non invasifs pour vérifier une éventuelle malabsorption peuvent être entrepris avant de décider si une biopsie serait utile. Par simple prise de sang, on peut mesurer les marqueurs suivants :

- Hémoglobine
- Fer
- Folate
- Vitamine $B_{12}$
- Vitamine D

## Le saviez-vous ?

### La peur des tests médicaux invasifs

De nombreux patients expriment un sentiment de peur intense à l'idée de subir une endoscopie. Pourtant, un bon diagnostic est le premier pas vers une meilleure santé. Un diagnostic clair de la maladie doit être mis en balance avec les conséquences d'un mauvais diagnostic potentiel en cas de refus d'endoscopie. Exprimez vos craintes à votre gastroentérologue et demandez-lui de vous donner des sédatifs par intraveineuse assez puissants pour éviter l'inconfort, la douleur, l'impression d'étouffement et la toux.

## Endoscopie

Pour faire une biopsie de l'intestin grêle, un gastroentérologue va entreprendre une endoscopie sous anesthésie par intraveineuse. Un endoscope est inséré par la bouche jusqu'au duodénum. Comme les altérations des villosités dues à la maladie ne sont pas uniformes, le médecin va pratiquer des prélèvements à différents endroits pour augmenter les chances de diagnostic. Ces biopsies sont ensuite envoyées chez un spécialiste qui va évaluer le degré d'altération en rapport avec la maladie cœliaque.

### Endoscopie

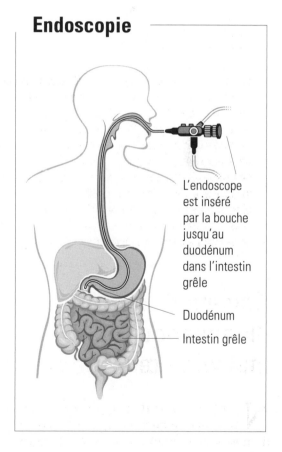

L'endoscope est inséré par la bouche jusqu'au duodénum dans l'intestin grêle

Duodénum

Intestin grêle

# Tests sanguins

Il existe actuellement deux tests sérologiques (sanguins) que nous utilisons de manière courante pour diagnostiquer la maladie cœliaque : les anticorps endomysium de classe IgA et les anticorps transglutaminase de classe IgA (tTG). Le taux sanguin des anticorps IgA doit être connu pour exclure de faux résultats négatifs, car 1 personne cœliaque sur 40 présente un déficit d'IgA comparé à 1 personne sur 400 dans la population normale.

## Test EMA

Le test des anticorps endomysium de classe IgA est très spécifique à la maladie cœliaque et donne de très bonnes indications du degré d'atrophie des villosités. Cela signifie que si le test est positif et que l'individu n'est pas en déficit d'anticorps IgA, la maladie cœliaque est probablement présente. Cependant, si la personne présente un déficit en anticorps IgA, ce test peut indiquer à tort l'absence de maladie cœliaque. Chez les enfants de moins de deux ans qui ne possèdent pas ce type d'anticorps, les tests sanguins IgA EMA négatifs peuvent être trompeurs.

## tTG

La transglutaminase de type IgA est une enzyme qui se lie au gluten et rend la molécule toxique. Cette association déclenche une réaction auto-immune caractéristique de la maladie cœliaque. En effet, cette combinaison est repérée par le système immunitaire comme un antigène. C'est pourquoi la présence à un niveau élevé de IgA-tTG dans le sang témoigne de la maladie cœliaque. Cependant, un taux anormalement élevé d'anticorps tTG peut se manifester chez les personnes atteintes de diabète, de maladies du foie et de la maladie de Crohn. Néanmoins, le test des anticorps IgA-tTG reste un bon moyen de détecter la prévalence de la maladie cœliaque.

## La fiabilité des tests sanguins

Les tests sérologiques ont beaucoup progressé. Les derniers tests disponibles dans certaines pharmacies au Canada et dans certaines parties de l'Europe permettent aux individus de vérifier à la maison si leur taux d'anticorps IgA-tTG est élevé. Cela semble simple, mais il faut faire attention à la manière dont le test est administré et il ne suffit pas pour poser un diagnostic définitif. Si le résultat est positif, il faut procéder à une analyse de sang traditionnelle par prise de sang et aussi faire une biopsie chez un gastroentérologue. Ce test sert surtout à déceler la maladie chez les personnes qui présentent peu de symptômes et chez celles qui ont un risque faible.

Un autre test disponible depuis peu est le test des anticorps de peptide gliadine désaminé (IgA-DGP) ; il est aussi fiable que le test IgA-tTG et peut être un complément intéressant.

En réalité, aucun test sérologique n'est vraiment spécifique à 100 % à la maladie cœliaque. Le moyen de détection le plus fiable reste la biopsie de l'intestin grêle.

## S'exposer au gluten pour un bon diagnostic

Si les gens ont commencé un régime sans gluten avant d'être diagnostiqués, leurs résultats sanguins peuvent être normaux, ils peuvent alors passer à côté d'un vrai diagnostic. Si le gastroentérologue suspecte la maladie cœliaque, il est recommandé de s'attaquer à la réalité du problème et d'entreprendre un régime alimentaire incluant du gluten chaque jour durant trois mois et plus, indépendamment de vos symptômes. Cependant, il n'existe pas de recommandations précises sur la manière de procéder et sur le moment le plus opportun pour effectuer la biopsie. Certains spécialistes recommandent d'ingérer tous les jours pendant trois mois la quantité de gluten contenue dans quatre tranches de pain. Si les patients tolèrent ce régime sans manifester de symptômes particuliers, une période de trois mois supplémentaires peut être utile pour augmenter les chances d'un bon diagnostic. Sachant qu'une tranche de pain contient à peu près 3,5 grammes de gluten, il faudrait donc avaler chaque jour environ 14 grammes de gluten sur une période donnée selon les recommandations.

Rappelons que la maladie cœliaque affecte les individus de manière différente et que les lésions de l'intestin grêle ne sont pas uniformes. Cela signifie que certaines personnes auront besoin de consommer moins de gluten pour constater des changements histopathologiques alors que d'autres seront obligées de s'exposer au gluten plus longtemps que les trois mois recommandés.

Cependant, dans une étude récente qui consistait à comparer – biopsies à l'appui – les résultats de personnes sous gluten et celles sous placebo, des chercheurs ont montré que 50 mg de gluten ingéré chaque jour pendant trois mois suffisaient à induire des modifications de la muqueuse de l'intestin grêle chez les patients cœliaques.

## Histoire de cas

### S'exposer au gluten, pas si simple !

Michèle nous a consultés en clinique pour son fils de trois ans. Depuis sa naissance, ce dernier présentait des retards de croissance, il grossissait peu. À l'âge de deux ans, il a commencé à souffrir de diarrhées, il avait les yeux enflés et le ventre ballonné. Il est devenu grincheux et irritable. Son pédiatre, qui suspectait la maladie cœliaque, a suggéré à Michèle d'entreprendre un régime sans gluten. « En très peu de temps, a expliqué Michèle, l'état général de mon fils s'est tellement amélioré que je ne le reconnaissais plus. C'était comme si j'avais un autre enfant en face de moi ! Il était tellement plus calme, joyeux, son ventre n'était plus ballonné, ses selles étaient normales. Finalement, il ne se nourrissait que de ce que je lui préparais. » Le problème semblait enrayé, mais Michèle voulait en savoir plus. S'agissait-il de la maladie cœliaque ? Ou plutôt d'une sensibilité au gluten ? Ou s'agissait-il encore d'autre chose ?

Lorsque je lui ai recommandé d'exposer son fils à nouveau au gluten, Michèle a refusé net. « C'est impossible que je revienne en arrière et que je lui redonne du gluten. Cela m'obligerait à arrêter mon travail pendant un mois et il serait très malheureux. Qu'est-ce que vous me proposez d'autre ? »

Je lui ai alors suggéré de lui faire passer des tests génétiques pour écarter l'hypothèse de la maladie cœliaque.

## Les tests génétiques

Les tests génétiques consistent à détecter les allèles (les différentes formes que peut prendre un même gène) DG2 ou DQ8 qui sont associés à la maladie cœliaque. Les tests se pratiquent par prélèvement sanguin ou sur un échantillon de salive ou de cellules que l'on obtient en grattant l'intérieur de la joue.

Les tests génétiques sont utiles dans certains cas. Tout d'abord, ils permettent d'exclure l'hypothèse de la maladie cœliaque dans presque tous les cas. Cela signifie qu'une personne dont le test génétique est négatif n'a pas de prédisposition et a peu de risque de déclarer la maladie cœliaque un jour. Ces personnes n'ont pas besoin de contrôler leur taux d'anticorps tout au long de leur vie. Par exemple, l'enfant d'un parent cœliaque pourrait se soumettre au test génétique, cela aiderait les parents à savoir quel enfant aurait besoin d'un contrôle assidu. Cependant, rappelons qu'on a récemment découvert plus d'une douzaine de gènes qui peuvent contribuer au déclenchement de la maladie, si bien qu'un résultat négatif au test DG2 ou DQ8 n'est pas fiable à 100%.

Les tests génétiques sont utiles également aux personnes qui ont suivi un régime sans gluten depuis un certain temps et qui n'ont pas été clairement diagnostiquées cœliaques par biopsie. Pour ce type de personne, un test génétique négatif signifie que les troubles ne sont pas dus à la maladie cœliaque. Un test positif ne permet pas pour autant de poser un diagnostic, mais il indique qu'il y a de fortes chances que la maladie soit présente.

Seulement 30% à 35% de la population atteinte de la maladie cœliaque sont porteurs des gènes HLA-DQ2 ou HLA-DQ8 et seulement 2% à 5% de ce groupe développent en réalité la maladie. Cela signifie que la maladie cœliaque est associée à d'autres gènes d'une manière ou d'une autre et que des facteurs environnementaux participent au déclenchement de la maladie.

### Le saviez-vous ?

### Biopsie de la peau

La dermatite herpétiforme (DH) est souvent considérée à tort comme de l'eczéma ou comme une autre pathologie dermatologique et est traitée par des crèmes topiques. Après l'échec d'un premier traitement, les dermatologues vont prescrire une biopsie de la peau proche des boutons. Si la biopsie confirme qu'il s'agit d'une dermatite herpétiforme, il n'est pas nécessaire de procéder à une biopsie de l'intestin. Le test positif de la peau suffit à diagnostiquer la maladie cœliaque.

## Comment la maladie cœliaque va-t-elle affecter ma vie ?

La maladie cœliaque dure toute la vie et peut engendrer des complications si elle n'est pas correctement diagnostiquée et traitée. Le premier traitement consiste à éviter toute nourriture contenant du gluten et à restaurer les carences en nutriments. Le facteur psychologique joue également un rôle dans le traitement de la maladie, car la qualité de vie s'en trouve perturbée. Accepter d'être cœliaque n'est pas toujours facile.

# La qualité de vie

Au départ, vous pouvez vous sentir soulagé que quelqu'un ait enfin trouvé la racine des maux qui vous font souffrir depuis tant d'années, mais au fur et à mesure que le temps passe, se savoir cœliaque peut être vécu comme une punition.

Une étude menée au Centre de la maladie cœliaque de l'Université Columbia, à New York, a montré que les personnes atteintes de la maladie ont de nombreuses difficultés à vivre une vie sociale et familiale normale tout en essayant de maintenir un régime alimentaire sans gluten : 86 % des participants éprouvent des difficultés en dînant dehors, 82 % trouvent qu'il est difficile de voyager et 67 % disent que la maladie a affecté de manière négative leur vie de famille.

## Le déni

Il se peut que vous refusiez de parler de votre diagnostic et d'une sensibilité au gluten. C'est un sentiment normal. La plupart d'entre nous doivent faire face à des problèmes de santé et personne ne nous oblige à en parler publiquement, à moins que nous le fassions par choix. Malgré nos problèmes de santé, nous souhaitons en effet rester en contact avec ceux qui nous sont chers et garder un sentiment d'appartenance positif. Cependant, quand vous êtes atteint de la maladie cœliaque, vous êtes inévitablement exposé à la nourriture, ce qui vous oblige à admettre le diagnostic. Si vous cachez longtemps à vos amis votre sensibilité au gluten, vous pouvez vous sentir marginalisé.

## Des ressentiments négatifs

Vous pouvez ressentir une certaine aigreur à l'idée que vous ne pourrez plus manger ce qui vous plaît et ne pourrez plus aller au restaurant sans appeler au préalable pour savoir s'ils proposent des plats sans gluten. Quelquefois, les réponses aux questions concernant le gluten attestent l'ignorance du personnel : « Oh, vous suivez un régime protéiné, bien sûr que nous pouvons vous proposer quelque chose qui vous conviendra. » Vous voulez continuer à vivre une vie normale, profiter des sorties imprévues, maintenir une vie sociale riche et voilà que tout à coup vous devez être sur vos gardes. La peur d'être contaminé par le gluten existe chez les malades non seulement dans des situations sociales comme au restaurant, mais aussi en famille. Lorsqu'un membre de votre famille vous concocte un plat spécial et vous assure qu'il ne contient pas de gluten, vous vous sentez obligé de l'accepter ou êtes tenté de poser de nombreuses questions. Vous pouvez vous sentir incompris, isolé et plus capable de vous intégrer aux autres.

## Se sentir seul

Certaines personnes se sentent délaissées. Une patiente m'a décrit la scène suivante : « J'étais à la fête d'anniversaire des 25 ans d'un ami, il a servi de la tarte et de la salade. J'ai mangé un peu de salade. J'étais au fond de moi très triste et déçue. Excusez-moi d'exister… »

## Une surcharge de renseignements

D'autres personnes sont tout simplement submergées par une tonne de renseignements sur ce qu'elles peuvent ou ne peuvent pas ingérer. La plupart des patients cœliaques passent des heures au téléphone avec des sociétés alimentaires pour savoir si les produits sont véritablement sans gluten. Quelquefois, les renseignements sont trompeurs et des sentiments de méfiance apparaissent chez les patients.

## Histoire de cas

### Souffrir en silence

Marthe vient d'être diagnostiquée cœliaque à l'âge de 82 ans. « Je ne peux pas croire qu'il a fallu toute une vie pour je sois diagnostiquée. J'ai souffert en silence, j'ai toujours suspecté que le blé ne me convenait pas. Tout a commencé à la naissance de mon premier enfant. J'avais plusieurs symptômes : des crampes terribles, de la constipation, des douleurs dans les os, une intolérance au lactose et une maladie de la glande thyroïde. J'ai vu de nombreux médecins pour chacun de mes problèmes, j'ai fait des examens et des rayons X, mais la maladie cœliaque n'a jamais été envisagée. C'est grâce à une biopsie de l'intestin grêle que j'ai été diagnostiquée et cela a changé ma vie ! »

### L'autocontrôle

Puis il vient un moment où vous arrivez à gérer votre régime sans gluten et réduisez l'impact négatif qu'il a sur votre vie émotionnelle et sociale. Des années après avoir été diagnostiqué et avoir digéré toute une masse d'informations, plusieurs patients avouent que la maladie cœliaque a été finalement une bénédiction.

De nombreux patients sont dithyrambiques sur le régime sans gluten qu'ils trouvent bien meilleur pour la santé et sont très heureux de ne plus consommer de nourriture industrielle. Ils se sentent capables d'adopter un mode de vie plus sain et de rejoindre un réseau qui les considère. Ils font une grande consommation journalière de fruits, de légumes, de viande fraîche, de produits laitiers et de légumineuses, accompagnés de toute une gamme diversifiée de céréales sans gluten. Du fait qu'ils excluent de leur alimentation les plats tout préparés, ils apprécient davantage les plats faits maison. J'ai remarqué que ceux qui cuisinent à la maison sont ceux pour qui le régime sans gluten pose le moins de problèmes.

# Qui va s'occuper de moi ?

Une fois que vous avez accepté le diagnostic, il est temps de songer au programme de guérison. Tous les patients cœliaques ont besoin de conseils d'un nutritionniste spécialisé dans la maladie cœliaque. Il faudra faire des bilans de routine pour s'assurer que le régime sans gluten fonctionne et que vous êtes sur la voie de la guérison. Prenez le contrôle de la situation, choisissez vous-même les professionnels de la santé que vous jugez bons pour vous et tenez un journal de l'évolution de votre état de santé. Cette dernière vous appartient et exige toute votre attention.

## L'équipe de soin de la maladie cœliaque

Si, parmi tous les professionnels qui sont cités ici et qui peuvent vous aider à gérer votre maladie, certains ne sont pas disponibles, ne vous inquiétez pas. Consultez ceux qui sont à votre disposition, de nombreux professionnels peuvent prendre en charge plusieurs aspects de la maladie.

**Un diététiste spécialisé dans la maladie cœliaque pour :**
- évaluer les carences en vitamines et minéraux et, de manière plus large, la situation globale nutritionnelle ;
- analyser la qualité du régime sans gluten en cours et proposer des améliorations ;
- évaluer les freins et les réticences et répondre à chacune des questions sur l'alimentation et les stratégies d'adaptation en cas de sorties au restaurant, de réunions entre amis, etc. ;

- élaborer un programme de repas sans gluten et proposer des recettes.

**Un médecin naturopathe expert dans la maladie cœliaque pour :**
- établir les protocoles de compléments alimentaires avec les bons dosages ;
- répondre aux considérations de qualité de vie et de style de vie du patient.

**Un pharmacien ayant une expertise dans l'alimentation en clinique pour :**
- contrôler la présence éventuelle de gluten dans les ordonnances médicales ;
- contrôler la présence éventuelle de gluten ou de produits dérivés du gluten dans les compléments alimentaires ;
- contrôler les ingrédients médicinaux et non médicinaux dans les produits naturels.

**Un gastroentérologue pour :**
- procéder aux biopsies dans le but de diagnostiquer la maladie ;
- superviser la guérison du patient et s'assurer que tout va bien pour lui (reprise de poids, absence d'anémie, niveau énergétique convenable, confort abdominal, retour à un transit intestinal normal) ;
- répéter les biopsies tous les deux à cinq ans, ou moins si les symptômes du patient persistent malgré l'alimentation sans gluten.

**Un médecin de famille qui connaît votre histoire médicale pour :**
- coordonner l'équipe ;
- aider à interpréter les informations ;
- vous encourager dans vos efforts ;
- répondre aux inquiétudes de votre famille.

# Mon bilan de santé

Pour vous aider à garder le contrôle de votre santé et des prescriptions de vos différents interlocuteurs médicaux, vous devez établir un bilan de santé et le mettre à jour dès que vous obtenez de nouveaux renseignements. Demandez l'aide de vos interlocuteurs pour tenir à jour ce bilan.

Mon nom : _____

Ma date de naissance : _____

## Médicaments

Suivez-vous un traitement médical ? Oui/Non _____

Si oui, lequel et pourquoi ?

_____

_____

## Suppléments alimentaires

Prenez-vous des suppléments alimentaires
en vitamines/minéraux/herbes ? Oui/Non _____

Si oui, lesquels et pourquoi ?

_____

_____

## Sensibilité alimentaire

Avez-vous d'autres sensibilités alimentaires, intolérances ou allergies ? Oui/Non _____

Si oui, lesquelles ? À quel moment ont-elles commencé ?

_____

_____

_____

## Tests de laboratoire

Résultats de la biopsie par endoscopie

IgA-tTG _____     IgA _____

IgA-EMA _____     Fer _____

Vitamine $B_{12}$ _____     Folate _____

Densité osseuse _____     Albumine (urine) _____

Numération globulaire complète  (numération sanguine) _____

## Symptômes

Cocher la case si pertinente

[ ] Diarrhée, selles liquides      [ ] Ballonnements

[ ] Crampes d'estomac      [ ] Douleurs articulaires

[ ] Peau irritée      [ ] Ecchymoses faciles

[ ] Maux de tête fréquents      [ ] Sautes d'humeur

[ ] Démarche déséquilibrée      [ ] Fatigue et faiblesse extrême

[ ] Perte de poids
    (bien que certains patients soient en surpoids ou en poids normal quand ils sont diagnostiqués)

[ ] Picotements dans les pieds et les mains

## Troubles associés

Cocher la case si nécessaire

[ ] Diabète de type 1      [ ] Maladie de la glande thyroïde

[ ] Ostéoporose      [ ] Colopathie

[ ] Intolérance au lactose      [ ] Anomalies de l'émail dentaire

[ ] Lymphome T

[ ] Autres dysfonctionnements auto-immuns :

- Maladies du foie
  (telles que la cirrhose biliaire primitive)
- Syndrome de Down (trouble génétique)
- Syndrome de Turner (trouble génétique)
- Syndrome de Sjögren
  (syndrome de la bouche sèche)

- Carence en IgA
- Cardiomyopathie
  (inflammation du muscle cardiaque)
- Maladie d'Addison
  (atrophie ou rétraction des glandes rénales)
- Stomatite aphteuse (aphtes)

## Pédiatrie

Courbe de croissance (fille) _____      Courbe de croissance (garçon) _____

## Antécédents médicaux

Quelles sont les maladies pour lesquelles vous avez été traité ? Quand ?

_____

_____

## Antécédents familiaux

Quelles sont les maladies des membres de votre famille immédiate ? Quelles sensibilités alimentaires, allergies ou intolérances ? Quels symptômes de la maladie cœliaque ?

_____

_____

# Journal de bord de votre alimentation

Tenir à jour un journal de bord sur votre alimentation en précisant quels aliments vous consommez et comment vous vous sentez après peut vous aider à prendre en charge votre maladie. Cela peut également donner des indices aux personnes qui vous soignent pour mieux connaître les causes de vos symptômes. Voici un exemple de journal de bord pour une journée ou vingt-quatre heures. Si vous faites cet exercice pendant quatre à sept jours, vous pourriez voir émerger des tendances.

| Repas/heure | Qu'est-ce que vous avez mangé? | En quelles quantités ? | Mon état/mes symptômes |
|---|---|---|---|
| Déjeuner | | | |
| | | | |
| | | | |
| | | | |
| | | | |
| | | | |
| | | | |
| Collation du matin | | | |
| | | | |
| | | | |
| | | | |
| | | | |
| | | | |
| | | | |
| Dîner | | | |
| | | | |
| | | | |
| | | | |
| | | | |
| | | | |
| | | | |

# Conseils pour tirer profit de votre journal de bord

- Choisissez trois jours qui illustrent le mieux vos habitudes alimentaires normales (deux en semaine et un pendant le week-end).
- Remplissez votre journal dès que vous avez fini votre repas ; indiquez les quantités, le type d'aliments et les marques que vous avez en mémoire.
- N'oubliez pas de noter ce que vous avez bu (eau, café, boisson gazeuse, jus de fruits). Pour évaluer la quantité de nourriture avalée, le plus simple est d'utiliser des mesures connues (1 tasse, 1 cuiller à soupe, 1 cuiller à thé).
- Notez également les apports en matière grasse, margarine, huiles, sauce pour salade ou mayonnaise. Le mieux est d'évaluer les quantités ingérées en volume de cuillers à thé.
- Pour les repas préparés à la maison, l'idéal est de noter la recette de cuisine et d'estimer les options consommées.

| Repas/heure | Qu'est-ce que vous avez mangé? | En quelles quantités ? | Mon état/mes symptômes |
|---|---|---|---|
| Goûter | | | |
| Souper | | | |
| Collation du soir | | | |

# Histoire de cas

## Un bon pronostic

Marie-Claude, une femme qui a été diagnostiquée cœliaque récemment, a 57 ans quand elle vient nous consulter à la clinique pour la première fois. Elle était en surpoids, pourtant dans un état de santé plutôt convenable, et montrait des premiers signes d'ostéopénie. Elle ne présentait aucun autre symptôme particulier. Lors de son examen médical annuel, les analyses de sang ont mis en évidence un taux un peu élevé d'aspartate aminotransférase (AST) et d'alanine aminotransférase (ALT), deux marqueurs liés à des lésions au foie. Elle aimait boire un verre de vin blanc ou deux à de rares occasions, lorsqu'elle sortait dîner dehors. Il n'y avait pas de cas de maladie cœliaque ou de maladie du foie ni de cancer du côlon dans la famille ; tous les autres tests sanguins étaient bons.

À cause du taux d'enzymes du foie anormal, elle a fait d'autres tests et a été dirigée vers un gastroentérologue. Des analyses de sang complémentaires ont mis en évidence un taux élevé d'IgA-tTG sans déficit d'anticorps IgA. Elle a subi une biopsie de l'intestin grêle qui a permis de diagnostiquer la maladie cœliaque. Peu de temps après, Marie-Claude nous a été référée pour des conseils nutritionnels et a commencé un régime sans gluten.

Lorsqu'on lui a demandé comment elle acceptait sa maladie, elle a avoué être complètement sidérée de la nouvelle au point de douter de la pertinence du diagnostic. Aucun membre de sa famille n'était atteint de la maladie pas plus qu'elle ne présentait de signes particuliers associés à la maladie : perte de poids, diarrhée, ballonnement, gaz ou constipation. Elle était plutôt inquiète de savoir quand repérer qu'elle ingérait du gluten tant la maladie était silencieuse. On lui avait dit en effet que les altérations du foie pouvaient disparaître après une année de régime strict sans gluten.

Avec un peu d'hésitation, elle a accepté de changer ses habitudes alimentaires et de cuisiner davantage à la maison pour mieux contrôler les ingrédients et les sources de contamination croisée. Elle a commencé à emporter des collations et à cuisiner sans gluten. Elle a trouvé un groupe d'amis qui a choisi d'organiser des repas collectifs le midi plutôt que d'aller manger au restaurant. À ces occasions, Marie-Claude partageait son plat et goûtait à d'autres plats sans gluten que ses amis avaient préparés. Grâce à son régime sans gluten, elle a augmenté ses apports en fruits et légumes, ce qui lui a permis de perdre du poids.

Le régime sans gluten que nous lui avons proposé avait un double intérêt : perdre du poids et augmenter son apport en calcium à partir de son alimentation. Puisqu'elle n'était pas intolérante au lactose, elle avait droit aux produits laitiers à faible teneur en matière grasse et sans gluten pour freiner les effets de l'ostéopénie. À son grand soulagement, les valeurs de AST/ALT avaient chuté et se situaient dans la norme six mois après le début de son régime. Ses efforts ont donc payé ! Le défi pour elle était de maintenir un régime strict 100 % sans gluten tout en évitant toute contamination croisée ou l'ingestion accidentelle de gluten.

# Chapitre 2
# Le régime sans gluten

# Le régime sans gluten

Soigner la maladie cœliaque, c'est facile, il suffit d'éviter de consommer du gluten. Rien de compliqué, n'est-ce pas? Mais si seulement c'était aussi simple! Quels sont les aliments à éviter? Par quoi les remplacer? Comment se faire plaisir avec des aliments sans risque? Voilà quelques questions un peu plus compliquées.

Apprendre à suivre un régime sans gluten demande un certain engagement, vous devez être patient et persistant. Autorisez-vous à expérimenter de nouveaux aliments et à échouer, c'est la meilleure manière d'apprendre. Rappelez-vous qu'il a été long de vous faire diagnostiquer et que vous êtes sur la voie de la guérison. Demeurer positif tout en se renseignant est la clé pour bien vivre la nouvelle manière de se nourrir. C'est comme apprendre une nouvelle activité – manger correctement pour en finir avec la maladie cœliaque. Petit à petit, vous allez pouvoir faire des changements dans votre vie. Et les recettes de ce livre vont vous surprendre tellement l'alimentation sans gluten est simple et délicieuse!

## Le saviez-vous?

### Les lésions accidentelles

Nous savons que 1/70 d'une tranche de pain suffit pour causer des lésions à la paroi de l'intestin grêle. Mais quel dommage peut causer l'ingestion de chapelure? Nous ne savons pas. Si l'ingestion est fréquente ou quotidienne, cela va maintenir un état inflammatoire et les lésions de la paroi intestinale vont augmenter. Plus les accidents sont nombreux, moins votre corps a de chance de récupérer. Cela mène à des complications et des symptômes interminables.

# Les limites de consommation du gluten

Quelle est la quantité de gluten à laquelle j'ai droit? Voilà la question qui revient toujours chez les patients qui viennent d'apprendre qu'ils sont cœliaques. André, 75 ans, un nouveau patient cœliaque, voulait savoir quelles étaient ses limites de consommation de gluten. «J'aime vraiment le pain; est-ce que je peux en manger une fois de temps en temps?» Le seul traitement vraiment valable pour soigner la maladie cœliaque est l'alimentation 100% sans gluten. Tandis que les professionnels vont vous recommander de ne jamais dévier, la vie autour de nous n'est pas 100% sans gluten et les contaminations au gluten par les aliments ne sont pas rares.

Tandis que les sources de gluten caché sont de plus en plus rares grâce aux lois qui obligent les industriels à indiquer sur les étiquettes les sources possibles d'allergènes, les produits sans gluten peuvent être contaminés par des aliments contenant des quantités infimes de gluten. Des études récentes démontrent que 15% des aliments étiquetés sans gluten au Canada et 30% en Europe contiennent plus de 20 parties par million de gluten. Au Canada, plus de la moitié des articles contaminés sont les farines, telles que la farine de sarrasin et la semoule de maïs, le reste étant des produits cuisinés industriels où les niveaux de contamination sont équivalents.

D'après une des études les plus récentes, la consommation de 50 mg de gluten par jour pendant trois mois peut provoquer des dommages dans la paroi intestinale. Sachez qu'une tranche de pain contient 3,5 grammes de gluten, soit 70 fois plus que le seuil de 50 mg. En d'autres termes, il suffit d'une toute petite portion de pain (1/70 d'une tranche de pain) pour déclencher une inflammation par inadvertance et causer des lésions à l'intestin. À cause du nombre peu élevé de malades qui se sont prêtés à l'étude, nous ne pouvons tirer de conclusions définitives sur les effets d'une consommation inférieure à 10 mg par jour. Il reste une part d'ombre dans la recherche.

En tant que diététiste, je vous encourage à faire l'effort d'une alimentation 100% sans gluten. Parce que tous vos efforts peuvent être gâchés par effet de contamination croisée, il faut être vigilant sur l'ingestion accidentelle d'aliments qui contiennent du gluten.

## Définitions du sans-gluten

La *Norme de Codex pour les aliments diététiques ou de régime destinés aux personnes souffrant d'une intolérance au gluten* définit les aliments sans gluten comme :

- composés ou fabriqués à partir d'ingrédients qui ne contiennent pas de blé (c'est-à-dire toutes les espèces de *Triticum* telles que le blé dur, l'épeautre et le kamut), de seigle, d'orge, d'avoine ou de leurs variétés croisées et dont la teneur en gluten ne dépasse pas 20 parties par million (20 ppm) au total, sur la base des aliments tels que vendus et distribués au consommateur ;
- constitués d'un ou de plusieurs ingrédients issus du blé (c'est-à-dire toutes les espèces de *Triticum* telles que le blé dur, l'épeautre et le kamut), de seigle, d'orge, d'avoine ou des variétés croisées, qui ont été traités spécialement pour retirer le gluten, dont la teneur en gluten ne dépasse pas 20 ppm au total, sur la base des aliments tels que vendus et distribués au consommateur.

La commission de la Food and Drug Administration américaine propose de définir le terme « sans gluten » pour un usage volontaire dans l'étiquetage des aliments qui ne contiennent pas :

- un ingrédient de toutes espèces de blé, d'orge ou de seigle, ou de variétés croisées de ces céréales ; la liste n'inclut pas l'avoine. Les produits d'avoine étiquetés sans gluten doivent contenir moins de 20 ppm de gluten ;
- un ingrédient qui provient d'une céréale interdite dont le gluten n'a pas été extrait tel que le son de blé, la farine de blé, les protéines de blé hydrolysées, le sirop de malt ou l'extrait de malt ;
- un ingrédient qui provient d'une céréale interdite dont le gluten a été extrait, mais dont la part de gluten dépasse 20 ppm ;
- 20 ppm ou plus de gluten.

Actuellement, au Canada, la définition du « sans gluten » fait référence à un aliment qui ne contient « ni blé – dont l'épeautre et le kamut –, ni avoine, ni orge, ni seigle, ni triticale ni aucun élément de ces grains ». Le Canada n'a pas accepté la norme de codex pour les aliments sans gluten ; cependant, Santé Canada se penche actuellement sur la définition de l'usage du terme « sans gluten ».

La Commission européenne a approuvé l'usage de la nouvelle norme du Codex en tant que loi sur l'étiquetage de l'alimentation pour personnes intolérantes au gluten. La loi est entrée en vigueur en janvier 2009, mais les industriels ont jusqu'en janvier 2012 pour respecter la loi, ce qui laisse le temps aux industriels de rendre la gamme de produits conforme et de changer les étiquettes des produits.

## Les codes de l'alimentation sans gluten

Quelles sont les normes de l'alimentation sans gluten ? Quand un aliment est-il considéré comme sans gluten ? Jusqu'à récemment, la norme était différente selon l'endroit où vous vous trouviez. Les choses évoluent et on se rapproche des normes internationales. Le Codex Alimentarius, ou code alimentaire, est devenu la référence mondiale pour les consommateurs, les producteurs et les transformateurs de denrées alimentaires, les organismes nationaux de contrôle des aliments et le commerce international des produits alimentaires. Créée dans les années 1960 par l'Organisation mondiale de la santé (OMS) et l'Organisation des Nations unies pour l'alimentation et l'agriculture (FAO), la Commission du Codex Alimentarius – l'institution chargée du développement du code alimentaire – a revu tous les aspects importants relatifs à la protection de la santé des consommateurs et du commerce équitable dans l'industrie alimentaire.

# Les aliments à éviter

La pierre angulaire du régime sans gluten est d'éviter une longue liste d'aliments. À première vue, cette liste est très lourde. C'est comme si tout contenait du blé, de l'orge ou du seigle. Ainsi s'en plaint Andréa, qui vient d'apprendre qu'elle a la maladie cœliaque : « Je ne savais pas que tous ces aliments contiennent du gluten ; je n'en reviens pas de tout ce qu'il faut apprendre. Je me sens coupable quand il m'arrive de manger du gluten sans le savoir. » Ne vous sentez pas coupable. Restez calme et vigilant. Bientôt vous ne serez plus piégé par des publicités alimentaires bien intentionnées mais trompeuses.

## La liste A

Gardez sur vous la liste des aliments à éviter lorsque vous faites vos courses d'aliments sans gluten.
- Blé
- Orge
- Seigle
- Triticale
  (un croisement entre le blé et le seigle)
- Épeautre
- Kamut (de la famille du blé dur)
- Amidonnier
- Engrain (blé ancien)
- Farro (blé italien)
- Avoine

## Les risques majeurs

« Gluten » est le terme utilisé pour désigner la part toxique de protéine du blé (gliadine), du seigle (sécaline) et de l'orge (hordéine) qui provoque la maladie cœliaque et les dermatites herpétiformes. Vous devez éviter le gluten de ces céréales et d'autres céréales contenant du gluten telles que le triticale, l'épeautre, le kamut, l'amidonnier et l'engrain, car toutes ces céréales appartiennent à la famille du blé. L'avoine devrait être évitée non pas à cause du gluten contenu dans la céréale, mais à cause du risque de contamination croisée avec le blé, l'orge ou le seigle au cours de la fabrication du produit.

## Les risques du blé

Les grains de blé sont moulus en différents produits alimentaires et entrent dans de nombreux ingrédients, tous à éviter.

## Le saviez-vous ?

### Le blé sous d'autres noms

Le blé se présente sous divers noms souvent exotiques

**Boulgour :** blé précuit concassé

**Semoule :** grains de blé hachés grossièrement

**Couscous :** blé dur haché grossièrement

## Produits à base de blé moulu

- Son de blé
- Germe de blé
- Farine de blé
- Fécule de blé
- Amidon de blé modifié

## Ingrédients contenant du blé

**Protéines de blé hydrolysées :** ce blé transformé est utilisé dans les assaisonnements ou pour rehausser le goût des plats relevés.

# Le saviez-vous ?

## Le vinaigre de malt

Le vinaigre de malt est fabriqué à partir de seigle fermenté, sans distillation, ce qui laisse derrière les protéines de gluten, mais seulement en quantité infime. On peut en trouver dans les cornichons, les chutneys, les condiments, les assaisonnements et saupoudré sur les fish and chips. Au Canada et aux États-Unis, le vinaigre de malt n'est pas considéré comme un aliment sans gluten alors qu'au Royaume-Uni, la quantité de gluten trouvée dans le vinaigre de malt et la quantité totale de vinaigre consommée habituellement sont considérées comme bien inférieures au niveau de sécurité pour la plupart des personnes atteintes de la maladie cœliaque.

## Bière blonde et brune

La bière est produite à partir du seigle. Depuis peu, il existe des bières faites à partir de grains sans gluten tels que le sorgho, le sarrasin et l'amarante.

## Avoine pure

Les produits d'avoine peuvent être contaminés par du blé, de l'orge et du seigle. Bien que l'avoine pure non contaminée existe dans le commerce et ne pose pas de problème aux personnes atteintes de la maladie cœliaque, il n'existe pas de consensus international sur leur sécurité. En Amérique du Nord, la plupart des associations cœliaques recommandent l'introduction de l'avoine par petites quantités (½ à ¾ de tasse ou 125 à 175 ml de flocons d'avoine pour les adultes et ¼ de tasse soit 60 ml pour les enfants) après une année de régime sans gluten sous supervision médicale.

**Amidon de blé modifié :** cet amidon a subi un procédé chimique pour renforcer la texture des aliments. Lorsque l'amidon modifié est fait à partir de riz, de maïs, de pomme de terre ou de tapioca, il est sans gluten.

**Dextrine faite de blé :** bien que rare dans l'alimentation, la dextrine est obtenue en chauffant la fécule en présence d'humidité et d'acide. Lorsqu'elle est faite avec du blé, il faut l'éviter.

## *Plats traditionnels à base de blé*

**Matza (pain azyme), chapelure au matza :** fait à partir de farine de blé, ce pain plat se mange à la période de la Pâque juive. En Europe, il existe quelques marques de matza fait à partir d'ingrédients sans gluten et qui sont considérés comme cachers.

**Seitan :** connu aussi comme viande de blé, le seitan est un dérivé du blé avec gluten et est utilisé dans de nombreux plats végétariens.

**Fu :** utilisées dans différents plats asiatiques, ces fines tranches de gâteau épais sont faites à partir de blé qui contient du gluten.

**Taboulé :** ce plat du Moyen-Orient est préparé à partir de blé concassé, de persil, d'oignons et de tomates. Dans l'alimentation sans gluten, le plat peut être fait avec du quinoa ou du millet en remplacement du blé concassé.

## Les risques de l'orge

**Aliments dérivés de l'orge**
- Flocons d'orge
- Farine d'orge
- Malt d'orge
- Aromatisant au malt
- Extrait de malt
- Sirop de malt
- Lait malté
- Vinaigre de malt

## Les risques du seigle, du kamut et de l'épeautre

**Aliments et ingrédients issus du seigle**
- Farine de seigle
- Pain de seigle

**Aliments et ingrédient issus du kamut et de l'épeautre**
- Farines de kamut et d'épeautre
- Pains au kamut et à l'épeautre
- Pâtes au kamut et à l'épeautre
- Bretzels et collations au kamut et à l'épeautre

**Aliments et ingrédients dérivés de l'avoine**
- Avoine du commerce
- Flocons d'avoine
- Sirop d'avoine
- Farine d'avoine
- Son d'avoine

## Le saviez-vous ?

### Les risques du blé germé

Bien que l'herbe elle-même ne contienne pas de protéine, il y a un risque inconnu de contamination croisée. Puisqu'il existe de nombreuses alternatives d'herbes germées nutritives (luzerne, sarrasin, millet, algues) ainsi que des suppléments verts qui se focalisent sur les extraits de fruits et légumes (brocoli, chou frisé, épinard, goji, grenade), le risque de consommer des graines de blé germé ne se justifie pas chez les personnes atteintes de la maladie cœliaque.

### Astuces pour introduire de l'avoine pure dans votre alimentation sans gluten

- Avant d'introduire l'avoine pure et non contaminée dans votre alimentation, attendez que votre alimentation sans gluten soit stabilisée et que les résultats de vos tests sanguins soient normaux.
- Une fois que vous avez introduit l'avoine, faites le point avec votre médecin de trois à six mois plus tard pour contrôler vos réactions et vos symptômes.
- Lorsque vous introduisez l'avoine, commencez par de petites quantités comme ¼ de tasse (60 ml) ingérées quotidiennement en une seule fois au déjeuner. Pour être sûr que vous tolérez la quantité de fibres, augmentez lentement la quantité chaque semaine de ¼ de tasse jusqu'à atteindre ¾ de tasse.
- N'oubliez pas de boire beaucoup lorsque vous augmentez la part de fibres dans votre alimentation. Sinon, vous aurez des symptômes tels que des ballonnements, des gaz et peut-être de la constipation, qui ne seraient pas liés à la maladie cœliaque.

# Les aliments suspects

**B**ien que certains aliments soient identifiés comme sans gluten ou avec gluten, il existe toute une gamme d'aliments suspects au sujet desquels vous devez enquêter lorsque l'étiquette ne mentionne pas si certains composants peuvent être dérivés de céréales avec gluten. La manière dont les ingrédients suspects sont mentionnés sur les étiquettes varie d'un pays à l'autre. Prenez le temps d'appeler le fabricant pour obtenir des renseignements complets sur la quantité de gluten. Assurez-vous que les renseignements que vous obtenez sur Internet proviennent d'une source fiable. Faites vos devoirs!

## Amidon alimentaire modifié

Si cet ingrédient apparaît sur une étiquette, demandez-vous de quel aliment il s'agit. Est-ce qu'il s'agit d'amidon de blé, de maïs ou de pomme de terre? Si le fabricant vous répond qu'il s'agit de blé, évitez les aliments contenant cet ingrédient. Cependant dans la plupart des cas, il peut s'agir de fécule de maïs, de l'amidon de maïs cireux modifié, de l'amidon de pomme de terre modifié ou d'amidon de tapioca. Tous ces types d'amidon sont compatibles avec le régime sans gluten.

## Plante hydrolysée/ protéine végétale

Cet ingrédient est utilisé comme agent aromatisant. Comme dans le cas de l'amidon alimentaire modifié, vous devez vous demander quelle est la plante ou la source végétale utilisée. S'il s'agit de blé, vous devez éviter ce produit. Cependant, les protéines de soya hydrolysées et les protéines de maïs hydrolysées sont sans gluten.

## Les assaisonnements

Les mélanges d'épices et d'herbes utilisent souvent de la farine de blé, de l'amidon de blé ou des protéines de blé hydrolysées comme support. Les assaisonnements peuvent aussi contenir du sel, du sucre, du lactosérum en poudre et du lait modifié. Puisque de la farine de blé ou de l'amidon de blé est vraisemblablement utilisé dans l'assaisonnement, vous devez toujours lire l'étiquette ou vérifier l'information auprès du fabricant.

## Les sirops de glucose

Ces produits sucrés sont fabriqués à partir d'amidon. En Amérique du Nord, la source la plus courante de sirop de glucose est l'amidon de maïs. Cependant, en Europe, on trouvera plus facilement de l'amidon de blé. Selon les données de l'Association européenne de sécurité alimentaire, les sirops de blé sont très affinés et purifiés. De plus, de nombreuses études cliniques montrent qu'il n'y a pas d'effets délétères ou d'inflammation aggravée chez les patients qui consomment chaque jour du sirop de glucose à base de blé et de la maltodextrine.

# Les aliments industriels

Certains aliments industriels sont à l'étude pour savoir s'ils contiennent du gluten. Tant que l'on n'a pas prouvé scientifiquement qu'ils ne contiennent pas de gluten, mieux vaut les éviter.

## Sirop de riz

Cet édulcorant est obtenu à partir de la fermentation enzymatique de l'amidon contenu dans le riz brun cuit. Le produit est absorbé plus lentement dans le sang parce qu'il contient un taux important de

## Étiquetage d'amidon alimentaire modifié

| États-Unis | Canada | Royaume-Uni |
|---|---|---|
| Actuellement, la loi sur les allergènes alimentaires et la protection des consommateurs exige que les fabricants déclarent sur les étiquettes les huit premiers allergènes. Il doit être écrit « amidon de blé modifié » ou « amidon alimentaire modifié (blé) ». Sous la nouvelle règle proposée par la FDA au sujet de l'usage du terme « sans gluten », les ingrédients dont le gluten a été retiré, comme l'amidon de blé modifié, doivent être inclus parmi les aliments « sans gluten » tant que leur concentration finale de gluten ne dépasse pas 20 ppm. | Actuellement, il n'existe pas d'obligation pour les fabricants de déclarer la source de l'amidon alimentaire modifié sur l'étiquette. Les consommateurs doivent appeler les fabricants pour obtenir ces renseignements. On attend de nouvelles réglementations pour obliger les fabricants à déclarer la source des protéines de gluten ou des protéines de gluten modifiées dont les fractions de gluten dérivées du blé, de l'orge, du seigle, de l'épeautre, du kamut ou du triticale, lorsqu'elles sont présentes dans les produits alimentaires. | Les réglementations britanniques obligent les industriels à dresser la liste des quatorze premiers allergènes et de leurs dérivés sur les étiquettes, y compris les céréales contenant du gluten (blé, seigle, orge, avoine, épeautre, kamut ou leurs sources hybrides) quelle que soit la quantité utilisée. Si le blé est utilisé, il doit apparaître sur l'étiquette comme « amidon de blé modifié » ou « amidon alimentaire modifié (contient du blé) ». |

## Étiquetage des protéines végétales hydrolysées

| États-Unis | Canada | Royaume-Uni |
|---|---|---|
| Actuellement, la loi sur les allergènes alimentaires et la protection des consommateurs exige que les fabricants déclarent sur les étiquettes les huit premiers allergènes. Si du blé est utilisé, les mentions « protéine de blé hydrolysée » ou « protéine végétale hydrolysée (blé) » doivent apparaître sur l'étiquette. Cependant, la loi n'oblige pas les fabricants à déclarer les ingrédients dérivés de l'orge et du seigle. | Actuellement, il n'existe pas d'obligation pour les fabricants de déclarer sur l'étiquette la source de protéine de plante hydrolysée. Les consommateurs doivent appeler les fabricants pour obtenir ces renseignements. On attend de nouvelles réglementations obligeant les fabricants à déclarer la source des protéines de gluten ou de gluten modifié, incluant les fractions de protéines de gluten qui sont dérivées du blé, de l'orge, du seigle, de l'épeautre, du kamut ou du triticale, quand elles sont présentes dans les aliments ou incluses dans les ingrédients. | Les réglementations du Royaume-Uni obligent les fabricants à déclarer sur les étiquettes la liste des quatorze premiers allergènes, dont les céréales contenant du gluten (blé, seigle, orge, avoine, épeautre, kamut ou leurs sources hybrides) indépendamment de la quantité utilisée. Si le blé est utilisé, cela doit apparaître sur l'étiquette sous la forme « protéine de blé hydrolysée » ou « protéine végétale hydrolysée (contient du blé) ». |

## Étiquetage des assaisonnements

| États-Unis | Canada | Royaume-Uni |
|---|---|---|
| Actuellement, la loi sur les allergènes alimentaires et la protection des consommateurs exige que les fabricants déclarent sur les étiquettes les huit premiers allergènes. Si du blé est utilisé, cela doit apparaître sur l'étiquette comme « assaisonnement (blé) ». Cependant, la loi n'oblige pas les fabricants à déclarer les ingrédients dérivés de l'orge et du seigle. | Actuellement, il n'existe pas d'obligation pour les fabricants de déclarer sur l'étiquette les ingrédients contenant du gluten. Les consommateurs doivent se renseigner auprès des fabricants. On attend de nouvelles réglementations obligeant les fabricants à déclarer la source de protéines de gluten ou de gluten modifié, y compris les fractions de protéines de gluten qui sont dérivées du blé, de l'orge, du seigle, de l'épeautre, du kamut ou du triticale, quand elles sont présentes dans les aliments ou incluses dans les ingrédients. | Les réglementations du Royaume-Uni obligent les fabricants à déclarer sur les étiquettes la liste des quatorze premiers allergènes, dont les céréales contenant du gluten (blé, seigle, orge, avoine, épeautre, kamut ou leurs sources hybrides) indépendamment de la quantité utilisée. Par exemple, « assaisonnement (sel, protéine de blé hydrolysée, poivre noir) ». |

## Étiquetage des sirops de glucose

| États-Unis | Canada | Royaume-Uni |
|---|---|---|
| Actuellement, la loi sur les allergènes alimentaires et la protection des consommateurs exige que les fabricants déclarent sur les étiquettes les huit premiers allergènes. Si du blé est utilisé, cela doit apparaître sur l'étiquette comme « assaisonnement (blé) ». Cependant, la loi n'oblige pas les fabricants à déclarer les ingrédients dérivés de l'orge et du seigle. | Actuellement, il n'existe pas d'obligation pour les fabricants de déclarer sur l'étiquette les ingrédients contenant du gluten. Les consommateurs doivent se renseigner auprès des fabricants. On attend de nouvelles réglementations obligeant les fabricants à déclarer la source de protéines de gluten ou de gluten modifié, incluant les fractions de protéines de gluten qui sont dérivées du blé, de l'orge, du seigle, de l'épeautre, du kamut ou du triticale, quand elles sont présentes dans les aliments ou incluses dans les ingrédients. | Les réglementations du Royaume-Uni obligent les fabricants à déclarer sur les étiquettes la liste des quatorze premiers allergènes, dont les céréales contenant du gluten (blé, seigle, orge, avoine, épeautre, kamut ou leurs sources hybrides) indépendamment de la quantité utilisée. Par exemple, « assaisonnement (sel, protéine de blé hydrolysée, poivre noir) ». |

fibres solubles et de protéines du grain entier. Il est également plus nutritif grâce à ses vitamines et ses minéraux. Les enzymes utilisées en général pour faire du sirop de riz sont des champignons ou des bactéries naturelles, mais quelques fabricants utilisent encore des enzymes d'orge pour la fabrication de ces sirops. Les sirops de riz brun sont actuellement à l'étude pour savoir s'ils contiennent des résidus de gluten.

### Arôme de fumé

Cet ingrédient est une autre exception dans la catégorie des assaisonnements. Il a été démontré que l'arôme qui donne le goût fumé à un aliment contient du blé comme stabilisateur. C'est pour cette raison qu'il vaut mieux vérifier l'étiquette chaque fois.

# Les aliments sûrs

Certains ingrédients sont sûrs quelle que soit leur origine. Vous pouvez les consommer sans craindre d'aggraver vos symptômes de la maladie cœliaque.

### Les épices

Les épices prises séparément, par exemple, le poivre de Cayenne, le paprika, le piment de la Jamaïque, la cannelle, ne contiennent ni farine ni amidon et ne contiennent donc pas de gluten. Les herbes individuelles telles que le thym, la sauge, l'origan, et la menthe sont également sans gluten. Et dans 99 % des cas, les mélanges d'épices ne contiennent ni farine ni amidon et sont donc sans gluten. Cependant 1 % des personnes cœliaques ont dû renoncer aux mélanges d'épices. Si vous êtes très inquiet quant à la sécurité des épices, vérifiez auprès du fabricant. Il

n'y a pas lieu de craindre les épices – elles rehaussent le goût des plats, vous permettent d'explorer différentes cuisines et sont une excellente source d'antioxydants.

### La maltodextrine

La maltodextrine provient en général de l'amidon de maïs, de pomme de terre ou de riz. C'est un agent gonflant ou un substitut de matière grasse dans de nombreux

## Étiquetage des épices

| États-Unis | Canada | Royaume-Uni |
|---|---|---|
| Actuellement, la loi sur les allergènes alimentaires et la protection des consommateurs exige que les fabricants déclarent sur les étiquettes les huit premiers allergènes. Si du blé est utilisé, cela doit apparaître sur l'étiquette comme « assaisonnement (blé) ». Cependant, la loi n'oblige pas les fabricants à déclarer les ingrédients dérivés de l'orge et du seigle. | Les mélanges d'épices, les mélanges d'herbes et les assaisonnements sont exemptés de déclaration. On attend de nouvelles réglementations obligeant les fabricants à déclarer la source de protéines de gluten ou de gluten modifié, incluant les fractions de protéines de gluten qui sont dérivées du blé, de l'orge, du seigle, de l'épeautre, du kamut ou du triticale, quand elles sont présentes dans les aliments ou incluses dans les ingrédients. | Les réglementations du Royaume-Uni obligent les fabricants à déclarer sur les étiquettes la liste des quatorze premiers allergènes, dont les céréales contenant du gluten (blé, seigle, orge, avoine, épeautre, kamut ou leurs sources hybrides) indépendamment de la quantité utilisée. Par exemple, « assaisonnement » (sel, protéine de blé hydrolysée, poivre noir). Les épices, comme tous les aliments vendus préemballés doivent satisfaire à ces règlements. |

## Étiquetage des arômes

| États-Unis | Canada | Royaume-Uni |
|---|---|---|
| Actuellement, la loi sur les allergènes alimentaires et la protection des consommateurs exige que les fabricants déclarent sur les étiquettes les huit premiers allergènes. Si du blé est utilisé, cela doit apparaître sur l'étiquette comme « assaisonnement (blé) ». Cependant, la loi n'oblige pas les fabricants à déclarer les ingrédients dérivés de l'orge et du seigle. Si les arômes sont dérivés de l'orge, ils seront probablement identifiés comme « aromatisant au malt » sur l'étiquette. Si une protéine hydrolysée est utilisée comme exhausteur de goût, la source de l'allergène doit être déclarée et non cachée sous le terme « arôme ». | Les arômes, quand ils sont utilisés comme ingrédients dans d'autres aliments, sont exempts de déclaration, à l'exception du sel, de l'acide glutamique, du glutamate de sodium, des protéines végétales hydrolysées, de l'aspartame et du chlorure de potassium. On attend de nouvelles réglementations obligeant les fabricants à déclarer la source de protéines de gluten ou de gluten modifié, incluant les fractions de protéines de gluten qui sont dérivées du blé, de l'orge, du seigle, de l'épeautre, du kamut ou du triticale, quand elles sont présentes dans les aliments ou incluses dans les ingrédients. | Les réglementations du Royaume-Uni obligent les fabricants à déclarer sur les étiquettes la liste des quatorze premiers allergènes, dont les céréales contenant du gluten (blé, seigle, orge, avoine, épeautre, kamut ou leurs sources hybrides). Les arômes, comme tous les aliments vendus préemballés, doivent satisfaire à ces règlements. |

produits de régime tels que les produits laitiers, les boissons nutritionnelles, les confitures, les margarines et quelques produits à base de viande. Bien qu'elle provienne rarement du blé, la maltodextrine a subi tellement de traitements de raffinement et de filtrage qu'il ne reste plus aucune trace de gluten même lorsqu'elle est issue du blé, comme les meilleurs tests de dépistage du gluten le prouvent.

## Maltilol

Le maltilol est un succédané de sucre que l'on trouve souvent dans les gommes à mâcher et d'autres produits sans sucre. Cet ingrédient est un dérivé du sirop de maïs.

## Colorants alimentaires

Les colorants alimentaires sont issus de l'industrie chimique et ne contiennent pas de gluten. On a cependant constaté quelques réactions à la tartrazine – le colorant jaune de certains bonbons – sans qu'elles soient reliées au gluten. Les colorants sont utilisés dans des concentrations infimes – moins de 0,1 % – c'est pourquoi ils seront seulement mentionnés en fin de liste des ingrédients.

## Les arômes

Les arômes naturels et artificiels contiennent rarement du gluten. Dans la plupart des produits alimentaires, ils représentent moins de 1 % des ingrédients. Lorsque des ingrédients contenant du gluten sont utilisés pour la fabrication des arômes, en général un des deux ingrédients est mentionné : malt d'orge/arôme de malt ou de protéine de blé hydrolysée. Comme ce sont des sources d'allergènes, ils sont presque toujours mentionnés sur les étiquettes. Pour ces raisons, les experts pensent qu'il n'y a pas lieu d'exclure les arômes naturels et artificiels de l'alimentation sans gluten.

Pour plus d'informations sur la réglementation concernant l'étiquetage des arômes, consultez les sites internet suivants.

1. Pour les États-Unis. La loi de 2004 sur l'étiquetage des allergènes alimentaires et la protection des consommateurs : http://www.fda.gov/Food/ LabelingNutrition/FoodAllergensLabeling/ GuidanceComplianceRegulatoryInformation/ ucm106187.htm
2. Pour le Règlement sur les aliments et drogues (Canada) : http://laws-lois.justice.gc.ca/fra/ reglements/C.R.C.% 2C_ch._870/
3. Pour les réglementations de Santé Canada : http://www.hc-sc.gc.ca/fn-an/label-etiquet/ allergen/index-fra.php
4. Pour le Royaume-Uni : http://www.food.gov. uk/safereating/allergyintol/label/

## Le saviez-vous ?

### Le colorant caramel

Le colorant caramel, utilisé dans de nombreux produits alimentaires, est obtenu en chauffant des sucres tels que le fructose (du sucre de fruits), le glucose, le sucre inverti ou des produits dérivés de l'amidon, avec des acides alimentaires et d'autres types de sels. Alors que le malt d'orge ou des dérivés de l'amidon peuvent être utilisés au point de départ, les entreprises nord-américaines utilisent du maïs qui a une durée de vie plus grande, ce qui en fait un produit supérieur.

# Faire des courses sans gluten

L'alimentation sans gluten est une excellente occasion de revoir sa manière de faire les courses et de retrouver les fondements d'une alimentation saine. La plupart des patients que je rencontre dans ma pratique médicale sont satisfaits de leur nouvelle alimentation dès lors qu'ils admettent et acceptent leur maladie et leur besoin de s'alimenter sans gluten. Ils font des courses de manière différente et évitent les produits industriels. Ils font leurs courses au supermarché de manière méthodique, commençant d'abord par le rayon des fruits et légumes, puis de la viande fraîche, de la volaille et du poisson pour finir au rayon des produits laitiers, des œufs et du fromage.

## Astuces pour faire ses courses

Que vous soyez cœliaque ou non, voici quelques règles de base qui vous aideront à faire des courses saines.

1. **Achetez du frais !** Qu'est-ce qui peut être plus sain et meilleur pour la santé ? L'avantage de l'alimentation sans gluten est que la plupart des aliments frais ne contiennent pas de gluten. Les fruits, les légumes, les viandes fraîches, la volaille, le poisson, les produits laitiers, les légumineuses et les jus de fruits sont les meilleurs aliments qui soient et sont aussi sans gluten. Souvenez-vous de la manière dont vos parents et grands-parents cuisinaient ! Simple et frais.

2. **Commencez vos courses en longeant les bords du supermarché.** Moins vous vous trouverez dans les rayons au centre du magasin, plus votre alimentation sera saine et vos courses seront faciles à faire.

3. **Faites une liste.** Économisez du temps, de l'argent et des calories vides en vous concentrant sur ce que vous devez acheter. Cela vous évitera de vous promener du côté du rayon des collations.

4. **Renseignez-vous au comptoir des viandes à la coupe.** Si vous achetez de la viande à la coupe, assurez-vous que la personne au comptoir a bien lavé la lame pour éviter toute contamination croisée au gluten. Soyez proactif et assurez-vous que les marques de viande fraîche que vous choisissez ne contiennent pas de gluten.

5. **Ne faites pas vos courses avec un estomac vide**. Prenez une collation avant de faire vos courses. Cela vous aidera à éviter d'acheter des collations pleines de calories telles que les croustilles et les barres de chocolat – oui, de nombreuses collations sont sans gluten ! Si vous ne pouvez pas faire un repas avant de partir faire vos courses, prenez avec vous une collation, par exemple un fruit et quelques amandes, des noix ou des graines de soya.

6. **Conservez des fruits et des légumes congelés**. Aussi incroyable que cela paraisse, les fruits et les légumes congelés sont aussi bons, si ce n'est meilleur pour la santé que les produits frais ! Souvent ils sont mûrs et surgelés à la source, si bien que leur teneur en nutriments et antioxydants n'est pas altérée. Vous pouvez facilement ajouter des légumes dans vos soupes, quiches et plats en cocotte. Les fruits peuvent être servis facilement en accompagnement de gaufres ou de crêpes sans gluten, incorporés à des *smoothies*, ou mélangés à du yogourt ou à de la crème fraîche. Après la saison des baies, achetez des fruits congelés sans sucre ajouté pour vous rappeler la saveur de l'été !

7. **Optez massivement pour les haricots**. La plupart des haricots en conserve sont non seulement sans gluten, mais aussi nourrissants, hautement nutritifs et délicieux. Une tasse de haricots cuits est une excellente source de fibres (15 grammes), d'acide folique, de fer et de calcium. Les haricots sont également excellents pour réduire le taux de cholestérol, réduire les plaques de gras des artères et augmenter la résistance à l'insuline.

8. **Consommez des fibres**. Un manque de fibres peut engendrer de la constipation, c'est un défi pour les personnes qui suivent une alimentation sans gluten. Introduire dans l'alimentation des fibres trop vite peut provoquer des troubles gastro-intestinaux tels que des gaz, des ballonnements et des crampes. Prenez votre temps quand vous introduisez ou augmentez les quantités de quinoa, de maïs, d'avoine pure et d'autres sources de fibres sans gluten.

9. **Préparez vous-même vos céréales du matin**. Vous n'êtes pas obligé de vous limiter à la crème de riz. Pourquoi ne pas ajouter des fruits frais ou congelés, des raisins, des éclats d'amandes natures grillées, des noix de Grenoble, des graines de citrouille, des graines de tournesol, des graines de lin moulues ou des graines de chia ? Faites votre propre mélange du randonneur, conservez-le dans un pot étanche à large ouverture et ajoutez 1 à 2 c. à s. (15 à 30 ml) à vos céréales ou mangez ¼ de tasse (60 ml) pour une collation rapide en après-midi.

10. **Achetez du yogourt nature et parfumez-le à la maison**. Pour plusieurs de mes patients, le goût du yogourt nature est tout simplement insuffisant. Cependant, les marques commerciales contiennent presque toujours trop de sucre et des calories vides. Pensez à ajouter 1 c. à t. (5 ml) de miel ou de confiture avec vos petits fruits surgelés favoris et de la cannelle ou de la muscade. Votre yogourt sera délicieux et vous économiserez des calories et de l'argent.

11. **Essayez les délicieux produits de boulangerie sans gluten**. Le blé n'est pas le seul grain qui renferme des propriétés nutritionnelles. Beaucoup d'autres grains sont à la fois délicieux et nutritifs !

# Guide rangée par rangée

Voici un guide des aliments sans gluten que vous trouverez dans chaque section et dans les rangées d'une épicerie typique. Les aliments sont cotés «Savourez», «Soupçonnez» et «Évitez».

- **Savourez** ces aliments sans risque de gluten.
- **Soupçonnez** ces aliments en lisant attentivement l'emballage ou en vérifiant avec le fabricant, une fois à la maison.
- **Évitez** ces aliments puisqu'ils contiennent du gluten.

Vous pouvez utiliser ce guide comme liste de courses. Cochez ce dont vous avez besoin.

## Fruits et légumes

### Section des fruits et légumes

#### Savourez

- Fruits frais entiers
- Légumes frais entiers
- Fruits fraîchement coupés prêts à manger
- Légumes fraîchement coupés prêts à manger
- Salades emballées

#### Soupçonnez

- Certains fruits séchés (les dates, par exemple)
- Les fruits préparés en sauce

## Produits laitiers

### Produits laitiers et substituts, section des œufs

#### Savourez

- Lait
- Babeurre
- Crème
- Beurre
- Margarine
- Lait au chocolat
- Fromage cottage
- Fromages fermes vieillis (cheddar, suisse, mozzarella, Havarti, Monterey Jack, parmesan, Asiago, gouda, Lappi)
- Tranches de fromage fondu
- Fromages à pâte molle (fromage bleu, brie, stilton, Oka)
- Œufs frais
- Produits liquides à base d'œufs nature
- Tofu nature
- Beurre à base de soya, graisse alimentaire végétale

**Soupçonnez**

- Yogourts aromatisés
  (peuvent contenir des ingrédients contenant
  du gluten comme du muesli et de l'avoine)
- Yogourts glacés (les « biscuits et crème »
  ou « pâte à biscuits » peuvent contenir
  des ingrédients avec du gluten)
- Produits contenant un assaisonnement
  à base de malt
- Fromage râpé assaisonné
  (peut contenir de la protéine
  de blé hydrolysée)
- Sauces au fromage
  (peuvent contenir de la fécule/farine
  de blé ou de la protéine de blé hydrolysée)
- Tartinades au fromage
- Produits laitiers à base de soya
  (poudings, fromage à la crème, cheddar/
  mozzarella assaisonnés, yogourt) ;
  même si la plupart ne contiennent
  pas de gluten, assurez-vous qu'ils ne
  contiennent pas d'ingrédients avec du gluten
  tels que la levure, les extraits de malt ou la
  fécule de blé)
- Produits à base d'œufs liquides assaisonnés
- Lait de soya
  (peut contenir du malt d'orge, des enzymes
  d'orge ou de la farine de blé)
- Crème glacée à base de soya
- Fromage à la crème assaisonné
- Viandes à base de soya
  (peuvent contenir de la protéine de blé
  hydrolysée ou de la farine de blé)
- Substituts à base de riz
  (attention aux ingrédients contenant du
  gluten comme la fécule de blé et la levure)

**Évitez**

- Lait malté
- Succédané de lait sans lactose
- Tofu assaisonné de sauce de soya ou
  de sauce teriyaki (contiennent du blé)

# Charcuterie

## Section des charcuteries

### Savourez

- Produits de charcuterie
  sans gluten : poitrine de dinde,
  poitrine de poulet, rôti de bœuf,
  pastrami, prosciutto

### Soupçonnez

- Bacon
  (la plupart des marques de bacon
  sont sans gluten, mais certaines
  peuvent contenir de la sauce de soya
  faite avec de la farine)
- Jambon
  (la plupart des jambons
  ne contiennent pas de gluten,
  mais certains peuvent contenir
  de la fécule de blé, de la farine
  de blé ou de la sauce de soya)
- Salami
  (la plupart sont sans gluten,
  mais certains peuvent contenir
  de la protéine de blé hydrolysée)
- Saucisse Kielbasa
  (peut contenir de la protéine de blé
  hydrolysée ou de la farine/fécule de blé)
- Saucisse de Francfort
  (peut contenir de la protéine de blé
  hydrolysée ou de la farine/fécule de blé)
- Pâté de foie
  (peut contenir de la farine
  ou de la fécule de blé)

# Viande

## Section des viandes

### Savourez

- Coupes de viandes maigres ;
  bœuf, agneau, veau, porc
- Volaille fraîche (poulet, dinde)

### Soupçonnez

- Saucisses
  (peuvent contenir des ingrédients
  faits de protéine de blé hydrolysée
  ou de la fécule/farine de blé)
- Boulettes de viande
  (la recette peut contenir
  de la chapelure)
- Viande séchée comme le charqui
  (peut contenir de la sauce de soya
  ou de la farine de blé)
- Hamburgers surgelés
  (peuvent contenir de la fécule de blé
  ou de la protéine de blé hydrolysée)

### Évitez

- Rôtis de dinde ou de porc surgelés
  farcis de pain
- Poitrines de dinde et de poulet
  assaisonnées surgelées
  (peuvent contenir de la protéine
  de blé hydrolysée)

# Poisson

## Poissonnerie

### Savourez

- Tous les poissons frais ou surgelés
- Tous les fruits de mer frais ou surgelés :
  crevettes, pétoncles, crabe, homard,
  palourdes, moules
- Huîtres
- Thon en conserve dans l'eau
  ou dans l'huile
- Sardines en conserve dans l'eau
  ou dans l'huile

### Soupçonnez

- Poisson fumé comme le saumon
  (l'arôme de fumé peut contenir
  du gluten)
- Thon en conserve
  dans un bouillon de légumes
  (peut contenir de la protéine
  de blé hydrolysée)
- Sardines en conserve
  dans un bouillon de légumes
  (peut contenir de la protéine
  de blé hydrolysée)
- Imitation de chair de crabe,
  aussi connue comme du surimi
  (peut contenir de la fécule de blé)

### Évitez

- Bâtonnets de poisson panés
- Crevettes panées/frites
- Poisson assaisonné en sachet

# Rangée 1

## Céréales pour le déjeuner, céréales chaudes, confiture, beurre d'arachide, sirops

### Savourez

- Céréales froides étiquetées sans gluten : céréales de maïs, d'amarante, de quinoa, de riz et de lin
- Céréales de type granola sans gluten
- Céréales chaudes : crème de sarrasin, flocons de quinoa, crème de riz brun, grit de millet, semoule de maïs, mélange de céréales chaudes à base de gruau sans gluten (quinoa, maïs, amarante)
- Confiture
- Marmelade
- Beurre de graines (graines de sésame, de tournesol, de citrouille)
- Fruits en conserve

### Soupçonnez

- Céréales de maïs (peuvent contenir de l'orge malté ou un assaisonnement de malt n'apparaissant pas parmi les ingrédients)
- Céréales de riz (peuvent contenir de l'orge malté ou un assaisonnement de malt n'apparaissant pas parmi les ingrédients)
- Céréales sucrées avec du malt de riz ou du sirop de riz (attention aux enzymes d'orge utilisées dans le processus de fabrication)
- Sauces aux fruits en conserve
- Beurre d'arachide (la plupart des marques sont sans gluten, mais peuvent contenir des germes de blé)
- Beurre de noix (la plupart des marques sont sans gluten, mais peuvent contenir des germes de blé)

### Évitez

- Céréales froides pour le déjeuner qui contiennent des ingrédients dérivés du blé, de l'orge, du seigle, du triticale, du kamut, de l'épeautre, de l'engrain ou de l'amidonnier
- Gruau régulier, son d'avoine, avoine concassée, gros flocons d'avoine (risque élevé de contamination croisée avec des céréales qui contiennent du gluten)
- Céréales chaudes qui contiennent des ingrédients dérivés du blé, de l'orge, du seigle, du triticale, du kamut, de l'épeautre, de l'engrain, de l'amidonnier ou d'avoine commerciale
- Barres de céréales à base d'avoine commerciale et d'autres ingrédients qui contiennent du gluten

## Rangée 2

### Biscuits, confiseries, craquelins, croustilles, collations, maïs soufflé

**Savourez**

- Biscuits sans gluten
- Craquelins sans gluten
- Maïs soufflé nature ou salé
- Galettes de riz
- Croustilles de maïs

**Soupçonnez**

- Chocolat : s'assurer qu'il ne contient pas d'assaisonnement de malt
- Barres de chocolat : attention aux ingrédients qui contiennent du gluten
- Croustilles assaisonnées : attention à la protéine de blé hydrolysée
- Croustilles « tacos » assaisonnées
- Noix assaisonnées, noix de soya : attention à l'amidon de blé et à la sauce de soya qui contiennent du blé
- Galettes de riz assaisonnées : attention aux ingrédients qui contiennent du gluten

**Évitez**

- Les « mélanges du randonneur »
- Réglisse
- Noix et mélanges de céréales du comptoir en vrac
- Les bonbons à base d'ingrédients qui contiennent du gluten

## Rangée 3

### Épices, farine, ingrédients de cuisson, sucre

**Savourez**

- Épices individuelles (p. ex., cannelle, poivre, clou de girofle, piment de la Jamaïque, gingembre, paprika)
- Herbes individuelles (p. ex., thym, basilic, sauge, sarriette)
- Farine d'amarante
- Farine de marante (à ne pas confondre avec les biscuits de marante faits à base de farine de blé et de farine de marante)
- Farine de maïs
- Semoule de maïs
- Son de maïs
- Fécule de maïs
- Fécule de pomme de terre
- Farine de quinoa
- Graines de lin entières
- Graines de lin moulues (repas de graines de lin)
- Gruau et farine de millet
- Farine de légumineuses (p. ex., féveroles, pois chiches, farine de pois chiche, lentilles)
- Farine de sorgho
- Farine de riz brun
- Farine de riz à grains entiers
- Farine de riz glutineux
- Farine de tapioca (manioc ou poudre de racine de manioc)
- Herbe indienne de riz
- Inuline (fibre alimentaire présente dans les artichauts, les poireaux et les racines de chicorée)

- Enveloppes de psyllium
- Farines de noix
  (amandes, noisettes, châtaignes)
- Farine de pomme de terre
- Farine d'avoine pure, non contaminée
  (sans blé, sans gluten), son d'avoine
- Graines de chia
  (graines oléagineuses dérivées d'une
  ancienne espèce de plantes appartenant à
  la famille de la menthe, cultivée au Pérou)
- Sagou
  (aliment riche en féculents dérivé
  des palmiers)
- Farine de soya
- Farine de teff
- Farine de taro
- Farine de patate douce
- Mélange à crêpes sans gluten
- Préparation pour pain sans gluten
- Bicarbonate de sodium
- Levure sèche active
- Levure de boulangerie
- Levure nutritionnelle
- Gomme xanthane
- Gomme de guar
- Extrait de vanille (pur ou artificiel)
- Extrait de rhum
- Colorant alimentaire
- Brisures de caroube
- Cacao en poudre
- Crème de tartre
- Noix de coco râpée
- Chocolat de cuisson
- Brisures de chocolat
- Gousse de caroube « chocolat »
- Sirop de maïs
- Mélasse noire
- Sirop d'érable
- Sucre blanc ou brun
- Sucre brut
- Sirop d'agave
- Sucre à glacer

## Soupçonnez

- Mélanges d'épices
  (même si les épices sont sans gluten, le
  mélange peut contenir de la farine de blé
  dans sa composition, ce qui ne va pas dans
  le sens des tendances de l'industrie de
  l'alimentation)
- Farine de sarrasin
  (peut parfois être mélangée à de la farine
  de blé dans un produit, et il y a de grandes
  chances de contamination croisée)
- Poudre à pâte
  (généralement faite de fécule de maïs,
  certaines contiennent de l'amidon de blé,
  mais rarement)
- Mélanges à glaçage
  (peuvent contenir de l'amidon de blé
  ou de la farine de blé)

## Évitez

- Farine non classée et farine de chapati
  (farine de blé à faible teneur en gluten
  utilisée pour faire des pains plats chapatis,
  une spécialité indienne)
- Farine de blé
- Amidon de blé
- Germe de blé
- Farine de semoule
- Préparations pour gâteau
  et pour crêpes ordinaires
- Mélanges à crêpes au sarrasin
  contenant de la farine de blé
- Cornets de crème glacée et gaufrettes
  à base de farine de blé

## Le saviez-vous ?

### Les farines sans gluten

Les farines sans gluten comme celles fabriquées à partir de sarrasin, de maïs, de légumineuses et même certaines farines de riz contiendraient du gluten à cause de la contamination croisée. Contactez toujours le fabricant pour vous assurer que la mouture et l'emballage de ces farines sont faits dans une zone sans gluten afin de minimiser le risque d'ingérer du gluten accidentellement.

### Sélection de vinaigres

La majorité des vinaigres sont distillés et sans gluten. Cependant, un petit nombre d'exemples ont révélé des inexactitudes dans l'étiquetage de produits faits en Asie (Chine, Hong Kong, Corée). Certains d'entre vous trouveront des bouteilles de vinaigre de riz qui contiennent du « vinaigre de riz (blé) » dans la liste des ingrédients. Le blé peut faire partie du processus de fermentation de la culture bactérienne utilisée pour fabriquer le vinaigre. Cependant, le risque de présence de gluten dans le vinaigre est mince. Une fois le vinaigre distillé, il ne contient plus de gluten, peu importe la source ou les ingrédients utilisés dans le processus de fermentation.

## Rangée 4

### Huiles, vinaigres, sauces, sauces pour salade, condiments

#### Savourez

- Toutes les huiles végétales
- Vinaigres distillés
  (vinaigre blanc distillé, vinaigre de cidre, de pomme, balsamique, de vin)
- Son de moutarde
- Farine de moutarde
- Cornichons en conserve
- Ketchup
- La plupart des relishs
- Olives
- Purée de tomate
- Sauce piquante
- Sauce de soya sans gluten
- Vrais morceaux de bacon
- Poivrons rouges rôtis
- Artichauts rôtis
- Tomates rôties

#### Soupçonnez

- Sauces de cuisson
  (peuvent contenir de l'amidon de blé, de l'amidon de blé modifié ou de la protéine de blé hydrolysée)
- Simili-bacon, en morceaux (peuvent contenir de la protéine de blé hydrolysée)
- Moutarde préparée
  (certaines moutardes de spécialité peuvent contenir de la farine de blé)
- Cornichons à la moutarde
  (peuvent contenir de l'amidon ou de la farine de blé)
- Sauces à salade crémeuses
  (p. ex., César crémeuse, ranch, vinaigrette Mille-Îles ; peuvent contenir de l'amidon de blé ou de la farine de blé)
- Sauce barbecue
  (peut contenir du vinaigre de malt)

- Sauce Worcestershire
  (peut contenir du vinaigre de malt)
- Sauce aux arachides
  (peut contenir de la farine
  ou de l'amidon de blé)
- Fibres végétales protéiques (FVP)
  (peut contenir de l'amidon de blé
  ou de la protéine de blé hydrolysée)

## Évitez

- Vinaigre de malt
  (à base de grains d'orge et d'autres grains,
  non distillé)
- Sauce de soya
  (contient habituellement du blé, mais
  certaines marques de sauce de soya sans
  gluten sont vendues sur le marché)
- Sauce tamari
  (contient du blé, mais certaines marques
  de sauce tamari sans gluten sont vendues
  sur le marché)
- Sauce teriyaki contenant
  de la sauce de soya
- Sauce contenant de la farine de blé
- Sauces à salade crémeuses
  contenant de la farine de blé
  ou de l'amidon de blé
- Suif

# Rangée 5

## Soupe, légumes en conserve, haricots secs et en conserve, pâtes, sauce pour pâtes, aliments mexicains, riz

### Savourez

- Toutes les fèves sèches, lentilles,
  légumineuses
- Tous les pois secs
- Fèves, lentilles, légumineuses, pois,
  ordinaires en conserve
- Pâtes à base de riz, de quinoa, de soya,
  de haricots, de lentilles, de pommes
  de terre
- Bouillons de soupe étiquetés
  « sans gluten »
- Soupes prêtes à manger à base
  d'ingrédients sans gluten
- Croustilles de maïs
- Tacos de maïs

### Soupçonnez

- Nouilles au sarrasin : s'assurer qu'elles
  sont à base de farine de sarrasin pure
- Mélanges de riz assaisonné
  (p. ex., riz sauvage au poulet, poulet
  et légumes)
- Mélanges à soupe : attention
  aux protéines de blé hydrolysées
  et à l'amidon de blé
- Mélanges de soupe aux fèves
  qui contiennent un assaisonnement
- Soupes en conserve
- Cubes de bouillon
- Certaines marques de fèves
  cuites au four
- Tortillas à base de farine de maïs
  (s'assurer que la farine de maïs
  ne contient pas de gluten)

- Salsa
  (la plupart des marques sont sans gluten,
  mais certaines utilisent un arôme de fumé
  qui contient de l'amidon de blé)
- Guacamole
- Sauces au fromage
- Sauces crémeuses pour les pâtes
- Sauces pour pâtes à base de tomate
  (la plupart sont sans gluten, mais attention
  à la présence d'amidon alimentaire modifié
  à base de blé)

## Évitez

- Couscous
- Orzo
- Pâtes de blé entier
- Pâtes multigrains
- Pâtes de blé dur
- Nouilles udon
- Tortillas faites à base d'une combinaison
  de farine de maïs et de blé
- Purée de pommes de terre commerciale
  en poudre faite à partir de farine
  ou d'amidon de blé
- Pommes de terre à la normande contenant
  de la farine de blé

# Rangée 6

## Eau, boissons gazeuses, jus de fruits

### Savourez

- Eau
- Eau aromatisée
- Jus de fruits frais
- Jus de longue conservation
- Boissons gazeuses
- Thé
- Café (sec, soluble ou moulu)
- Vin
- Bourbon
- Gin
- Porto
- Rye
- Scotch
- Vodka
- Liqueurs

### Soupçonnez

- Boisson pour sportif
  (s'assurer qu'elle est à base
  d'ingrédients sans gluten)
- Thé aromatisé
  (s'assurer qu'il ne contient pas
  de malt ou d'aromatisant au malt)
- Café aromatisé
  (s'assurer qu'il ne contient pas de malt
  ou d'aromatisant au malt)
- Boissons chocolatées
- Boissons rafraîchissantes alcoolisées
- Mélanges de vodka aromatisés
  (p. ex., Bloody Mary)

### Évitez

- Boissons maltées
- Substituts de café à base de malt d'orge
- Bière (lager, ale, stout)

# Rangée 7

## Fruits congelés, légumes congelés, desserts congelés

### Savourez

- Fruits congelés (nature)
- Légumes congelés et mélanges de légumes (nature)
- Aliments congelés sans gluten (pizza sans gluten, chili sans gluten, etc.)

### Soupçonnez

- Frites congelées (de l'amidon de blé ou de la protéine de blé hydrolysée peuvent être utilisés dans l'assaisonnement)
- Frites congelées faites par des restaurants
- Produits frits faits dans la même bassine à frire (s'assurer de l'absence de contamination croisée avec d'autres produits enrobés en vérifiant avec le fabricant)
- Légumes congelés assaisonnés

### Évitez

- Légumes congelés enrobés
- Tartes congelées, pizza
- Plats de pâtes congelés

# Rangée 8

## Shampooing, produits pour les soins dentaires, désodorisants, savon, produits cosmétiques

- Sauf s'ils sont ingérés, les produits cosmétiques et les articles de toilette qui contiennent du blé ne posent pas de risque pour les personnes atteintes de la maladie cœliaque. Les personnes qui souffrent de dermatite herpétiforme ont parfois signalé que leurs symptômes semblent empirer quand ils appliquent des crèmes, des désodorisants et des shampooings qui contiennent du gluten sur la peau ou le cuir chevelu. Le cas échéant, consultez votre médecin. Il se peut que votre peau soit sensible à certains produits chimiques ou à une fragrance.
- Les rouges à lèvres, les baumes et les brillants pour les lèvres sont trois produits pour lesquels vous devriez vérifier la présence d'ingrédients contenant du gluten. La plupart des experts s'entendent cependant pour dire que la teneur en gluten de ces produits est très faible et que la quantité que vous pourriez ingérer est encore plus faible. Les dentifrices et les rince-bouche sont généralement sans gluten, mais il est toujours plus sûr de vérifier auprès du fabricant.

# Pour une cuisine à l'épreuve du gluten

Maintenant que vous avez rapporté à la maison quelques sacs de produits sans gluten, il vous faudra organiser votre garde-manger et votre réfrigérateur afin de préserver les aliments et prévenir la contamination croisée avec les produits contenant du gluten que votre famille pourrait toujours manger. Commencer un régime sans gluten peut nécessiter un remaniement majeur de votre cuisine. Si vous êtes le seul membre de la famille atteint de la maladie cœliaque, vous devrez décider si toute la famille adoptera un régime sans gluten ou si vous serez le seul. Si vous avez des enfants et qu'ils n'ont pas encore été diagnostiqués avec la maladie cœliaque, il serait préférable de ne pas leur faire adopter un régime 100% sans gluten puisque vous pourriez masquer la maladie ou en retarder le diagnostic. La plupart des patients trouvent un équilibre en gardant certains produits emballés qui contiennent du gluten pour le reste de la famille, mais en cuisinant des plats principaux, des desserts et des pains sans gluten. Parce que bien des repas sans gluten sont délicieux et faciles à cuisiner, les gens ne remarquent souvent pas la différence.

## Guide de l'élimination du gluten

Quelle que soit votre décision, il vous faudra prévenir la contamination des aliments sans gluten. Voici un guide pour éliminer le gluten de la cuisine.

### Garde-manger

1. Faites le grand ménage de votre garde-manger et divisez les aliments que vous avez en deux groupes.

- À garder : les aliments que vous pouvez manger comme le thon en conserve, le saumon ou la chair de crabe, les sardines en conserve, les fèves (en conserve ou sèches), le riz, les épices pures, les légumes en conserve, les fruits en conserve, les sauces pour pâtes à base de tomate (vérifier la présence de gluten), le miel, le beurre d'arachide, les vermicelles de riz ou le papier de riz, la sauce chili, les vinaigres (sauf le vinaigre de malt).

- À donner : les aliments que vous aurez à donner à des parents, des amis ou des voisins. Saisissez cette occasion pour faire connaître votre nouveau diagnostic à vos parents et amis.Ces aliments incluent le pain, les tortillas, les craquelins à base de farines qui contiennent du gluten, les céréales froides et chaudes, les farines que vous utilisiez pour cuisiner, les mélanges préparés, les pâtes ordinaires, le couscous, les pommes de terre à la normande, les mélanges de riz assaisonné, les autres céréales qui contiennent du gluten (grains de blé, orge, seigle,avoine, épeautre, kamut, triticale), la semoule de maïs qui n'est pas étiquetée sans gluten, la sauce Worcestershire et la sauce barbecue contenant du vinaigre de malt.

2. Remplissez maintenant votre garde-manger d'aliments à partager avec le reste de votre famille. Devinez quoi ? Bien des aliments sans gluten sont délicieux, y compris les grignotines (croustilles sans gluten, biscuits, croustilles de blé, noix, grains, collations au fromage, galettes de riz assaisonnées, tablettes de chocolat).

3. Gardez une étagère pour les aliments sans gluten qui vous sont réservés.

### Réfrigérateur

1. Encore une fois, triez les aliments à garder et les aliments à donner.

- À garder : le lait, le lait au chocolat (s'assurer qu'il ne contient pas de malt), les portions individuelles de yogourt, les jus, le lait de soya (vérifier qu'il ne contient pas de gluten), les bouteilles comprimables de moutarde, le ketchup et la mayonnaise, le beurre, les vinaigrettes à base d'huile (s'assurer qu'elles ne contiennent pas de gluten).

- À donner : bien des produits réfrigérés sont périssables. Si vous avez des produits que vous aimiez et que vous pouvez amener chez des parents ou des amis, vous pourriez éviter de les jeter.

2. Remplissez votre réfrigérateur d'aliments sans gluten et étiquetez-les avec votre nom : le beurre ou la margarine, les pots de beurre d'arachide, de noix, de graines, les pots de confiture, la gelée, les beurres de fruits ou le miel (vous pouvez vous procurer des bouteilles comprimables) ; tout autre bocal de condiments que les autres utilisent.

### Appareils électroménagers

1. Achetez un nouveau grille-pain pour les rôties sans gluten. Ne succombez pas à la tentation de nettoyer votre grille-pain ou de diviser un grille-pain à quatre fentes en deux pour le pain sans et avec gluten. Ce n'est qu'un grille-pain. Pourquoi saboter tous les efforts que vous faites pour maintenir un régime sans gluten pour le coût d'un grille-pain ?

2. Utilisez un four grille-pain comme solution. Les aliments qui contiennent du gluten et ceux qui n'en contiennent pas peuvent être séparés par un papier d'aluminium ou une assiette propre.

### Comptoirs

Avant de vous lancer dans la préparation d'un repas ou quand vous préparez vos propres collations ou vos repas, assurez-vous de nettoyer les comptoirs afin d'éliminer le risque de contaminer votre nourriture si un autre membre de la famille a laissé des morceaux de pain, de craquelins ou de biscuits sur le comptoir.

# Le saviez-vous ?

## Des outils distincts

Gardez une planche à découper pour les aliments qui contiennent du gluten. Procurez-vous aussi une passoire pour égoutter vos pâtes sans gluten et d'autres aliments.

# Substituts pour les céréales contenant du gluten

U ne grande sélection d'aliments peut être utilisée plutôt que les produits qui contiennent du gluten, y compris une bonne variété de céréales, de fèves et de grains. Un bon nombre de personnes préfèrent ces substituts aux grains ou aux farines de blé, d'orge ou de seigle. Essayez-les tous : vous trouverez peut-être votre nouvel aliment favori et ne regretterez pas d'éviter le gluten.

## Les céréales, les grains et les fèves sans gluten

Parmi les céréales et les fèves sans gluten, on retrouve le riz (japonica, sauvage, brun, noir), l'amarante, la marante, le lin, le millet, le quinoa, le sorgho, le teff, la farine de féverole, la farine de châtaigne, la fécule de maïs, la fécule de pomme de terre et la fécule de manioc.

## Cuisiner sans gluten

Pour ceux qui voudraient aider en cuisinant ou en préparant un régal pour un ami ou un membre de la famille, voici une brève liste de choses que vous devez avoir en tête à propos de la cuisine sans gluten.

| À faire | À ne pas faire |
|---|---|
| • Se rappeler que de simples gestes peuvent causer une contamination croisée, particulièrement si vous n'avez pas à cuisiner sans gluten.<br>• S'il faut faire cuire des aliments au four, mettre une feuille de papier sulfurisé afin d'éliminer toute source de gluten.<br>• Utiliser des livres de recettes et des recettes sans gluten.<br>• Vérifier tous les composants des ingrédients qui seront utilisés afin de s'assurer qu'ils ne contiennent pas de gluten. | • Utiliser la plaque de cuisson habituelle.<br>• Être offensé si un ami atteint de la maladie cœliaque pose des questions sur les ingrédients utilisés ou sur la façon dont la nourriture a été préparée. |

## L'amarante

L'amarante est une plante à feuilles larges qui développe des têtes à grains aux couleurs vives produisant des milliers de petites graines. L'amarante était un aliment important dans l'alimentation des Aztèques et des anciennes cultures américaines. Les graines d'amarante sont exceptionnellement riches en protéines pour une non-légumineuse, soit une concentration entre 14 % et 16 %. Mieux encore, la protéine est bien équilibrée en acides aminés et particulièrement riche en lysine, un acide aminé qui fait défaut à plusieurs grains (les légumineuses sont également riches en lysine). L'un des usages traditionnels de l'amarante consiste à mélanger de l'amarante soufflée à un aliment collant, comme la mélasse ou le miel, pour faire une barre collation ou un petit gâteau (un peu comme les barres de céréales ou les barres au riz croustillant). On utilise parfois la graine entière dans certains types de gruaux ou comme condiment avec d'autres aliments. La farine sert à faire une grande variété de pains cuits au four. L'amarante est très riche en fer, en magnésium et en manganèse.

### Profil culinaire

Le grain entier d'amarante a une saveur de noisette. Les graines peuvent être moulues sous forme de farine et utilisées dans les céréales ou pour faire du pain ou des muffins. On peut trouver de l'amarante soufflée vendue comme céréale froide ou comme plat d'accompagnement dans les supermarchés, mais la farine d'amarante se trouve habituellement dans les magasins d'alimentation spécialisés ou dans les magasins d'aliments naturels.

| Valeur nutritive | | |
| --- | --- | --- |
| **Grains d'amarante, cuits, ½ tasse (125 g)** | Valeur nutritive | % de la valeur quotidienne |
| Calories (kcal) | 120 | |
| Lipides (g) | 1,58 | 2,4 |
| Protéines (g) | 3,8 | 7,6 |
| Glucides | 18,7 | 6,2 |
| Fibres (g) | 2,1 | 8,4 |
| Folate (µg) | 22,0 | 5,5 |
| Calcium (mg) | 47,0 | 4,7 |
| Fer (mg) | 2,10 | 12,0 |
| Magnésium (mg) | 65,0 | 16,0 |
| Manganèse (mg) | 0,85 | 43,0 |
| Source : Food Processor SQL, 2009. | | |

### Cuisiner avec l'amarante

Le grain entier d'amarante peut prendre aussi peu que 20 à 25 minutes à cuire quand il est bouilli dans l'eau, dans un bouillon sans gluten, un jus ou du lait de coco dans une concentration de 1 mesure de grains pour 3 mesures de liquide.

On peut utiliser l'amarante soufflée prête à manger comme céréale chaude ou comme plat d'accompagnement en ajoutant la quantité de liquide voulue et en mélangeant.

Utiliser une concentration de un pour un (1 mesure d'amarante soufflée pour 1 mesure de liquide).

### Conservation

Conserver l'amarante dans un endroit frais et sec, dans un contenant hermétique en verre ou en plastique afin d'éviter qu'elle ne rancisse. Il n'est pas nécessaire de la réfrigérer.

## La marante

La marante est un tubercule tropical (Maranta arundinacea) provenant des Antilles et de l'Amérique du Sud, mais maintenant couramment cultivé en Asie, en Afrique et dans les îles du Pacifique.

### Profil culinaire

La marante sous sa forme réelle, telle que cultivée dans les Antilles, peut être consommée crue, grillée ou bouillie. Cependant, la marante est surtout utilisée comme fécule. Pulvérisée en poudre à texture fine, la marante peut être utilisée comme agent épaississant dans les soupes, les sauces et les poudings en remplacement de la farine de blé. Dissoute, la fécule est translucide et brillante en plus d'avoir un aspect givré. La farine ou la fécule de marante est également appropriée pour la préparation de pains, de biscuits et de pâtisseries comme liant. Les Anglais et les premiers Américains utilisaient la farine de marante dans leurs recettes de biscuits, les fameux biscuits à l'*arrow-root*.

### Cuisiner avec la marante

La poudre de marante pure est légère et blanche et n'a pas d'odeur avant la cuisson. Elle devient par la suite translucide et brillante et ressemble à la fécule de maïs. Vous pouvez utiliser 3 c. à s. (45 ml) de poudre pour 1 tasse (250 ml) d'eau. Placer la poudre de marante dans une casserole, mélanger lentement avec l'eau jusqu'à ce que le mélange soit lisse, puis remuer à feu moyen vif jusqu'à ce que le mélange soit en ébullition et devienne clair. Vous pouvez utiliser la marante au lieu de la farine de blé pour épaissir les sauces ou les soupes ou pour faire un pouding.

### Conservation

Conserver la marante dans un endroit frais et sombre, dans un contenant ou un bocal avec un couvercle hermétique. Ne pas congeler ou réfrigérer.

## Valeur nutritive

| Fécule de marante, ¾ tasse (100 g) | Valeur nutritive | % de la valeur quotidienne |
|---|---|---|
| Calories (kcal) | 357 | |
| Lipides (g) | 0,1 | 0,15 |
| Protéines (g) | 0,3 | 0,6 |
| Glucides | 88 | 29,4 |
| Fibres (g) | 3,4 | 13,6 |
| Folate (µg) | 7,0 | 1,7 |
| Calcium (mg) | 40,0 | 4,0 |
| Fer (mg) | 0,33 | 1,8 |
| Magnésium (mg) | 3,8 | 0,8 |
| Manganèse (mg) | 0,47 | 23,5 |

Source : Food Processor SQL, 2009.

## Les farines de fèves

La famille des légumineuses est un autre groupe de plantes dont les graines sont de véritables locomotives nutritionnelles. Certains des grains les plus utilisés, comme les arachides, les pois, les lentilles et les fèves sont des aliments de base importants depuis des milliers d'années. Malheureusement, les fèves sont si étroitement associées aux gaz et aux ballonnements que bien des gens les évitent. La beauté des farines de fèves est que les fabricants traitent les pois secs et les fèves afin de réduire leur effet de flatulence, puis les broient sous forme de farine. De plus, la plupart des fèves et des farines de fèves sont peu coûteuses.

### Profil culinaire

Plusieurs types de farines de légumineuses peuvent être utilisés pour cuisiner sans gluten.

- Farine de féverole
- Farine de pois chiche
- Farine de haricot blanc
- Farine de haricot rosé
- Farine de pois
- Farine de grains entiers

Les farines de fèves ajoutent de la consistance et de la saveur ainsi que des protéines et des fibres aux mélanges de farine de riz et aux autres mélanges à pâte comme les mélanges de carrés au chocolat, les mélanges tout usage, les mélanges à crêpes et à pain.

### Cuisiner avec les farines de fèves

Les farines de fèves se mélangent bien aux autres farines sans gluten, particulièrement avec la farine de riz brun ou la farine de sorgho. Elles fonctionnent bien dans les recettes qui nécessitent de la mélasse et du sucre brun. La farine de pois chiche est populaire dans la cuisine du Moyen-Orient où elle est un ingrédient essentiel des recettes de falafel et de hoummos. La farine de pois jaunes ou verts garde les produits de boulangerie-pâtisserie plus tendres, plus longtemps, améliore la pâte faite par les machines à pain et réduit la durée de pétrissage.

### Conserver les farines de fèves

Conserver les farines dans des contenants hermétiques au réfrigérateur jusqu'à six mois ou jusqu'à un an au congélateur.

### Profil nutritionnel

Les farines de fèves ont une plus haute teneur en protéines que toute autre farine végétale ou à base de grains. Elles sont également riches en fibres et remplies de calcium, de fer, de folate, de zinc, de potassium, de magnésium et de vitamines B.

## Le sarrasin

Bien que plusieurs croient que le sarrasin (en anglais *buckwheat*) est un grain céréalier, il s'agit en fait d'une graine de fruit. S'il n'est pas dérivé du blé, d'où tient-il son nom? On suppose que le nom *buckwheat* vient du mot néerlandais *bockweit*, qui signifie littéralement «blé de hêtre» à cause de la forme du sarrasin qui ressemble à celle de la faîne (le fruit du hêtre) et de ses caractéristiques semblables à celles du blé. Le sarrasin est une plante à larges feuilles originaire du nord de l'Asie et membre de la même famille que la rhubarbe et l'oseille. Les grains sont marron et sont environ de la même grosseur que les graines de soya, mais ont une forme irrégulière avec quatre faces triangulaires. Le sarrasin est favorisé par les apiculteurs puisqu'il fleurit abondamment. Le miel de sarrasin est un véritable délice.

Ne laissez pas le *wheat* dans *buckwheat* vous arrêter: le sarrasin est sans gluten! La farine de sarrasin est souvent utilisée dans les crêpes ou les gaufres. Le son de sarrasin est extrêmement nutritif, riche en fibres, en protéines, en fer, en riboflavine, en niacine et contient un bon nombre d'antioxydants qui aident à recharger votre système immunitaire.

### Profil culinaire

La majorité du sarrasin est moulu sous forme de farine et utilisé dans une variété d'aliments, y compris les nouilles au Japon ainsi que dans les crêpes et les céréales du matin en Amérique du Nord. Les Russes et les Européens de l'Est utilisent le sarrasin dans une grande variété d'aliments.

### Cuisiner avec du sarrasin

Le gruau rôti, aussi appelé kasha, est cuit comme le riz et traditionnellement utilisé comme farce pour le poulet farci, dans les soupes ou comme plat d'accompagnement. Le kasha a une saveur corsée et terreuse et peut constituer un ajout délicieux aux soupes aux légumes. Rincer minutieusement les grains entiers sous l'eau. Pour cuire, ajouter une mesure de sarrasin à deux mesures d'eau bouillante ou de bouillon. Quand le liquide revient à ébullition, réduire le feu et laisser mijoter environ 30 minutes.

### Conservation du sarrasin

Conserver le gruau rôti (kasha) dans un contenant hermétique et le ranger dans un endroit frais et sec jusqu'à un an. La farine de sarrasin peut être conservée au réfrigérateur pendant plusieurs mois.

| Sarrasin, 1 tasse (250 ml) | Liquide | Temps de cuisson | Résultat | Renseignements supplémentaires |
|---|---|---|---|---|
| Gruau rôti, non cuit | 2 tasses (500 ml) | 10 minutes + laisser reposer 5 minutes | 2½ tasses (625 ml) | |
| Crème de sarrasin | 5 tasses (1,25 l) | 6 à 8 minutes | 3 tasses | Peut aussi être utilisé comme céréale pour nourrissons; une fois cuite, ajouter du lait maternel ou une préparation pour nourrissons. |

| Valeur nutritive | | |
|---|---|---|
| **Sarrasin, rôti, cuit, ¾ tasse (100 g)** | Valeur nutritive | % de la valeur quotidienne |
| Calories (kcal) | 92 | |
| Lipides (g) | 0,62 | 1,0 |
| Protéines (g) | 3,38 | 6,8 |
| Glucides | 20,0 | 6,7 |
| Fibres (g) | 3,0 | 10,0 |
| Fer (mg) | 0,8 | 4,0 |
| Magnésium (mg) | 51,0 | 13,0 |
| Manganèse (mg) | 0,4 | 20,0 |
| Source : Food Processor SQL, 2009. | | |

| Valeur nutritive | | |
|---|---|---|
| **Farine de châtaigne, 1 tasse (100 g)** | Valeur nutritive | % de la valeur quotidienne |
| Calories (kcal) | 371 | |
| Lipides (g) | 3,67 | 8,0 |
| Protéines (g) | 6,55 | 13,0 |
| Glucides | 78,0 | 7,0 |
| Fibres (g) | 9,2 | 33,0 |
| Folate (µg) | 70,0 | 71,0 |
| Calcium (mg) | 35,0 | 3,0 |
| Cuivre (mg) | 0,51 | 25,0 |
| Manganèse (mg) | 1,18 | 59,0 |
| Molybdène (mg) | 25,9 | 39,3 |
| Source : Food Processor SQL, 2009. | | |

### Profil nutritionnel

Les effets bénéfiques du sarrasin sont dus en partie à sa haute teneur en flavonoïdes, particulièrement en rutine. La rutine est un phytonutriment qui accroît l'action des antioxydants comme la vitamine C. C'est la raison pour laquelle le sarrasin protège des maladies cardiaques. Le sarrasin est une très bonne source de manganèse ainsi qu'une bonne source de magnésium et de fibres alimentaires.

## La farine de châtaigne

Avant que le maïs ne soit introduit en Italie en provenance du Nouveau Monde, la polenta était à l'origine faite à base de farine de châtaigne. La farine de châtaigne est plus dispendieuse que les autres farines sans gluten.

### Profil culinaire

Il s'agit d'une farine fine et sucrée qui est renommée pour sa texture délicate et son goût agréable. Elle est surtout utilisée dans la cuisine artisanale italienne et donne un goût sucré et velouté en bouche.

### Cuisiner avec la farine de châtaigne

La farine de châtaigne est utilisée pour faire des desserts, des pâtisseries et des pains artisanaux. On peut l'utiliser pour remplacer partiellement ou à 100 % la quantité de farine de blé nécessaire pour les gâteaux et les muffins.

### Conservation de la farine de châtaigne

Puisque les châtaignes ne contiennent que très peu de gras, la farine de châtaigne peut être conservée de 12 à 18 mois dans un contenant fermé hermétiquement placé dans un endroit sombre, frais et sec.

## La farine de maïs, la masa et la semoule de maïs

On pense que le maïs vient du Mexique ou de l'Amérique centrale et remonterait à presque 7000 ans. Il a une importante signification mythologique pour les civilisations maya, inca et aztèque. En Amérique du Nord, le maïs est un aliment très répandu. Du maïs juteux et sucré que l'on déguste l'été au maïs soufflé au cinéma, aux flocons de maïs et au pain de maïs, cette plante a tellement d'utilisations possibles! Le gruau de maïs est si répandu dans le sud des États-Unis que l'État de la Géorgie en a fait son aliment officiel en 2002.

Cependant, certaines marques de farine de maïs ou de gruau de maïs peuvent être contaminées par des grains qui contiennent du gluten comme le blé ou l'orge. Assurez-vous que la marque que vous achetez ne contient pas de contaminants.

### Profil culinaire

Les grains de maïs sont transformés en plusieurs produits.

- Maïs lessivé ou grosse semoule de maïs (grains de maïs décortiqués dont on a enlevé le son et le germe)
- Gruau hominy (grains de maïs séchés dont la coquille extérieure a été enlevée)

| Valeur nutritive | | |
|---|---|---|
| **Semoule de maïs, ¾ tasse (100 g)** | Valeur nutritive | % de la valeur quotidienne |
| Calories (kcal) | 362 | |
| Lipides (g) | 3,6 | 5,5 |
| Protéines (g) | 8,12 | 16,0 |
| Glucides | 77,0 | 26,0 |
| Fibres | 7,3 | 29,0 |
| Vitamine $B_1$-thiamine (mg) | 0,4 | 26,0 |
| Vitamine $B_2$ – riboflavine (mg) | 0,2 | 12,0 |
| Vitamine $B_3$ – niacine (mg) | 3,6 | 18,0 |
| Vitamine $B_6$ (mg) | 0,3 | 15,2 |
| Chrome (µg) | 32,8 | 27,0 |
| Fer (mg) | 3,45 | 19,0 |
| Magnésium (mg) | 127,0 | 31,75 |
| Manganèse (mg) | 0,5 | 25,0 |
| Molybdène (µg) | 56 | 74,7 |
| Phosphore (mg) | 241 | 24,0 |
| Sélénium (µg) | 15,5 | 22,0 |
| Source : Food Processor SQL, 2009. | | |

| **Semoule de maïs, 1 tasse (250 ml)** | Liquide | Temps de cuisson | Résultat | Renseignements supplémentaires |
|---|---|---|---|---|
| À grains grossiers, non cuits | 4 ½ tasses (1,125 l) | 25 à 30 minutes | 2 ½ tasses (625 ml) | Pour la polenta, remuer fréquemment pour éviter la formation de grumeaux et permettre au liquide de s'incorporer au mélange de polenta. |

- Masa harina (farine à base de gruau hominy)
- Semoule de maïs moulue à la meule (semoule de maïs sèche moulue)
- Farine de maïs (semoule de maïs moulue finement)
- Fécule de maïs (poudre blanche, farineuse et sans saveur utilisée comme agent épaississant)

## Cuisiner avec du maïs

Le gruau hominy est couramment utilisé dans la cuisine sud-américaine pour faire un gruau servi soit comme déjeuner, soit comme plat d'accompagnement mélangé avec des légumes. La semoule de maïs est à la base de la polenta, un mets traditionnel italien qui peut être servi comme plat d'accompagnement ou avec une variété de sauces. La semoule de maïs peut également être incorporée à la pâte à frire ou comme enrobage pour frire un poisson ou une escalope. La farine de maïs donne des muffins, des croûtes de tarte et des pains délicieux.

## Conservation de la farine ou de la semoule de maïs

Si vous utilisez souvent la semoule de maïs, vous pouvez la conserver dans un contenant fermé hermétiquement dans un endroit frais et sombre jusqu'à un mois. Si vous désirez la garder plus longtemps, vous pouvez la conserver dans un contenant fermé hermétiquement et le placer au réfrigérateur jusqu'à deux mois ou au congélateur jusqu'à six mois.

## Le lin

Le lin vient d'une plante produisant des fleurs bleues cultivée principalement dans le climat frais des plaines de l'Ouest canadien et du nord des États-Unis. Cette céréale est cultivée depuis Babylone. Dès 650 av. J.-C., Hippocrate écrit à propos de l'utilisation du lin pour soulager les douleurs abdominales. Un peu plus tard, Théophraste recommande l'utilisation du mucilage de lin comme remède contre la toux.

### Profil culinaire

Les graines de lin entières sont petites et de couleur brun rougeâtre et ne donnent que très peu de saveur quand elles sont ajoutées aux aliments. Cependant, elles prennent une agréable saveur de noisette une fois rôties.

### Cuisiner avec le lin

Le lin est disponible sous forme :
- d'huile ;
- de grains entiers ;
- de grains moulus, aussi connus sous le nom de lin moulu ou tourteau de lin.

Vous pouvez ajouter de l'huile de lin aux smoothies aux fruits ou aux soupes. Elle n'est cependant pas recommandée pour la friture. Sa haute teneur en acides gras polyinsaturés en fait un liquide très instable à température élevée. Les grains de lin entiers peuvent être ajoutés aux barres de céréales ou utilisés sur les muffins et dans les pains, les céréales chaudes, le riz ou les salades. Les graines de lin peuvent remplacer l'huile ou le shortening dans les recettes à cause de leur haute teneur en huile. Si une recette prévoit $1/3$ de tasse (75 ml) d'huile, utilisez 1 tasse (250 ml) de graines de lin moulues pour remplacer l'huile : un ratio de substitution de trois pour un. Quand le lin est utilisé plutôt que l'huile, les produits de boulangerie-pâtisserie tendent à dorer plus rapidement.

Quand vous ajoutez des graines de lin moulues à une recette, du liquide doit être ajouté (pour chaque 3 c. à s./45 ml de lin, ajouter 1 c. à s./15 ml de liquide).

### Conservation du lin

Les graines de lin entières qui sont propres, sèches et de bonne qualité peuvent être gardées à la température ambiante jusqu'à un an. Pour une fraîcheur optimale, les graines de lin devraient être moulues au besoin. Réfrigérer les graines de lin moulues dans un contenant opaque fermé hermétiquement.

### Profil nutritionnel

Le lin possède un large éventail de bienfaits nutritifs : une haute teneur en acides gras oméga-3, particulièrement en acide alpha linolénique, en lignane et en fibres alimentaires. La composition nutritive du lin comprend également un certain nombre de minéraux essentiels. Par exemple, 1 cuiller à soupe (15 ml) de graines de lin moulues contient la même quantité de magnésium qu'une banane (34 mg) et la même quantité de potassium qu'une tranche de pumpernickel rôtie (66 mg). Il s'agit également d'une bonne source de vitamine E, un puissant antioxydant.

## Valeur nutritive

| Graines de lin moulues, ¾ tasse (100 g) | Valeur nutritive | % de la valeur quotidienne |
|---|---|---|
| Calories (kcal) | 450 | |
| Lipides (g) | 42,0 | 64,0 |
| Protéines (g) | 21,0 | 42,0 |
| Glucides | 34,0 | 11,0 |
| Fibres | 28,0 | 112,0 |
| Vitamine $B_1$- thiamine (mg) | 0,7 | 47,0 |
| Vitamine $B_2$ – riboflavine (mg) | 0,3 | 18,0 |
| Vitamine $B_3$ – niacine (mg) | 4,4 | 22,0 |
| Vitamine $B_6$ (mg) | 0,8 | 40,0 |
| Calcium (mg) | 250,0 | 25,0 |
| Fer (mg) | 10,0 | 55,6 |
| Magnésium (mg) | 350,0 | 87,5 |
| Manganèse (mg) | 7,0 | 350,0 |
| Phosphore (mg) | 650,0 | 65,0 |

Source : Food Processor SQL, 2009.

## L'herbe indienne de riz (Montina)

Comme le nom le suggère, l'herbe indienne de riz est traditionnellement consommée par les communautés autochtones soit comme réserve alimentaire, soit sous forme de farine. Il s'agit d'une graminée vivace qui pousse à l'état sauvage, du sud du Manitoba aux plus hautes altitudes de la Californie. L'herbe est très résistante à la sécheresse. Les graines, qui ressemblent au millet, sont petites, rondes et foncées et sont recouvertes de poils blancs.

Actuellement, l'herbe indienne de riz est cultivée aux États-Unis sous le nom de marque Montina. Elle est moulue, transformée et emballée dans une installation spécialement sans gluten au Montana. Elle est également testée de manière régulière pour la présence de gluten avec le test ELISA avant de pénétrer les installations.

### Profil culinaire

La farine de Montina a un goût de noisette et une texture qui ressemble à celle du blé. Elle peut remplacer en partie la farine utilisée dans la cuisine sans gluten pour améliorer les fibres et le rendement de cuisson.

### Cuisiner avec l'herbe indienne de riz

La farine de l'herbe indienne de riz, fabriquée sous le nom de Montina Baking Supplement, peut être utilisée à raison de ½ tasse (125 ml) de la quantité de farine de riz nécessaire pour une recette. Amazing Grains Inc. produit également le mélange Montina Baking Flour qui combine de la farine de riz blanc, de la farine de tapioca et de l'herbe indienne de riz. Celui-ci peut être utilisé en même quantité que toute autre sorte de farine.

### Conservation de l'herbe indienne de riz

L'herbe indienne de riz peut se conserver dans un endroit frais et sec jusqu'à un an.

La congélation ou la réfrigération n'est pas nécessaire, mais est conseillée si vous désirez la conserver plus longtemps.

### Profil nutritionnel

L'herbe indienne de riz est une excellente source de fer et de fibres et une source de calcium.

| Valeur nutritive | | |
|---|---|---|
| **Herbe indienne de riz, ⅔ tasse (100 g)** | Valeur nutritive | % de la valeur quotidienne |
| Calories (kcal) | 380 | |
| Lipides (g) | 3,0 | 4,6 |
| Protéines (g) | 17,0 | 34,0 |
| Glucides | 70,0 | 23,0 |
| Fibres (g) | 24,0 | 96,0 |
| Calcium (mg) | 80,0 | 8,0 |
| Fer (mg) | 7,2 | 40,0 |
| Source : Food Processor SQL, 2009. | | |

## Les larmes-de-Job (hato mugi)

Plante nuisible pour les uns, collier ou origine de la vie pour les autres, la larme-de-Job est une graminée très utile et très fertile vue de plus en plus comme une source potentielle d'énergie et utilisée dans certaines cultures pour ses propriétés médicinales. Le grain tient son nom de son enveloppe dure qui ressemble à une bille en forme de larme. Avant que le maïs ne soit répandu en Asie du Sud, les larmes-de-Job étaient largement cultivées comme céréales en Inde. Toujours considéré comme une céréale mineure, le grain est martelé, battu et vanné pour être utilisé comme céréale ou matière pour fabriquer du pain. La farine est parfois mélangée à de l'eau, un peu comme l'orge pour le sirop d'orge.

On peut également faire un plat sucré avec le grain battu en le faisant frire et en l'enrobant de sucre. Il peut aussi être dépouillé et mangé comme collation, un peu comme les arachides. On peut faire des bières et du vin à partir des grains fermentés. En Corée et en Chine, le hato mugi est souvent utilisé pour concocter un breuvage semblable au thé ou distillé pour faire de l'alcool. Bien qu'il puisse être difficile à trouver dans les épiceries en Amérique du Nord, on peut s'en procurer en le commandant par correspondance ou dans les magasins d'aliments naturels.

### Profil culinaire

Les larmes-de-Job ont un goût de noisette particulier et une texture moelleuse. Comme dans les cultures asiatiques, elles peuvent être ajoutées aux soupes et aux bouillons. Elles peuvent également être mélangées au riz brun ou à un mélange de riz pour un plat d'accompagnement savoureux dans un ratio de un pour trois (1 mesure de larmes-de-Job pour 3 mesures de riz).

### Cuisiner avec des larmes-de-Job

Une tasse (250 ml) de grains entiers de larmes-de-Job prendra environ 1 heure à cuire si elle est ajoutée à de l'eau bouillante ou à un bouillon de légumes ou de poulet

| Valeur nutritive | | |
|---|---|---|
| **Larmes-de-Job, grains entiers, ⅔ tasse (100 g)** | Valeur nutritive | % de la valeur quotidienne |
| Calories (kcal) | 372 | |
| Lipides (g) | 2,5 | 4,0 |
| Protéines (g) | 13,1 | 26,0 |
| Glucides | 72,9 | 24,0 |
| Fibres | 0,8 | 3,2 |
| Vitamine $B_1$- thiamine (mg) | 0,44 | 29,0 |
| Vitamine $B_3$ – niacine (mg) | 2,6 | 13,0 |
| Calcium (mg) | 63,0 | 6,3 |
| Fer (mg) | 16,9 | 94,0 |
| Phosphore (mg) | 280,0 | 28,8 |
| Source : Food Processor SQL, 2009. | | |

| **Larmes-de-Job, 1 tasse (250 ml)** | Liquide | Temps de cuisson | Résultat |
|---|---|---|---|
| Grains entiers, non cuits | 2 tasses (500 ml) | 1 heure | 2½ tasses (625 ml) |

sans gluten dans un ratio de 1 mesure de grains pour 2 mesures de liquide, pour un résultat de 2½ tasses (625 ml). Laisser le mélange revenir à ébullition, puis baisser le feu et remuer jusqu'à ce que les grains gonflent et soient tendres.

### Conservation des larmes-de-Job

Le grain peut être conservé plusieurs mois au réfrigérateur s'il est placé dans un contenant fermé hermétiquement ou il peut être conservé pendant six mois ou plus s'il est placé au congélateur.

### Profil nutritionnel

Les larmes-de-Job ont un impact puissant sur la nutrition : elles fournissent une excellente source de fer, soit 94 % de l'apport quotidien recommandé par portion de 3½ onces (100 g). Elles sont aussi une excellente source de calcium. L'effort pour se les procurer vaut définitivement la peine !

## Le millet

Le millet pourrait bien être l'une des cultures les plus anciennes, antérieure au riz et au blé dans certaines régions de l'Asie, de l'Inde et de l'Afrique. Effectivement, des fosses d'entreposage et des vestiges de maisons semi-souterraines, des poteries et des outils de pierre liés à la culture du millet dont l'histoire remonte aussi loin que 8399 av. J.-C. ont été retrouvés en Chine. En Europe, c'est le millet et non le blé qui servait d'ingrédient pour la polenta dans la cuisine italienne. Il est toujours utilisé de nos jours dans la cuisine russe comme ingrédient principal de la bouillie de millet sucrée.

### Portrait culinaire

Il existe plusieurs variétés de millet. Les plus couramment cultivées sont :

- le millet perle (ou petit mil) ;
- le millet des oiseaux ;
- le millet commun ; le mil rouge (ou mil africain).

La variété la plus courante en Amérique du Nord est le millet perle, qui a une couleur légèrement dorée et ressemble aux grains de moutarde. Le millet perle ajoute une saveur de noisette à la plupart des repas. Les grains de millet peuvent être utilisés pour faire un déjeuner de gruau ou un plat d'accompagnement savoureux en remplacement du riz ou des pommes de terre. On peut également l'utiliser pour des ragoûts nourrissants et sains.

| Millet, 1 tasse (250 ml) | Liquide | Temps de cuisson | Résultat | Renseignements supplémentaires |
|---|---|---|---|---|
| Grains entiers, non cuits | 2½ tasses (625 ml) | 25 minutes | 2 tasses (500 ml) | Frire le millet pendant 6 minutes pour faire ressortir sa délicieuse saveur de noisette. |

## Cuisiner avec le millet

Le millet peut être utilisé comme grain entier, mais se vend aussi sous forme de millet soufflé ou de farine de millet. Avant la cuisson, rincer le millet sous l'eau pour enlever la saleté et les débris. Pour le faire cuire, ajouter 1 mesure de millet à 2 ½ mesures d'eau bouillante ou de bouillon. Quand le liquide est revenu à ébullition, abaisser le feu, couvrir et faire mijoter pendant environ 25 minutes. Mélanger à la fourchette avant de servir. Si vous désirez une consistance plus crémeuse, remuez fréquemment en ajoutant un peu d'eau jusqu'à ce que vous atteigniez la consistance désirée. Pour donner une saveur de noix au millet, vous pouvez choisir de faire rôtir le millet dans une poêle non huilée à feu moyen en remuant constamment jusqu'à ce qu'il soit odorant, pendant environ 5 minutes.

## Conservation du millet

Le millet se vend en sacs préemballés ou dans des gros contenants. Le millet tend à rancir rapidement à cause de sa forte teneur en acides gras polyinsaturés. S'il est placé dans un endroit frais, sec et obscur, il peut être conservé plusieurs mois.

## Valeur nutritive

| Millet, cuit, ⅔ tasse (100 g) | Valeur nutritive | % de la valeur quotidienne |
|---|---|---|
| Calories (kcal) | 119 | |
| Lipides (g) | 1,0 | 1,5 |
| Protéines (g) | 3,5 | 7,2 |
| Glucides | 23,7 | 7,9 |
| Fibres | 1,3 | 5,2 |
| Vitamine $B_1$- thiamine (mg) | 0,1 | 7,0 |
| Vitamine $B_3$ − niacine (mg) | 1,33 | 6,7 |
| Vitamine $B_6$ (mg) | 0,1 | 1,4 |
| Folate (µg) | 19,0 | 4,8 |
| Fer (mg) | 0,63 | 3,5 |
| Magnésium (mg) | 44,0 | 11,0 |
| Manganèse (mg) | 0,3 | 13,6 |
| Phosphore (mg) | 100,0 | 10,0 |

Source : Food Processor SQL, 2009.

## La fécule
## et la farine de pomme de terre

La culture des pommes de terre est la quatrième en importance dans le monde, derrière le blé, le riz et le maïs.

### Profil culinaire

La farine de pomme de terre est produite à partir du légume en entier, y compris la peau. Elle est plus foncée et plus lourde que la fécule de pomme de terre et a un net goût de pomme de terre. La fécule est produite à partir de la partie d'amidon de la pomme de terre. Elle est plus abordable, plus basse sur l'échelle nutritive et n'a pas de saveur perceptible.

### Cuisiner avec la fécule
### ou la farine de pomme de terre

La farine de pomme de terre est souvent ajoutée aux mélanges pour les pains et aux produits de pâtisserie-boulangerie sans gluten parce qu'elle retient bien l'humidité. À la maison, la fécule de pomme de terre est un bon substitut à la farine de blé pour faire frire des aliments dans l'huile. Son goût fade convient bien pour épaissir les sauces.

### Conservation de la fécule
### de pomme de terre

Conserver la fécule de pomme de terre au réfrigérateur ou au congélateur.

| Valeur nutritive | | |
|---|---|---|
| Farine de pomme de terre, ⅔ tasse (100 g) | Valeur nutritive | % de la valeur quotidienne |
| Calories (kcal) | 357 | |
| Lipides (g) | 0,34 | 0,5 |
| Protéines (g) | 83,3 | 27,7 |
| Glucides | 83,0 | 27,7 |
| Fibres | 6,0 | 23,6 |
| Vitamine $B_1$-thiamine (mg) | 02 | 15,2 |
| Vitamine $B_3$ — niacine (mg) | 3,5 | 17,5 |
| Vitamine $B_6$ (mg) | 0,8 | 34,5 |
| Magnésium (mg) | 65,0 | 16,3 |
| Manganèse (mg) | 0,3 | 16,0 |
| Phosphore (mg) | 168,0 | 16,8 |
| Potassium (mg) | 1001,0 | 28,6 |

Source : Food Processor SQL, 2009.

## L'avoine

Jusqu'à récemment, l'avoine était hors de portée pour les personnes atteintes de la maladie cœliaque, principalement à cause de préoccupations à propos de la contamination croisée avec des grains qui contiennent du gluten comme le blé ou l'orge pendant la récolte et la transformation. Heureusement, la situation a changé et la plupart des centres de recherche sur la maladie cœliaque, les groupes de soutien et d'autres organisations en Amérique du Nord s'entendent pour dire qu'une petite quantité d'avoine pure et non contaminée peut être tolérée par la plupart (pas tous) des individus atteints de la maladie cœliaque. Il existe maintenant plusieurs fournisseurs d'avoine pure non contaminée en Amérique du Nord : le Château Cream Hill, au Québec, Only Oats, en Saskatchewan, et Gluten Free Oats, au Wyoming, aux États-Unis. Ces sociétés cultivent, récoltent et transforment l'avoine et la testent à chaque étape cruciale :

- sous forme de semence ;
- à la plantation ;
- pendant qu'elle pousse dans le champ ;
- à la récolte ;
- pendant le transport ;
- en entreposage ;
- pendant le processus de transformation et d'emballage.

### Valeur nutritive

| Flocons d'avoine, secs, ¼ tasse (39 g) | Valeur nutritive | % de la valeur quotidienne |
|---|---|---|
| Calories (kcal) | 152 | |
| Lipides (g) | 2,5 | 3,9 |
| Protéines (g) | 6,2 | 12,5 |
| Glucides | 26,0 | 8,7 |
| Fibres | 4,1 | 16,5 |
| Vitamine B$_1$-thiamine (mg) | 0,2 | 14,0 |
| Magnésium (mg) | 1,6 | 9,0 |
| Manganèse (mg) | 57,7 | 14,0 |
| Phosphore (mg) | 1,4 | 70,8 |
| Sélénium (µg) | 185,0 | 18,5 |
| Zinc (mg) | 13,3 | 19,0 |

Source : Food Processor SQL, 2009.

| Avoine, 1 tasse (250 ml) | Liquide | Temps de cuisson | Résultat | Renseignements supplémentaires |
|---|---|---|---|---|
| Gruaux | 3 tasses (750 ml) | 45 minutes | 2 tasses (500 ml) | |
| Flocons d'avoine | 2 ¼ tasses (560 ml) | 5 à 15 minutes | 2 tasses (500 ml) | Faire tremper l'avoine pendant 15 minutes réduit le temps de cuisson de moitié. |

## Profil culinaire

L'avoine doit sa saveur particulière au processus de grillage auquel elle est soumise après la récolte et le nettoyage. L'avoine pure non contaminée peut prendre différentes formes.

- **Les gruaux** sont des grains aplatis faits selon la tradition écossaise. Ils ont une saveur sucrée semblable à celle des noisettes et peuvent être utilisés comme céréale à déjeuner ou comme farce.

- **Les flocons d'avoine** sont ce qu'on appelle un porridge ou un gruau. Leur forme plate est le résultat de la cuisson à la vapeur, suivie d'un passage dans des rouleaux compresseurs lisses, puis dans des rouleaux cannelés compresseurs, qui leur donne une épaisseur différente (régulière, moyenne ou épaisse). Les flocons d'avoine ont une texture moelleuse et peuvent s'ajouter à tout type de plat tout en étant très bourratifs et satisfaisants.

- **La farine d'avoin**e est faite à base de flocons finement moulus qui contiennent toujours une bonne partie du son, ce qui fait une farine tout aussi nourrissante que le grain lui-même. Tout comme le gruau, la farine d'avoine a un goût sucré avec des notes de noisette.

## Conservation de l'avoine

Il est généralement recommandé d'acheter l'avoine en petite quantité car les grains risquent de rancir à cause de leur haute teneur en matières grasses polyinsaturées. L'avoine devrait être conservée dans un contenant fermé hermétiquement, placé dans un endroit frais et sec pour une période d'au plus 2 mois. Les recommandations des fabricants d'avoine pure non contaminée peuvent différer légèrement.

**Gluten Free Oats** : garder le produit réfrigéré.

**Château Cream Hill** : aucune réfrigération nécessaire. Conserver dans un lieu frais et sec.

**Only Oats** : aucune réfrigération nécessaire. Conserver dans un lieu frais et sec.

## Profil nutritionnel

L'avoine est une très bonne source de sélénium. Comme la vitamine E, l'action de cet oligo-élément se rattache à l'enzyme antioxydante connue sous le nom de glutathion-peroxydase et a sa propre activité antioxydante, ce qui aide à renforcer le système immunitaire.

## Le quinoa

« L'or des Incas », comme on le connaissait dans la région des Andes de l'Amérique du Sud, le quinoa est un grain qui est aujourd'hui redécouvert en Amérique du Nord pour sa polyvalence et ses avantages nutritionnels. Le quinoa est de plus en plus utilisé comme solution de remplacement naturelle au couscous et au riz. Le quinoa est en fait le grain d'une plante de la famille de la betterave, des épinards et de l'amarante blanche. La plupart du quinoa en vente en Amérique du Nord est cultivé dans un pays andin, la Bolivie, où il pousse en très haute altitude.

### Profil culinaire

Le quinoa ressemble au millet de par sa forme, mais se présente sous différentes variétés de couleurs : jaune, rouge et parfois noir. La plainte la plus commune au sujet du quinoa est son goût amer. Les grains de quinoa sont naturellement enrobés de saponine, un détergent naturel qui permet à la plante de se protéger des oiseaux et des insectes. Cependant, la plupart des distributeurs de grains de quinoa utilisent un processus pour éliminer cet enrobage. Il peut toutefois être une bonne idée de rincer les grains avant de les utiliser. La farine de quinoa, moulue à base de grains entiers, a un délicat goût de noisette.

### Cuisiner avec le quinoa

Le quinoa peut revêtir plusieurs formes :
- grains entiers ;
- farine ;
- flocons ;
- pâtes.

Les grains entiers cuisent relativement vite : environ 15 minutes quand ils sont cuits dans de l'eau bouillante ou dans un bouillon dans un ratio de un pour deux (1 mesure de quinoa pour 2 mesures de liquide). Vous saurez que le quinoa est prêt quand le grain commence à se défaire de son enveloppe et qu'une ligne blanche apparaît. Retirer du feu et laisser reposer, couvert, pendant 5 minutes.

Les grains peuvent également être cuits au micro-ondes à haute intensité pendant 12 minutes en utilisant le ratio mentionné plus haut. Vous voudrez peut-être remuer le mélange à mi-cuisson.

Si vous préparez des produits de boulangerie ou de pâtisserie, vous pouvez

| Quinoa, 1 tasse (250 ml) | Liquide | Temps de cuisson | Résultat | Renseignements supplémentaires |
|---|---|---|---|---|
| Grains entiers, non cuits | 2 tasses (500 ml) | 15 minutes | 3 à 4 tasses (750 ml à 1 litre) | |
| Flocons, céréales pour le déjeuner | 3 tasses (750 ml) | 1½ à 2 minutes | 3 tasses (750 ml) | Vous pouvez préparer les flocons au micro-ondes ; faire cuire à haute intensité pendant 6 ½ minutes pour 4 portions. |
| Pâtes, non cuites | 2½ tasses (625 ml) | 15 minutes | 1½ tasse (375 ml) | |

| Valeur nutritive | | |
|---|---|---|
| **Quinoa, cuit, ½ tasse (100 g)** | Valeur nutritive | % de la valeur quotidienne |
| Calories (kcal) | 120 | |
| Lipides (g) | 1,9 | 3,0 |
| Protéines (g) | 4,4 | 9,0 |
| Glucides | 210 | 7,0 |
| Fibres (g) | 3,0 | 11,0 |
| Folate (µg) | 42,0 | 10,5 |
| Fer (mg) | 1,5 | 8,0 |
| Magnésium (mg) | 64,0 | 16,0 |
| Manganèse (mg) | 0,63 | 62,0 |
| Phospore (mg) | 152,0 | 15,0 |
| Cuivre (mg) | 0,19 | 10,0 |
| Source : Food Processor SQL, 2009. | | |

pour une période allant jusqu'à six mois. La farine se conserve mieux au congélateur. Puisque le quinoa est riche en matières grasses polyinsaturées, assurez-vous que le produit que vous achetez est frais ; choisissez un magasin qui a un haut taux de rotation. Assurez-vous que l'emballage ne montre pas de signe de moisissure.

### Profil nutritionnel

Le quinoa est une très bonne source de manganèse et une bonne source de magnésium, de fer, de cuivre et de phosphore. Il s'agit également d'une protéine de haute valeur nutritive.

remplacer la farine de riz par ¼ de tasse (60 ml) de farine de quinoa pour ajouter des éléments nutritifs à vos muffins ou vos pains plats. La farine de quinoa a une saveur très forte de noisette qui peut parfois éclipser votre recette. Les flocons de quinoa font d'excellentes céréales chaudes pour le déjeuner. La farine de quinoa peut aussi être combinée à d'autres farines ou sons, comme le maïs ou le riz pour faire des pâtes. Pour faire cuire les pâtes à base de quinoa, amener de l'eau à ébullition. Mélanger 1 mesure de pâtes de quinoa à 2 mesures d'eau et remuer à l'occasion pendant 13 à 15 minutes. Retirer du feu et égoutter.

### Conservation du quinoa

Les grains entiers de quinoa se conservent mieux dans un contenant au réfrigérateur,

## Le riz

L'une des céréales les plus répandues, le riz fournit presque la moitié des calories quotidiennes pour la moitié de la population mondiale, particulièrement en Chine, au Japon, en Inde, au Bangladesh, au Cambodge, en Indonésie, au Laos, en Thaïlande et au Vietnam. Même s'il a une faible teneur en protéines en comparaison d'autres grains, le riz brun est plus riche que le blé en glucides et en énergie digestible.

### Profil culinaire

La plupart des grains de riz entier sont bruns, mais il existe également des variétés comme le riz noir, rouge et Japonica, qui deviennent populaires, particulièrement dans les mélanges de riz. Le grain de riz récolté, connu sous le nom de *paddy* ou riz brut, est recouvert par la balle ou la glumelle. La mouture enlève habituellement la balle et la couche de son du grain, et une enveloppe de glucose et de talc est parfois ajoutée pour donner au grain un aspect luisant. Le riz qui est transformé pour enlever seulement la gamelle, appelé riz brun, contient environ 8 % de protéines et de petites quantités de matières grasses ; c'est une source de thiamine, de niacine, de riboflavine, de fer et de calcium. Le son qui reste dans le grain entier

de riz brun contient des phytonutriments importants qui peuvent réduire le risque de crise cardiaque, certains cancers et le diabète de type 2, et aide au contrôle du poids. Le riz qui est moulu pour enlever également le son est appelé riz blanc.

| Valeur nutritive | | |
|---|---|---|
| **Riz brun à longs grains, cuit, ½ tasse (100 g)** | Valeur nutritive | % de la valeur quotidienne |
| Calories (kcal) | 111 | |
| Lipides (g) | 0,9 | 1,4 |
| Protéines (g) | 2,6 | 5,0 |
| Glucides | 23,0 | 7,7 |
| Fibres (g) | 1,8 | 7,2 |
| Folate (µg) | 43,0 | 11,0 |
| Manganèse (mg) | 0,91 | 45 |
| Phospore (mg) | 83,0 | 8,3 |
| Sélénium (µg) | 9,8 | 14,0 |
| Source : Food Processor SQL, 2009. | | |

| Riz, 1 tasse (250 ml) | Liquide | Temps de cuisson | Résultat | Renseignements supplémentaires |
|---|---|---|---|---|
| Riz complet, non cuit | 2½ tasses (625 ml) | 45 à 50 minutes | 3 tasses (750 ml) | |
| Riz gluant, non cuit | 1 tasse (250 ml) | 20 minutes | 2 tasses (500 ml) | Pour de meilleurs résultats, utiliser un cuiseur à riz. |
| Riz Basmati, non cuit | 1½ tasse (375 ml) | 20 à 30 minutes | 2½ tasses (625 ml) | Ne pas soulever le couvercle ou remuer le riz avant la fin du temps de cuisson. |

## Cuisiner avec le riz

Le riz est classé selon la taille du grain.

- **Le riz à longs grains** est effilé, ce qui signifie que les grains se séparent pendant la cuisson, ce qui lui donne une consistance « al dente » qui convient aux plats d'accompagnements ou aux sauces.
- **Le riz à grains moyens** est plus court et ventru, ce qui en fait un bon candidat pour la paella ou le risotto.
- **Le riz à grains courts** est rond et les grains sont humides et s'agglutinent quand ils sont cuits.

Il existe d'autres variétés de riz de spécialité.

- **Le riz gluant**, aussi appelé « riz collant » est utilisé pour les sushis et les boules de riz. Ne portez pas attention au mot *gluant*; ce riz est également sans gluten.
- **Le riz Basmati** est un riz parfumé à longs grains qui pousse dans les contreforts de l'Himalaya et particulièrement répandu en Inde. Une fois cuits, les grains sont secs et moelleux, ce qui en fait un bon lit pour le cari et les sauces. Le riz Basmati brun contient plus de fibres et a une saveur plus prononcée, mais prend deux fois plus de temps à cuire.
- **Le riz noir**, y compris le riz noir Japonica, le riz noir chinois, le riz noir collant thaï et le riz noir indonésien, est riche en fibres et a une saveur prononcée de noisette. Le riz noir est d'un noir profond qui passe au violet foncé quand il est cuit, ce qui suggère la présence de phytonutriments, un antioxydant important qui aide à réduire le risque de crise cardiaque et de plusieurs cancers, en plus de favoriser la santé en général. Le riz noir a également une teneur relativement élevée en fer.
- **Le riz rouge**, comme le riz rouge du Bhoutan, le riz rouge de l'Himalaya et le riz rouge de Camargue, a une forte saveur aux accents de noisette et cuit plus rapidement que le riz brun. Sa riche couleur rouge suggère la présence de phytonutriments, une source d'antioxydants favorisant la santé du cœur. Vous pouvez remplacer ce riz par un équivalent nord-américain dérivé du riz Basmati appelé Wehani.
- **La farine de riz** (blanc ou brun) est une farine de substitution très répandue dans la cuisine sans gluten. Puisqu'elle contient des huiles essentielles, elle est fort périssable. Conserver la farine de riz au réfrigérateur jusqu'à cinq mois ou au congélateur jusqu'à un an.

## Le sorgho

Aussi connu sous le nom de *milo*, le sorgho est une plante tropicale, une des cultures les plus importantes en Afrique, en Asie et en Amérique latine. Parce qu'il est une puissante source d'antioxydants, il a une valeur nutritive très élevée et fonctionne très bien dans les recettes sans gluten. Le sorgho peut être utilisé pour faire des tortillas (Amérique latine), un gruau léger connu sous le nom de *bouille* en Afrique et en Asie, du couscous en Afrique, du *injera* en Éthiopie ou encore pour faire du *bhakri*, un pain sans levain qui constitue un aliment de base en Inde. En Amérique du Nord, le sorgho est également utilisé pour faire de la bière sans gluten. Les croustilles au maïs sont également faites en mélangeant du sorgho à du maïs et du manioc.

### Profil culinaire

Le grain entier de sorgho a un goût doux qui devient plus prononcé quand il est grillé. La farine de sorgho a une saveur très douce et constitue un très bon substitut à la farine de blé dans la plupart des recettes. Elle peut être un composant dans les mélanges de farine sans gluten ou peut être utilisée seule dans les poudings, les crêpes, les tortillas ou les pains aux bananes.

### Cuisiner avec le sorgho

Il est préférable de faire tremper les grains entiers de sorgho dans de l'eau pendant la nuit. Pour la cuisson sur la cuisinière, ajouter 1 tasse (250 ml) de grains de sorgho à 2 tasses (500 ml) d'eau bouillante. Abaisser le feu et laisser mijoter, couvert, pendant 50 minutes. Retirer du feu et laisser reposer

| Valeur nutritive | | |
|---|---|---|
| **Sorgho, non cuit, ½ tasse (100 g)** | Valeur nutritive | % de la valeur quotidienne |
| Calories (kcal) | 339 | |
| Lipides (g) | 3,3 | 5,0 |
| Protéines (g) | 11,3 | 22,6 |
| Glucides | 74,6 | 25,0 |
| Fibres | 6,3 | 25,0 |
| Vitamine $B_1$- thiamine (mg) | 0,24 | 16,0 |
| Vitamine $B_3$- niacine (mg) | 2,93 | 15,0 |
| Fer (mg) | 4,4 | 24,0 |
| Phosphore (mg) | 287,0 | 28,7 |
| Source : Food Processor SQL, 2009. | | |

pendant 10 minutes. Le sorgho soufflé peut être utilisé pour faire des céréales ou des collations sèches et peut être ajouté aux soupes en remplacement d'autres grains. La farine de sorgho constitue un bel ajout aux recettes de pâte à pizza ou à tarte, aux gaufres et aux crêpes.

### Conservation du sorgho

Conserver le sorgho dans un contenant fermé hermétiquement dans un endroit frais et sombre jusqu'à un mois. Il est possible de prolonger la durée de conservation à six mois en le réfrigérant ou jusqu'à un an en le congelant.

| **Sorgho, 1 tasse (250 ml)** | Liquide | Temps de cuisson | Résultat | Renseignements supplémentaires |
|---|---|---|---|---|
| Grains entiers | 2 tasses (500 ml) | 50 à 60 minutes | 2½ tasses (625 ml) | |

## Profil nutritionnel

Les antioxydants, comme le phénol ou l'acide tannique, ont la capacité de neutraliser les produits cellulaires appelés radicaux libres, causés par les polluants du milieu, la malnutrition, les médicaments, la fumée du tabac et la consommation excessive d'alcool. Des études ont démontré que certaines variétés de sorgho de spécialité, comme le sorgho brun et le son de sorgho, sont étonnamment de très bonnes sources d'antioxydants aux propriétés anticancérigènes. Le son de sorgho contient plus d'antioxydants que les bleuets, les fraises ou les prunes.

*Son de sorgho.*

## Le tapioca

Aussi connu sous le nom de cassava, yucca et manioc, le tapioca est un tubercule qui pousse au Brésil. De forme longue et cylindrique, la racine de manioc a une enveloppe légèrement brune et fibreuse, semblable à celle de la pomme de terre ou de l'igname. L'intérieur est blanc et farineux. Des croustilles de tapioca aux poudings, gruaux, thés à bulles sucrés et curry de poisson, le tapioca a plusieurs usages en Asie du Sud-Est, en Inde et en Amérique du Sud.

### Profil culinaire

Le tapioca peut être utilisé sous forme d'amidon ou de granules, connues sous le nom de perles de tapioca. L'amidon est une fine poudre blanche qui a un goût légèrement sucré et qui peut être utilisée comme épaississant instantané pour les soupes et les sauces.

### Cuisiner avec le tapioca

L'amidon de tapioca s'intègre bien aux mélanges de farines sans gluten et donne aux pains, aux pains aux bananes et aux crêpes une texture moelleuse. Pour faire un pouding au tapioca, les perles peuvent être trempées dans de l'eau pendant la nuit. Pour faire des boissons, vous pouvez faire bouillir des perles de tapioca pendant 25 minutes jusqu'à ce qu'elles soient bien cuites et moelleuses, mais pas collantes, puis laissez-les refroidir. Si elles ne sont pas utilisées immédiatement, elles peuvent être conservées quelques heures dans un sirop de sucre ou de miel.

## Conservation de l'amidon de tapioca

L'amidon de tapioca a une durée de conservation d'environ un an s'il est conservé dans un contenant fermé hermétiquement placé dans un endroit sec. Une fois ouvertes, les perles de tapioca doivent être gardées dans un contenant hermétiquement fermé pour prévenir la perte d'humidité. Garder dans un endroit frais et sec jusqu'à six mois.

| Valeur nutritive | | |
|---|---|---|
| **Perles de tapioca, ½ tasse (76 g)** | Valeur nutritive | % de la valeur quotidienne |
| Calories (kcal) | 272 | |
| Lipides (g) | 0,0 | 0,0 |
| Protéines (g) | 0,1 | 0,3 |
| Glucides | 67,0 | 22 |
| Fibres | 0,7 | 3,0 |
| Folate ( (µg) | 3,0 | 0,8 |
| Fer (mg) | 1,2 | 6,7 |
| Source : Food Processor SQL, 2009. | | |

## Le teff

Le teff (aussi connu sous le nom de tef) est une plante originaire de l'Éthiopie où il est utilisé pour fabriquer l'aliment de base du pays, un pain que l'on appelle *injera*. Le teff est aussi couramment cultivé en Afrique du Sud, en Inde, en Australie et dans le nord-ouest des États-Unis. Les graines de teff sont de très petite taille et varient en couleur d'un blanc laiteux au noir. Bien qu'elles soient moins connues en Amérique du Nord, leur popularité est en hausse grâce à leur remarquable valeur nutritive et leur goût délicieux. Ajoutons à cette liste que les graines de teff sont sans gluten.

### Profil culinaire

Le teff se vend sous forme de grains entiers ou de farine. Les grains plus pâles ont un goût doux aux accents de noisette tandis que le teff brun a un goût sucré qui ressemble à celui de la mélasse. La farine de teff est fabriquée à partir de teff brun et a un goût légèrement corsé aux accents de noisette avec une nuance sucrée. La farine de teff fabriquée à base de grains blancs est plus douce. La farine de teff s'ajoute bien aux mélanges de farines sans gluten. Elle fonctionne bien dans les pains, les crêpes, les gaufres, les pâtes à tarte et les biscuits.

### Cuisiner avec le teff

Les grains de teff font un très bon pilaf en remplacement du riz ou des pommes de terre comme plat d'accompagnement. Ils fonctionnent bien en combinaison avec la kasha (sarrasin grillé), le millet ou le riz brun. Ils peuvent également servir de farce ou de gruau. Parce qu'ils deviennent gélatineux une fois cuits, ils conviennent particulièrement bien pour épaissir les ragoûts, les sauces et les soupes.

## Conservation du teff

Les spécialistes de la cuisine recommandent de garder le teff dans un contenant fermé hermétiquement dans un endroit frais, sombre et sec jusqu'à un mois. Vous pouvez garder le teff au réfrigérateur jusqu'à six mois ou au congélateur jusqu'à un an.

## Profil nutritionnel

Parmi les grains, le teff est une locomotive nutritionnelle. Il s'agit d'une excellente source de protéines, de calcium, de fer, de zinc, de cuivre, de phosphore et d'autres nutriments importants.

## Valeur nutritive

| Teff, sec, ⅔ tasse (100 g) | Valeur nutritive | % de la valeur quotidienne |
|---|---|---|
| Calories (kcal) | 367 | |
| Lipides (g) | 2,38 | 3,66 |
| Protéines (g) | 13,3 | 26,6 |
| Glucides | 73,13 | 24,0 |
| Fibres | 8,0 | 32,0 |
| Vitamine $B_1$-thiamine (mg) | 0,39 | 26,0 |
| Vitamine $B_2$ – riboflavine (mg) | 0,27 | 16,0 |
| Vitamine $B_3$ – niacine (mg) | 3,,36 | 17,0 |
| Vitamine $B_6$ (mg) | 0,48 | 26,0 |
| Calcium (mg) | 180 | 18,0 |
| Fer (mg) | 0,81 | 40,5 |
| Cuivre (mg) | 7,63 | 42,4 |
| Magnésium (mg) | 184,0 | 46,0 |
| Manganèse (mg) | 9,24 | 462,0 |
| Phospore (mg) | 429,0 | 43,0 |
| Zinc (mg) | 3,63 | 24,0 |

Source : Food Processor SQL, 2009.

| Teff, ½ tasse (125 ml) | Liquide | Temps de cuisson | Résultat | Renseignements supplémentaires |
|---|---|---|---|---|
| Grains entiers, non cuits | 1 ½ tasse (375 ml) | 20 à 25 minutes | 1 tasse (250 ml) | |

## Le riz sauvage

Le riz sauvage n'est pas un grain, comme son nom le suggère, mais une plante qui pousse abondamment dans les lacs et les ruisseaux peu profonds. Il est originaire du continent nord-américain et est cultivé depuis des siècles par les autochtones du Midwest, au Manitoba, en Saskatchewan et au Minnesota.

### Profil culinaire

Le riz sauvage a une texture moelleuse et une saveur fumée de noix qui se mélange bien au gibier et à la volaille et donne du caractère à tout plat d'accompagnement à base de grains. Il est souvent consommé dans des mélanges avec d'autres types de riz ou de grains. Il se mélange également très bien aux aliments au goût prononcé comme les champignons, les fruits séchés, les noix et aux fruits au goût prononcé comme les mangues, les grenades et les canneberges. La couleur de la farine de riz sauvage varie d'un gris brunâtre au noir et a une saveur marquée et unique. Il s'agit d'un substitut nutritif précieux à la farine de blé. La farine de riz sauvage peut être utilisée dans certaines recettes, mais donne un meilleur résultat quand elle est mélangée à d'autres farines. Ajoutez-la aux pâtes à crêpes, aux muffins, aux scones et aux pains et utilisez 1/3 de tasse (75 ml) de farine de riz sauvage pour tout autre type de farine que vous utilisez, comme la farine de riz blanc.

| Valeur nutritive | | |
|---|---|---|
| **Riz sauvage, cuit, 2/3 tasse (100 g)** | Valeur nutritive | % de la valeur quotidienne |
| Calories (kcal) | 100 | |
| Lipides (g) | 0,34 | 0,5 |
| Protéines (g) | 3,99 | 8,0 |
| Glucides | 21,0 | 7,0 |
| Fibres | 1,8 | 7,2 |
| Vitamine $B_3$ – niacine (mg) | 1,3 | 6,4 |
| Vitamine $B_6$ (mg) | 0,14 | 6,8 |
| Folate ( (µg) | 26,0 | 6,5 |
| Magnésium (mg) | 32,0 | 6,5 |
| Manganèse (mg) | 0,28 | 14,0 |
| Phospore (mg) | 82,0 | 8,2 |
| Zinc (mg) | 1,34 | 8,9 |
| Source : Food Processor SQL, 2009. | | |

### Portrait nutritionnel

Le riz sauvage se digère facilement et est riche en fibres et en protéines (le double de la teneur du riz brun) en plus de constituer une bonne source de vitamines B, de fer, de thiamine, de riboflavine, de niacine, de calcium, de phosphore et de glucides.

| **Riz sauvage, 1 tasse (250 ml)** | Liquide | Temps de cuisson | Résultat | Renseignements supplémentaires |
|---|---|---|---|---|
| Grains entiers, non cuits | 2 à 3 tasses (500 à 750 ml) | 45 à 50 minutes | 3½ tasses (875 ml) | Rincer abondamment avant de cuire. |

# Histoire de cas

## S'adapter à un régime sans gluten

Même si Emma avait déjà fait l'expérience d'un régime sans blé, elle devait en apprendre plus sur les ingrédients toxiques qui pourraient lui nuire et être plus rigoureuse quant à la contamination croisée à la maison. Nous avons identifié les ingrédients qu'elle devait éviter et les aliments qui pouvaient les contenir. Nous nous sommes également rencontrées à l'épicerie où elle faisait souvent ses courses pour identifier les aliments qu'elle pouvait consommer sans se soucier du gluten, les aliments qu'elle devait soupçonner et les aliments à éviter. Nous avons aussi identifié des aliments pour remplacer ceux qui contiennent du gluten.

En se basant sur son mode de vie et ses préférences alimentaires, nous avons construit un plan de repas en mettant l'accent sur les aliments et les repas qui lui fourniraient l'apport en calcium dont elle avait tant besoin. Puisqu'elle souffrait toujours d'une intolérance au lactose et que sa masse osseuse avait été affectée par un bon nombre d'années de malabsorption, nous avons également identifié les bonnes sources de calcium dans son régime.

Quelques mois plus tard, le taux de fer d'Emma était en hausse. Elle avait trouvé des moyens d'éliminer la contamination croisée à la maison. Le défi restait de manger au restaurant avec des amis. Nous avons jeté un coup d'œil à ses spécialités et restaurants favoris, identifié les plats qui pouvaient être commandés spécifiquement sans gluten et établi des stratégies pour discuter de ses besoins avec les chefs de restaurants. C'était une tâche difficile pour elle. Jeune adulte, elle a trouvé difficile de parler de ses besoins, particulièrement quand ils empiétaient sur sa vie sociale. Pour lui faciliter la tâche, j'ai conseillé à Emma de contacter le restaurant ou le bar à l'avance pour se renseigner sur des solutions et discuter avec le chef. Il lui a fallu de la préparation, mais cette solution a fonctionné. Et ses amis lui ont apporté beaucoup de soutien !

# Chapitre 3

# Maintenir une saine alimentation

# Maintenir une saine alimentation

Même si les aliments sans gluten sont de plus en plus courants sur le marché, ils ne sont habituellement pas enrichis, ce qui entraîne des carences en nutriments. Ces aliments sont également plus riches en calories et en gras, ce qui cause un gain de poids pour ceux qui en dépendent. Les patients atteints de la maladie cœliaque peuvent tout simplement devenir dénutris et suralimentés. Pour contrer ces tendances, vous devez compléter votre régime avec des nutriments précis et surveiller votre bilan énergétique.

# Les nutriments essentiels

Malgré qu'ils consomment des grains sans gluten, des fruits frais, des légumes et des sources de protéines, les individus souffrant de la maladie cœliaque font toujours face à une carence en nutriments qui menace leur santé et leur bien-être. Une étude récente a révélé qu'un pourcentage significatif des participants souffrant de la maladie ne consommait pas l'apport quotidien recommandé de plusieurs nutriments essentiels.

- Vitamine $B_1$ (thiamine): 58,7%
- Vitamine $B_2$ (riboflavine): 24,8%
- Vitamine $B_3$ (niacine): 29,4%
- Vitamine $B_6$: 34,9%
- Vitamine $B_{12}$: 29,4%
- Folate: 85,3%
- Vitamine D: 92,7%
- Fer: 41,3%
- Calcium: 81,7%
- Fibres: 74,3%

Ces déficiences peuvent causer de graves maladies. Par exemple, une déficience en fibres alimentaires provoque de la constipation et de l'inconfort gastro-intestinal. Une déficience en calcium et en vitamine D peut provoquer une perte osseuse à cause de l'ostéopénie et l'ostéoporose, tandis que l'anémie ferriprive affaiblit le système immunitaire et cause de la fatigue.

# Les principes de l'alimentation

Une quarantaine de nutriments environ sont essentiels aux êtres humains pour survivre, favoriser la croissance et réparer les tissus. Notre alimentation nous fournit les nutriments que notre corps ne peut pas produire du tout, ou ceux qu'il ne produit pas en quantité suffisante, comme la vitamine D. Ces nutriments sont essentiels puisqu'ils sont nécessaires pour satisfaire nos besoins physiologiques. Notre régime nous fournit ces nutriments essentiels, mais des suppléments diététiques sont parfois requis.

## Le saviez-vous?

### Les choix alimentaires

Tous les jours, plusieurs fois par jour, vous faites des choix alimentaires qui ont un effet sur la santé de votre corps, pour le meilleur ou pour le pire. Peu à peu, jour après jour, ces choix ont un effet cumulatif qui peut soit améliorer, soit empirer votre santé. Bien sûr, il y a ceux qui seront malades peu importe les choix qu'ils feront, et, à l'autre extrémité, ceux qui resteront en santé peu importe les choix qu'ils feront. Cependant, pour la majorité d'entre nous, les choix alimentaires que nous faisons ont un impact direct sur notre santé.

La plupart des aliments contiennent un mélange de macronutriments (qui nous fournissent de l'énergie) et de micronutriments (qui favorisent le métabolisme des macronutriments).

| Macronutriments | Micronutriments |
|---|---|
| – Glucides | – Vitamines |
| – Lipides | – Minéraux |
| – Protéines | – Acides aminés |
| | – Acides gras essentiels |
| | – Enzymes |

## L'énergie

Le corps utilise les glucides, les lipides et les protéines pour alimenter ses activités métaboliques et physiques. L'énergie utilisée pour faire battre le cœur, pour faire penser le cerveau et pour faire courir les jambes vient de ces composés. Si le corps a un excédent de l'une de ces substances énergétiques, il les entrepose, surtout sous forme de gras qui sera utilisé entre les repas et pendant la nuit. C'est pourquoi, si vous consommez plus d'énergie que vous en dépensez, vous prenez du poids sous forme de gras.

## Les vitamines

Les vitamines aident le corps à transformer les macronutriments en énergie utilisable. Elles aident d'autres nutriments à digérer, absorber et métaboliser la nourriture. Une vitamine permet à vos yeux de voir dans le noir, une autre aide à protéger les poumons de la pollution atmosphérique. Il faut parfois une combinaison de deux ou trois vitamines pour aider les os à se renforcer ou pour remplacer de vieux globules rouges. Toutes les actions de notre corps nécessitent l'aide de vitamines.

## Le saviez-vous ?

### Collations énergisantes

Les barres de protéines sans gluten sont habituellement enrichies de vitamines et de minéraux et constituent une collation pratique et facilement transportable pendant vos déplacements.

### La fonction des fibres alimentaires

Les fibres alimentaires sont un type de composés liés aux glucides, mais, contrairement à ces dernières, elles traversent le corps sans être digérées, ne laissant ainsi que peu ou pas d'énergie. Les fibres gardent les muscles de l'appareil digestif forts et en santé et évacuent les substances nocives du corps, aidant ainsi à prévenir les maladies du cœur et le cancer.

### Conseils de cuisine pour préserver les vitamines

À cause de leur nature organique et complexe, les vitamines peuvent être modifiées et perdre de leur efficacité quand elles sont exposées à la chaleur, à la lumière et à des agents chimiques. Voici quelques conseils qui vous aideront à préserver l'efficacité des vitamines.

- Utilisez une petite quantité d'eau quand vous faites bouillir des aliments.
- Réduisez le temps de cuisson des fruits et des légumes le plus possible.
- Faites cuire les aliments à la vapeur, pochés ou blanchis.

# Les types de vitamines

Il existe treize vitamines différentes qui ont chacune leur rôle spécifique à jouer.

### Les vitamines hydrosolubles

- Vitamine C
- Vitamines B : vitamine $B_1$ (thiamine), vitamine $B_2$ (riboflavine), vitamine $B_3$ (niacine), vitamine $B_6$, vitamine $B_{12}$, folate, biotine, acide pantothénique

### Les vitamines liposolubles

- Vitamine A
- Vitamine D
- Vitamine E
- Vitamine K

# Les types de minéraux

Il existe seize minéraux essentiels dans l'alimentation humaine.

### Les principaux minéraux

- Calcium, phosphore, potassium, sodium, chlore, magnésium, soufre

### Les oligoéléments

- Fer, iode, zinc, chrome, sélénium, fluor, molybdène, cuivre, manganèse

## Les minéraux

Les minéraux jouent un rôle essentiel dans la chimie du corps ; ils sont les principaux composants des os et des dents en plus d'influencer la chimie des liquides organiques. Leur concentration est habituellement mesurée en microgrammes ou en milligrammes. Les minéraux sont indestructibles et, contrairement aux vitamines, ne nécessitent pas de traitement particulier. En d'autres mots, ils ne sont pas influencés par la chaleur, la lumière ou l'exposition à l'air. Ils peuvent cependant être liés par des substances qui rendent difficile leur absorption par le corps.

## L'eau

L'eau est souvent tenue pour acquise, mais elle forme la majeure partie de la plupart des tissus de l'organisme. Constituant l'environnement où presque toute l'activité métabolique du corps se produit, l'eau sert au transport des nutriments essentiels et transporte les déchets. On trouve de l'eau dans la plupart des types d'aliments, des fruits et légumes aux viandes, poissons, volailles, céréales et légumineuses.

# Les carences en nutriments et la maladie cœliaque

La maladie cœliaque cause des dommages aux parois intestinales, ce qui affecte l'absorption de plusieurs vitamines et minéraux essentiels à la santé et au bien-être. Différentes parties de l'intestin grêle qui subissent des dommages sont responsables de l'absorption de certains types de nutriments.

**Le duodénum et le jéjunum absorbent :**
- les protéines ;
- les sucres (y compris le lactose, le principal sucre contenu dans le lait) ;
- le fer ;
- le calcium ;
- le zinc ;
- le folate ;
- les vitamines liposolubles (K, A, D et E).

**L'iléon absorbe :**
- la vitamine $B_{12}$.

Un mauvais état nutritionnel affecte l'immunité et la capacité à prévenir les complications et la malabsorption typiques à la maladie cœliaque : l'intolérance au lactose, une carence en calcium causant de l'ostéopénie ou de l'ostéoporose, une carence en vitamine D, une anémie ferriprive ainsi qu'une carence en folate et en vitamine $B_{12}$. Souvenez-vous que ces carences peuvent être corrigées en suivant un régime sans gluten à vie.

## L'intolérance au lactose

L'intolérance au lactose est l'incapacité du corps de décomposer et d'absorber le sucre du lait, appelé le lactose. Le lactose est un disaccharide, un sucre de plus gros volume qui est composé de deux sucres plus petits appelés monosaccharides. L'agent responsable de décomposer le lactose en ses composantes et de les rendre absorbables par le corps est une enzyme appelée *lactase*, qui se trouve dans les microvillosités des cellules intestinales.

Quand le lactose ne peut être décomposé, il demeure dans l'intestin, non digéré. Il attire l'eau et cause des gonflements, un inconfort abdominal et de la diarrhée, soit les principaux symptômes de l'intolérance au lactose. Le lactose devient également de la nourriture pour les bactéries intestinales du côlon qui se multiplient et produisent de l'acide et du gaz, contribuant ainsi à l'inconfort et à la diarrhée. Les symptômes surviennent habituellement de 30 minutes à 2 heures après la consommation de lait, d'autres produits laitiers ou de repas préparés avec ces ingrédients.

### La carence en lactase

Quand l'intolérance au lactose se présente, on explore habituellement trois causes.

1. **La déficience de lactase primaire.** Il s'agit de la cause la plus commune de déficience en lactase, touchant 75 % des adultes dans le monde. Avec l'âge, la quantité de lactase disponible pour décomposer le lactose diminue naturellement, diminuant ainsi la tolérance aux produits laitiers. Ce déclin naturel est déterminé génétiquement et progresse différemment selon les groupes ethniques. La fréquence de déficience de

lactase primaire varie d'aussi peu que 5 % chez les Scandinaves et les populations du nord de l'Europe à 90 % chez les Africains, les Juifs et les Asiatiques. Chez les adultes en Amérique du Nord, le taux de prévalence suit une tendance similaire selon l'origine ethnique.

2. **La déficience de lactase secondaire.** Il s'agit habituellement d'une déficience de nature environnementale qui est temporaire, c'est-à-dire que les individus qui en sont atteints peuvent récupérer et lentement retrouver l'habilité à tolérer le lait et les produits laitiers. Ce type de déficience est le résultat d'une blessure à l'intestin grêle causée par certains traitements médicaux comme la chimiothérapie ou peut être dû à une infection gastro-intestinale ou à une maladie intestinale inflammatoire comme la maladie de Crohn. La maladie cœliaque est une autre cause de la déficience de lactase secondaire. Une fois la maladie ou la blessure guérie, la lactase réapparaît à la surface des muqueuses intestinales et la digestion du lactose peut se faire normalement.

3. **La carence en lactase congénitale.** Ce type de déficience en lactase est dû à une absence congénitale (de naissance) de lactase provenant d'une mutation du gène responsable de sa production. Les symptômes de cette intolérance au lactose grave et très rare débutent peu après la naissance.

## Dépister l'intolérance au lactose

Poser un diagnostic d'intolérance au lactose à partir des symptômes seuls peut être difficile puisque tout comme la maladie cœliaque ils ne lui sont pas spécifiques. Les gonflements, les gaz et la diarrhée peuvent être dus à une maladie intestinale inflammatoire, à une poussée active de colite ulcéreuse ou à la maladie de Crohn. Il est important d'utiliser une méthode de détection fiable et de confirmer votre diagnostic avec un médecin.

### L'épreuve respiratoire à l'hydrogène

Pendant ce test, on vous demandera de boire une boisson riche en lactose. Si votre corps n'a pas la quantité requise de lactase, le lactose non digéré sera fermenté par les bactéries du côlon, créant ainsi de l'hydrogène. La quantité totale de lactose que vous ingérez est très importante : si vous n'êtes que légèrement intolérant au lactose, 10 à 12 grammes de lactose (l'équivalent de ½ tasse/125 ml de lait) peuvent ne pas suffire à faire apparaître des symptômes, et votre intolérance pourrait ne pas être diagnostiquée. En revanche, 50 grammes de lactose (l'équivalent de ¼ de litre de lait) pourraient être plus appropriés à votre cas.

### L'épreuve d'acidité des selles

Ce test est utilisé pour les nourrissons et les enfants afin de mesurer la quantité d'acide dans les selles.

## L'intolérance au lactose et le régime alimentaire

Il peut y avoir une grande variation du degré d'intolérance au lactose selon les individus. Pour ceux qui souffrent de déficience de lactase primaire, la tolérance peut aller de quelques cuillers à soupe (30 ml) de yogourt à ½ tasse (125 ml) de lait non aromatisé. Néanmoins, la plupart peuvent améliorer leur tolérance au lait et aux produits laitiers en les intégrant lentement, très graduellement et en petites quantités dans leur régime. Cette amélioration est due au fait que les bactéries gastro-intestinales sont capables de s'adapter à la quantité de lactose ingérée sans déclencher de symptômes.

Les individus souffrant d'une déficience de lactase secondaire consécutive à la maladie cœliaque peuvent se voir obligés d'éliminer temporairement le lactose de leur alimentation jusqu'à ce que les muqueuses de l'intestin grêle soient guéries et que le niveau de lactase soit revenu à la normale. Ce processus peut prendre de quelques semaines à plusieurs mois selon la réaction de l'individu au régime sans gluten.

## L'étiquetage des aliments

Bien que le lactose n'apparaisse pas dans le tableau de la valeur nutritive, vous disposez cependant de moyens pour connaître la quantité de lactose présente dans un aliment déterminé. Prenez, par exemple, les fromages fermes vieillis et à pâte demi-ferme. Les glucides apparaissent dans le tableau de la valeur nutritive, et, plus bas, vous verrez le sous-titre « sucres ». Puisque les fromages naturels ne contiennent pas d'édulcorant ajouté, la quantité affichée sous « sucres » correspond à la quantité de lactose contenue dans le produit.

## Le saviez-vous ?

### Le mythe des produits laitiers

À moins de souffrir d'une allergie à la protéine laitière, vous ne devriez pas éliminer entièrement de votre alimentation le lait ni les produits laitiers. Bien que tous les produits laitiers contiennent de la protéine de lait, ils ne contiennent pas tous du lactose. Le lait et les produits du lait sont une importante source de calcium et d'autres nutriments. Ceux-ci sont essentiels à la croissance et à la réparation des os à tous les âges. La forme de calcium contenue dans les produits laitiers est l'une des plus facilement absorbables, et il est important d'augmenter le plus possible la consommation du calcium contenu dans les aliments.

### Inversion génétique

Le taux d'incidence d'intolérance au lactose chez les Afro-américains est tombé de 100 % à 75 % en raison de la reproduction interraciale. De même, les autochtones d'Amérique du Nord ont démontré eux aussi une capacité élevée à digérer le lactose à mesure que leur patrimoine génétique s'est mêlé à celui d'autres Nord-Américains.

## Produits laitiers faibles en lactose

Les produits laitiers suivants ne contiennent que peu de lactose et peuvent être plus faciles à intégrer à votre régime. Chaque aliment a été coté sur l'échelle de teneur en lactose.

**Échelle de teneur en lactose**
**Niveau 1**: aliments qui ne contiennent qu'une très faible quantité ou des traces de lactose. Ils sont faciles à intégrer à un régime sans gluten et sans lactose.

**Niveau 2:** aliments qui contiennent une faible quantité de lactose et qui peuvent être introduits graduellement en petite quantité à votre régime pendant que vous mesurez votre degré de tolérance.

| Aliment | Portion de référence | Quantité de lactose | Échelle de teneur en lactose (voir plus haut) |
|---------|----------------------|---------------------|-----------------------------------------------|
| Beurre | 1 c. à t. | traces | niveau 1 |
| Fromage bleu | 1 oz (30 g) | 1 g | niveau 1 |
| Brick | 1 oz (30 g) | 1 g | niveau 1 |
| Brie | 1 oz (30 g) | < 1 g | niveau 1 |
| Camembert | 1 oz (30 g) | <1 g | niveau 1 |
| Cheddar | 1 oz (30 g) | <1 g | niveau 1 |
| Édam | 1 oz (30 g) | <1 g | niveau 1 |
| Gouda | 1 oz (30 g) | <1 g | niveau 1 |
| Gruyère | 1 oz (30 g) | <1 g | niveau 1 |
| Fromage gorgonzola | 1 oz (30 g) | <1 g | niveau 1 |
| Lappi | 1 oz (30 g) | 0 g | niveau 1 |
| Liederkranz | 1 oz (30 g) | <1 g | niveau 1 |
| Mozzarella, lait entier | 1 oz (30 g) | 1 g | niveau 1 |
| Mozzarella, lait partiellement écrémé | 1 oz (30 g) | 1 g | niveau 1 |
| Munster | 1 oz (30 g) | <1 g | niveau 1 |
| Parmesan | 1 oz (30 g) | 1 g | niveau 1 |

| Aliment | Portion de référence | Quantité de lactose | Échelle de teneur en lactose (voir plus haut) |
|---|---|---|---|
| Provolone | 1 oz (30 g) | 1 g | niveau 1 |
| Romano | 1 oz (30 g) | 1 g | niveau 1 |
| Suisse | 1 oz (30 g) | 1 g | niveau 1 |
| Fromage fondu | 1 oz (30 g) | 1 g | niveau 1 |
| Lait sans lactose | 1 tasse (250 ml) | 1 g | niveau 1 |
| Fromage à la crème | 2 c. à s. (30 g) | 2 g | niveau 2 |
| Fromage fondu américain | 2 c. à s. (30 g) | 2 g | niveau 2 |
| Colorant à café | 1 c. à s. (15 g) | 2 g | niveau 2 |
| Yogourt, nature, 90 % sans lactose | ½ tasse (125 ml) | 4 g | niveau 2 |

# Les autres sources de lactose

## Les ingrédients suivants sont des sources de lactose :

- poudre de lait écrémé ;
- matière sèche de lait ;
- substances laitières modifiées ;
- protéines de lactosérum ;
- lactalbumine (dérivé du lactosérum et parfois utilisé dans les boissons pour sportifs).

## Les produits suivants peuvent contenir du lactose :

- les produits de boulangerie-pâtisserie sans gluten ;
- les gaufres, les crêpes, les biscuits et les mélanges sans gluten pour les préparer ;
- les pommes de terre instantanées, les soupes et les boissons pour le déjeuner ;
- les croustilles, les croustilles de maïs et les autres aliments transformés ;
- certains produits transformés à base de viande, les saucisses, les hot-dog, les viandes froides ;
- les sauces à salade crémeuses, les soupes crémeuses ;
- les substituts de repas sous forme de liquide ou de poudre à base de lait ;
- les bonbons sans gluten ;
- les médicaments d'ordonnance ;
- les médicaments vendus sans prescription.

## Les suppléments nutritionnels pour gérer l'intolérance au lactose

Des suppléments d'enzyme lactase sont vendus sans prescription sous forme de comprimés ou de liquide. Leur rôle est de compléter les enzymes produites par votre intestin et d'aider à décomposer le lactose des produits laitiers ou de vos repas qui contiennent du lait ou des produits laitiers.

## Attention au calcium

Quand les gens apprennent qu'ils sont intolérants au lactose, ils réduisent ou éliminent habituellement le lait et les produits laitiers de leur alimentation, ce qui peut causer une carence en calcium. Dans cette situation, il est extrêmement important de trouver d'autres sources de calcium.

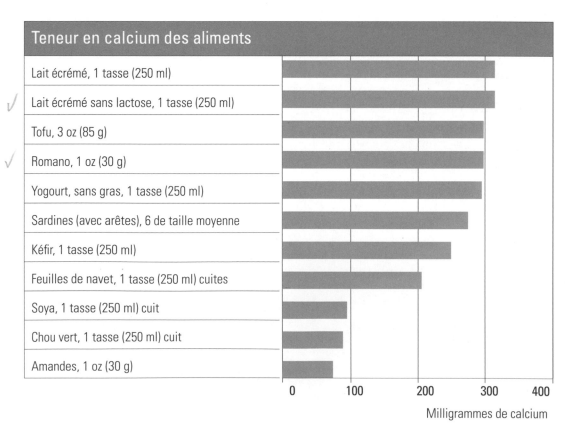

**Teneur en calcium des aliments**

| Aliment | Milligrammes de calcium |
|---|---|
| Lait écrémé, 1 tasse (250 ml) | ~310 |
| Lait écrémé sans lactose, 1 tasse (250 ml) | ~310 |
| Tofu, 3 oz (85 g) | ~295 |
| Romano, 1 oz (30 g) | ~295 |
| Yogourt, sans gras, 1 tasse (250 ml) | ~290 |
| Sardines (avec arêtes), 6 de taille moyenne | ~270 |
| Kéfir, 1 tasse (250 ml) | ~240 |
| Feuilles de navet, 1 tasse (250 ml) cuites | ~200 |
| Soya, 1 tasse (250 ml) cuit | ~90 |
| Chou vert, 1 tasse (250 ml) cuit | ~85 |
| Amandes, 1 oz (30 g) | ~70 |

## Les aliments contenant du calcium

Heureusement, plusieurs aliments, laitiers et non laitiers, peuvent fournir un apport suffisant de calcium. Pour satisfaire aux recommandations, tenez compte de votre consommation quotidienne totale de calcium. Le graphique de la page ci-contre montre la quantité de calcium dans les aliments, du plus riche au plus pauvre.

| Apport recommandé en calcium selon le groupe d'âge | |
|---|---|
| **Groupe d'âge** | Apports nutritionnels de référence (mg/jour) |
| 0 à 6 mois | 210 |
| 7 à 12 mois | 270 |
| 1 à 3 ans | 500 |
| 4 à 8 ans | 800 |
| 9 à 18 ans (femmes) | 1300 |
| 9 à 18 ans (hommes) | 1300 |
| 19 à 50 ans (femmes) | 1000 |
| 19 à 50 ans (hommes) | 1000 |
| 51 ans et plus (hommes et femmes) | 1200 |
| Pendant la grossesse 14 à 18 ans | 1300 |
| Pendant la grossesse 19 à 50 ans | 1000 |
| Pendant l'allaitement 14 à 18 ans | 1300 |
| Pendant l'allaitement 19 à 50 ans | 1000 |

Source : adapté de National Academy of Sciences, Institute of Medicine, *Dietary Reference Intakes*, 2004.

# L'ostéopénie et l'ostéoporose

Nous croyons que nos os sont immuables, un peu comme les briques dans la fondation d'une maison. Cependant, ce sont des organismes vivants, qui se renouvellent et se remodèlent continuellement. Les os sont plus forts et plus denses au début de l'âge adulte. Jusqu'à l'âge de 30 ans, le renouvellement des os est constant. Pendant un certain temps par la suite, les os cessent de grandir et une balance s'établit et fait que la formation osseuse et la détérioration des os suivent le même rythme. Avec les années, les os s'abîment, ce qui cause une perte de masse osseuse.

Les os sont composés de minéraux, y compris le calcium, le phosphore et le magnésium. Le calcium est le minéral prédominant, comptant pour 80% de la composition chimique des os. Un bon nombre de facteurs influencent l'absorption du calcium, mais, en moyenne, les adultes absorbent 30% du calcium qu'ils consomment. L'acidité de l'estomac aide à l'absorption du calcium en le gardant soluble. La vitamine D aide à fabriquer la protéine liant le calcium dans les cellules absorbantes de l'appareil digestif. D'autres facteurs aident au maintien de la santé des os, y compris la vitamine K, les protéines, le potassium et le magnésium.

## La maladie cœliaque et la détérioration des os

Si la maladie cœliaque n'est pas diagnostiquée, le dommage subi par la paroi intestinale – où le plus gros de l'absorption des minéraux se fait – cause une diminution de l'apport en calcium, en potassium, en magnésium et en vitamine D. Avec le temps, le manque de calcium, spécialement pendant la croissance, peut causer une fragilité des os, qui peuvent se fracturer facilement plus tard. Cette maladie se nomme ostéoporose. Les os se détériorent davantage en réaction à la cytokine, une substance libérée dans le sang par l'intestin quand il est enflammé. Des études ont démontré que le processus auto-immun qui endommage l'intestin dans la maladie cœliaque s'attaque également aux os.

## Le saviez-vous ?

### Le régime sans gluten à la rescousse

Si la maladie cœliaque est diagnostiquée tôt et qu'un régime sans gluten est mis en place aussitôt, les pertes osseuses et les risques de fractures peuvent être prévenus. En fait, les enfants qui suivent un régime sans gluten nourrissant peuvent habituellement normaliser leur masse osseuse en une année ou deux.

Une fois que la perte osseuse a eu lieu chez les adultes, les recherches sont moins claires, à savoir si une guérison totale est possible. Cependant, la plupart des études signalent qu'une amélioration importante de la masse osseuse est possible avec un régime sans gluten strict. Souvent, la pharmacothérapie est utilisée en plus des mesures alimentaires.

# Les stades de l'évolution de l'ostéoporose

### Stade 1 : l'ostéopénie

Le premier stade dans l'évolution de l'ostéoporose est une perte osseuse qui révèle une faible densité minérale osseuse (DMO). Il n'y a habituellement pas de symptômes associés à l'ostéopénie. La densité minérale osseuse est mesurée à l'aide de rayons × des hanches et de la colonne vertébrale et est exprimée sous forme d'un nombre appelé le T-score. Les individus qui souffrent d'ostéopénie ont un T-score qui indique un écart de -1,0 à -2,5 sous la normale.

### Stade 2 : apparition de la maladie

L'ostéoporose peut toucher les hommes et les femmes de tous âges s'ils souffrent d'une maladie cœliaque non diagnostiquée. Chez les femmes, la ménopause accélère la résorption osseuse à cause de la baisse remarquable de la production d'estrogènes. L'ostéoporose est aggravée par le manque d'estrogène. Les enfants dont la maladie cœliaque n'est pas diagnostiquée peuvent présenter une petite taille parce que leurs os sont incapables de croître à l'adolescence.

## Conseils pour maintenir vos os en santé

- Suivez toujours votre régime sans gluten.
- Consommez l'apport recommandé en calcium à partir des produits laitiers et non laitiers en premier ; si cette initiative ne fonctionne pas, votre médecin pourra vous prescrire des suppléments de calcium et de vitamine D ainsi qu'un médicament pour favoriser la formation des os.
- Restez actif. Les exercices de port de poids comme le jogging, la randonnée, la montée d'escalier et l'entraînement musculaire aident à conserver la masse osseuse.
- Mangez des légumes. Des études ont révélé que les fruits et les légumes protègent les os en rendant les urines plus alcalines, mais les régimes riches en céréales et en protéines génèrent plus de résidus d'acide, ce qui force le corps à les neutraliser à l'aide du calcium contenu dans les os. Les fruits et les légumes sont également une très bonne source de potassium et de vitamine K, ce qui aide à protéger la matrice osseuse.
- Diminuez votre consommation de sel. Un apport élevé en sel cause une plus grande perte de calcium.
- Modérez votre consommation de caféine. Celle-ci cause une perte de calcium dans les urines.
- La consommation d'alcool et le tabagisme sont des facteurs de risque supplémentaires.
- Prenez de la vitamine D pour favoriser l'absorption de calcium et prévenir le rachitisme et l'ostéomalacie (un ramollissement des os).

# La carence en vitamine D

La vitamine D bioactive est une hormone stéroïde qui a longtemps été reconnue pour son important rôle de régulation des niveaux de calcium et de phosphore dans le corps et pour son rôle dans la minéralisation des os. La vitamine D est également liée à la prévention du cancer du côlon, de la prostate et du sein. Des études in vitro, sur les animaux et épidémiologiques démontrent que la vitamine D pourrait jouer un rôle important dans la prévention du diabète de type 1 et 2, de l'hypertension, de l'intolérance au glucose et de la sclérose en plaques. Malheureusement, les gens qui souffrent de la maladie cœliaque présentent souvent une carence en vitamine D à cause d'un manque d'exposition au soleil, d'un faible apport dans leur régime et d'une mauvaise absorption dans l'intestin.

## Apport recommandé en vitamine D

Il existe un nombre croissant d'études sur les bienfaits de la vitamine D sur l'amélioration de la santé des os et la prévention du cancer, des maladies du cœur et des maladies inflammatoires de l'intestin. Ces études ont incité Santé Canada et l'Institute of Medicine of the National Academies à revoir la nouvelle littérature scientifique pour évaluer si les apports nutritionnels de référence (ANREF) doivent être révisés. En ce qui concerne la vitamine D, le comité d'experts se concentrera sur 1) les effets de la concentration du 25(OH)D sur l'état de santé; 2) les effets de l'apport en vitamine D sur le 25(OH)D et sur l'état de santé et 3) les niveaux d'apport associés à des réactions indésirables. Un rapport avec de nouvelles indications concernant les apports nutritionnels de références pour la vitamine D et pour le calcium sera publié sous peu.

## Apport recommandé en vitamine D selon le groupe d'âge

| Groupe d'âge | Apports nutritionnels recommandés (mcg ou UI/jour) |
|---|---|
| Naissance à 13 ans | 5 mcg/200 UI |
| 14 à 18 ans (femmes) | 5 mcg/200 UI |
| 14 à 18 ans (hommes) | 5 mcg/200 UI |
| 19 à 50 ans (femmes) | 5 mcg/200 UI |
| 19 à 50 ans (hommes) | 5 mcg/200 UI |
| 51 à 70 ans (femmes) | 10 mcg/400 UI |
| 51 à 70 ans (hommes) | 10 mcg/400 UI |
| 71 ans et plus (hommes et femmes) | 5 mcg/200 UI |
| Pendant la grossesse, 14 à 50 ans | 5 mcg/200 UI |
| Pendant l'allaitement, 14 à 50 ans | 5 mcg/200 UI |

Source : Institute of Medicine, Food and Nutrition Board, *Dietary Reference Intakes : Calcium, Phosphorus, Magnesium, Vitamin D and Fluoride*, 1997.

## Les sources de vitamine D

La peau contient un précurseur de la vitamine D qui est activé par la lumière ultraviolette pour devenir de la prévitamine $D_3$. Cette prévitamine a besoin de l'aide du foie et des reins afin de se transformer en vitamine $D_3$ bioactive. La vitamine D se trouve aussi dans certains aliments et suppléments. Comme toutes les autres vitamines liposolubles, elle est absorbée par l'intestin grêle. Puisqu'elle est liposoluble, la vitamine D a besoin de gras pour être absorbée.

## Les causes de la carence en vitamine D

- **L'exposition insuffisante au soleil.** Plusieurs facteurs empêchent la lumière ultraviolette de se rendre à la peau, y compris une couverture nuageuse, l'ombre, les lunettes de soleil et les écrans solaires. Les hivers longs, le fait de vivre à des latitudes nordiques et le manque d'activités à l'extérieur sont également des facteurs qui contribuent au manque de vitamine D.

- **Une mauvaise alimentation.** L'allaitement maternel exclusif prolongé sans suppléments de vitamine D est une cause importante de rachitisme, particulièrement chez les nourrissons dont les mères souffrent déjà d'une carence en vitamine D.

- **Une absorption des gras déficiente.** Une mauvaise absorption des gras peut mener à des maladies du foie ou de la vésicule biliaire, à la fibrose kystique, à un pontage gastrique, à la maladie de Crohn ou à la maladie cœliaque.

## Le rachitisme

Le rachitisme est une forme de carence en vitamine D que l'on voit plus souvent chez les enfants dont les os ne se minéralisent pas, ce qui cause un ramollissement des os et des difformités. Boire des produits laitiers enrichis en vitamine D ou des boissons non laitières en plus de manger des aliments enrichis en vitamine D peut complètement renverser les conséquences du rachitisme.

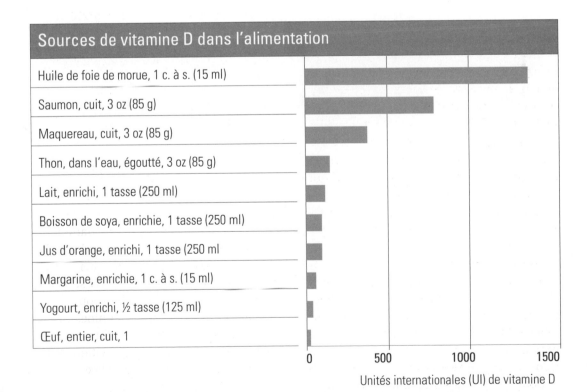

**Sources de vitamine D dans l'alimentation**

| Aliment | |
|---|---|
| Huile de foie de morue, 1 c. à s. (15 ml) | |
| Saumon, cuit, 3 oz (85 g) | |
| Maquereau, cuit, 3 oz (85 g) | |
| Thon, dans l'eau, égoutté, 3 oz (85 g) | |
| Lait, enrichi, 1 tasse (250 ml) | |
| Boisson de soya, enrichie, 1 tasse (250 ml) | |
| Jus d'orange, enrichi, 1 tasse (250 ml | |
| Margarine, enrichie, 1 c. à s. (15 ml) | |
| Yogourt, enrichi, ½ tasse (125 ml) | |
| Œuf, entier, cuit, 1 | |

Unités internationales (UI) de vitamine D

### L'ostéomalacie

Il s'agit de la forme adulte du rachitisme. Les symptômes sont peu apparents et peuvent prendre beaucoup de temps à identifier. L'ostéomalacie se caractérise par des douleurs osseuses et une faiblesse musculaire.

### Sources de vitamine D dans l'alimentation

Les Américains et les Canadiens sont largement dépendants des aliments enrichis et des suppléments alimentaires pour satisfaire leur besoin en vitamine D pendant les périodes d'ensoleillement insuffisant parce qu'ils ne consomment pas assez souvent d'aliments naturellement riches en vitamine D. La concentration naturelle de vitamine D dans les aliments varie. Les poissons gras sont la source la plus riche de vitamine D naturelle, le saumon étant le type de poisson le plus communément consommé en Amérique du Nord. Le foie et les abats sont également riches en vitamine D, mais ne sont pas aussi populaires que le poisson et sont souvent évités à cause de leur haute teneur en cholestérol. Même si les champignons et les jaunes d'œuf sont cités comme sources de vitamine D, les concentrations sont souvent faibles et variables et la documentation sur leur teneur est de piètre qualité. Le lait enrichi et les céréales pour le déjeuner sont des véhicules dominants de vitamine D aux États-Unis tandis qu'au Canada, le lait et la margarine sont enrichis.

### La teneur en vitamine D des produits alimentaires courants

Le graphique précédent montre les aliments sources de vitamine D, du plus riche au plus pauvre.

### Sources supplémentaires de vitamine D

Dans les suppléments et les aliments enrichis, la vitamine D se présente sous deux formes, la vitamine $D_2$ (ergocalciférol) et la vitamine $D_3$ (cholécalciférol). Les deux formes ont traditionnellement été considérées comme équivalentes quant à leur capacité à guérir le rachitisme, mais il a été prouvé que la vitamine $D_3$ pourrait être trois fois plus efficace que la vitamine $D_2$ pour élever la concentration de vitamine D dans le sang et la maintenir plus longtemps. Tous les suppléments alimentaires de vitamine D sont sans gluten.

# L'anémie

Le fer est un minéral très important puisqu'il transporte l'oxygène des poumons à tous les tissus organiques. L'oxygène est essentiel pour permettre aux cellules de produire de l'énergie, de la même manière que les moteurs de voitures ont besoin d'oxygène pour fonctionner. Bien que le fer ne soit pas rare dans la nature, plusieurs personnes, surtout les femmes, ne consomment pas assez de fer pour favoriser une santé optimale. En effet, l'insuffisance de fer touche des millions de personnes, jeunes et moins jeunes, hommes et femmes, peu importe qu'ils soient atteints de la maladie cœliaque ou non.

## Les symptômes de l'anémie

Le terme «anémie» réfère à un appauvrissement en fer qui cause une faible concentration d'hémoglobine (globules rouges). Les globules rouges des personnes atteintes d'anémie sont d'un rouge plus pâle que la normale et sont aussi plus petits. Ils ne peuvent pas transporter assez d'oxygène des poumons aux tissus organiques, et l'énergie libérée dans les cellules est bloquée. L'effet en est ressenti par tous les tissus organiques, ce qui explique le sentiment de fatigue, de faiblesse, les maux de tête, l'apathie et l'intolérance au froid. Un bon nombre de ces symptômes peuvent facilement être confondus avec des problèmes de comportement ou de motivation. Les histoires abondent à propos d'enfants qui étaient agités et grincheux avant d'être diagnostiqués avec la maladie cœliaque ou encore de femmes qui devaient se forcer pour accomplir de simples tâches tout en se blâmant d'être paresseuses.

## Apport recommandé en fer selon le groupe d'âge

| Groupe d'âge | Apports nutritionnels de référence (mg/jour) |
|---|---|
| 0 à 6 mois | 0,27* |
| 7 à 12 mois | 11 |
| 1 à 3 ans | 7 |
| 4 à 8 ans | 10 |
| 9 à 13 ans (filles) | 8 |
| 9 à 13 ans (garçons) | 8 |
| 14 à 18 ans (femmes) | 15 |
| 14 à 18 ans (hommes) | 11 |
| 19 à 30 ans (femmes) | 18 |
| 19 à 30 ans (hommes) | 8 |
| 31 à 50 ans (femmes) | 18 |
| 31 à 50 ans (hommes) | 8 |
| 51 à 70 ans (hommes et femmes) | 8 |
| 70 ans et plus | 8 |
| Pendant la grossesse 14 à 50 ans | 27 |
| Pendant l'allaitement 14 à 18 ans | 10 |
| Pendant l'allaitement 19 à 50 ans | 9 |

*Indique l'apport suffisant, l'apport principal pour ce groupe d'âge

Source: Institute of Medicine, Food and Nutrition Board, *Dietary Reference Intakes: Calcium, Phosphorus, Magnesium Vitamin D, and Fluoride*, 2001.

## Le saviez-vous ?

### La carence en fer

La carence en fer et l'anémie sont différentes. Ils sont souvent indissociables, mais il existe une distinction importante : il est possible de présenter une carence en fer sans être anémique.

La carence en fer fait référence à une réserve insuffisante de fer, sans tenir compte du degré de l'appauvrissement ou la présence d'anémie.

### La maladie cœliaque et l'absorption de fer

Chez les individus souffrant d'une maladie cœliaque non diagnostiquée, la présence de gluten dans l'intestin déclenche une réaction auto-immune qui détruit les villosités du duodénum proximal. Il s'agit du site d'absorption du fer.

### Teneur en fer des produits alimentaires courants

Le graphique ci-dessous montre les produits alimentaires courants classés du plus riche en fer au plus pauvre.

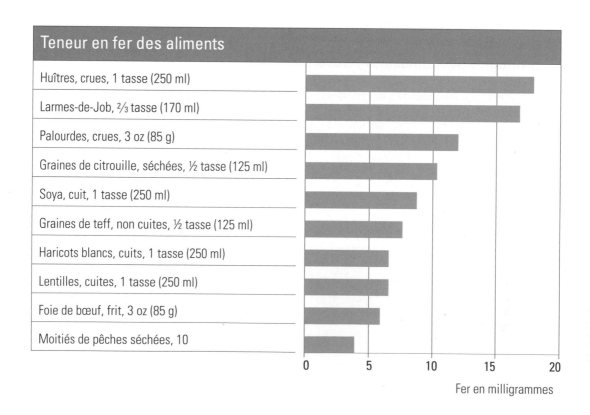

**Teneur en fer des aliments**

| Aliment | Fer en milligrammes |
|---|---|
| Huîtres, crues, 1 tasse (250 ml) | ~18 |
| Larmes-de-Job, ⅔ tasse (170 ml) | ~17 |
| Palourdes, crues, 3 oz (85 g) | ~12 |
| Graines de citrouille, séchées, ½ tasse (125 ml) | ~10 |
| Soya, cuit, 1 tasse (250 ml) | ~9 |
| Graines de teff, non cuites, ½ tasse (125 ml) | ~7,5 |
| Haricots blancs, cuits, 1 tasse (250 ml) | ~6,5 |
| Lentilles, cuites, 1 tasse (250 ml) | ~6,5 |
| Foie de bœuf, frit, 3 oz (85 g) | ~6 |
| Moitiés de pêches séchées, 10 | ~4 |

# Les facteurs ayant une incidence sur l'absorption du fer

- **Les formes de fer :** le fer peut prendre deux formes, hémique et non hémique. Le terme « hémique » est dérivé de « hémoglobine », qui signifie « globule rouge ». Tous les aliments qui contiennent du muscle et des globules rouges fournissent du fer hémique, qui est le plus assimilable. On trouve du fer hémique dans la viande rouge, le porc, la volaille, le poisson, les mollusques et les crustacés. Le fer non hémique se trouve dans les légumineuses, les légumes à feuilles vert foncé et les fruits séchés.

- **Le taux d'absorption :** le fer hémique s'absorbe plus efficacement que le fer non hémique. Les gens en santé qui ont une réserve suffisante en fer absorbent le fer hémique à un taux relativement constant de 23 %. Cependant, le taux d'absorption du fer non hémique varie de 2 % à 20 %, selon certains facteurs nutritionnels et la réserve de fer. Ceux qui souffrent d'une sévère carence en fer absorbent le fer hémique et non hémique plus efficacement et sont plus sensibles aux améliorations des facteurs alimentaires que les individus qui ont un meilleur bilan en fer.

## Stratégies pour améliorer l'absorption de fer

- Pour améliorer votre apport en fer non hémique, intégrez une source de vitamine C à vos repas. L'exemple parfait ? Le chili traditionnel ou végétarien mélange des fèves riches en fer et de la vitamine C dans la sauce tomate pour améliorer l'absorption de fer.

- Pour améliorer votre apport en fer hémique, mangez de la viande, du poisson et de la volaille. Ceux-ci contiennent un facteur qui améliore l'absorption du fer non hémique contenu dans les aliments avec lesquels ils sont consommés. Le repas enrichi en fer idéal ? Le chili : le chili traditionnel mélange des fèves riches en fer et de la vitamine C avec du bœuf haché pour une absorption optimale du fer contenu dans toutes les sources de votre repas.

- Évitez les aliments qui empêchent l'absorption, y compris l'acide phytique et les fibres des céréales de grain entier, le calcium et le phosphore dans le lait et l'acide tannique, un puissant antioxydant que l'on trouve dans le thé, le café, les noix et certains fruits et légumes aux couleurs vives qui lie le fer étroitement, l'empêchant ainsi d'être absorbé.

- Évitez de consommer trop de produits laitiers avec un repas riche en fer. Par exemple, ne prenez pas un grand verre de lait avec vos pâtes accompagnées de boulettes de viande. Assaisonner vos pâtes de 1 ou 2 c. à t. (15 à 30 ml) de parmesan ou de romano n'affectera pas énormément l'absorption de fer.

# La carence en folate et en vitamine $B_{12}$

Le folate et la vitamine $B_{12}$ font partie d'un plus grand groupe des vitamines B hydro-solubles qui comprend la thiamine, la riboflavine, la niacine, la biotine et l'acide pantothénique. Leurs rôles sont interreliés puisque ces vitamines dépendent les unes des autres pour leur activation. Ensemble, le folate et la vitamine $B_{12}$ aident les cellules à se multiplier, ce qui est très important pour les cellules qui doivent se remplacer rapidement. Ce type de cellules comprend les globules rouges et les cellules de la paroi gastro-intestinale qui aident toutes deux à fournir de l'énergie aux autres cellules. C'est pourquoi ces deux vitamines – plus particulièrement le folate – sont aussi importantes aux stades de la conception et de la grossesse. Le besoin de nouveaux et de plus de globules rouges est accru afin de transporter les nutriments et d'assurer un bon développement. En outre, la vitamine $B_{12}$ est responsable du maintien et du développement de la gaine qui entoure et protège la fibre nerveuse. L'activité des cellules osseuses et le métabolisme semblent également dépendre de la vitamine $B_{12}$.

## Les besoins alimentaires

Les besoins alimentaires en acide folique provenant de suppléments pendant la grossesse ont été fixés à 400 microgrammes. L'Institute of Medicine a établi l'apport maximal tolérable (AMT) de folate provenant des aliments enrichis ou des suppléments alimentaires pour les enfants âgés de un an et plus. Un apport plus haut que ce niveau augmente les risques d'effets indésirables sur la santé. Chez les adultes, les suppléments d'acide folique ne devraient pas

dépasser l'apport maximal tolérable afin de prévenir le déclenchement de symptômes de carence en vitamine $B_{12}$. Il est important de reconnaître que l'apport maximal tolérable réfère à la quantité d'acide folique consommée par jour provenant d'aliments enrichis et/ou de suppléments. Il n'y a pas de risque pour la santé et pas d'apport maximal tolérable pour le folate de source naturelle dans les aliments. Pour les adultes âgés de 19 ans et plus, l'AMT pour l'acide

## Apport recommandé de folate par groupe d'âge

| Groupe d'âge | Apport nutritionnel recommandé (mcg/jour) |
|---|---|
| 0 à 6 mois | 65* |
| 7 à 12 mois | 80* |
| 1 à 3 ans | 150 |
| 4 à 8 ans | 200 |
| 9 à 13 ans (filles) | 300 |
| 9 à 13 ans (garçons) | 300 |
| 14 à 70 ans (femmes) | 300 |
| 14 à 70 ans (hommes) | 400 |
| 71 ans et plus (femmes) | 400 |
| 71 ans et plus (hommes) | 400 |
| Pendant la grossesse, 14 à 50 ans | 600 |
| Pendant l'allaitement, 14 à 50 ans | 500 |

* Les renseignements sur le folate sont insuffisants pour établir un apport nutritionnel recommandé pour les nourrissons. Un apport suffisant (AS) a été établi selon la quantité de folate consommée par les nourrissons en santé qui sont allaités.

Source : Institute of Medicine, Food and Nutrition Board, *Dietary Reference Intakes : Calcium, Phosphorus, Magnesium, Vitamin D, and Fluoride*, 1997.

## Apport recommandé de vitamine $B_{12}$ par groupe d'âge

| Groupe d'âge | Apport nutritionnel recommandé (mcg/jour) |
|---|---|
| 0 à 6 mois | 0,4* |
| 7 à 12 mois | 0,5* |
| 1 à 3 ans | 0,9 |
| 4 à 8 ans | 1,2 |
| 9 à 13 ans (filles) | 1,8 |
| 9 à 13 ans (garçons) | 1,8 |
| 14 à 70 ans (femmes) | 2,4 |
| 14 à 70 ans (hommes) | 2,4 |
| 71 ans et plus (femmes) | 2,4 |
| 71 ans et plus (hommes) | 2,4 |
| Pendant la grossesse, 14 à 50 ans | 2,6 |
| Pendant l'allaitement, 14 à 50 ans | 2,8 |

* Les renseignements sur la vitamine $B_{12}$ sont insuffisants pour établir un apport nutritionnel recommandé pour les nourrissons. Un apport suffisant (AS) a été établi selon la quantité de vitamine $B_{12}$ consommée par les nourrissons en santé qui sont allaités.

Source : Institute of Medicine, Food and Nutrition Board, *Dietary Reference Intakes : Calcium, Phosphorus, Magnesium, Vitamin D, and Fluoride*, 1997.

folique est de 1000 microgrammes, ou 1 milligramme.

## La maladie cœliaque et la carence en folate et en vitamine $B_{12}$

Dans la maladie cœliaque, les dommages endurés par la paroi intestinale causent une malabsorption des deux vitamines. Le folate est absorbé par la première partie de l'intestin grêle (le grêle proximal), tandis que la vitamine $B_{12}$ est absorbée par la partie terminale de l'intestin grêle (iléon). En outre, la vitamine $B_{12}$ a besoin d'une protéine, appelée le facteur intrinsèque, pour être absorbée. Quand le folate, le fer et la vitamine $B_{12}$ sont mal absorbés, l'anémie se développe. Il est extrêmement important que votre médecin de famille vous évalue pour les trois types d'anémie.

Même si un nombre croissant d'aliments sans gluten sont enrichis, il n'existe pas d'exigence obligatoire afin que les farines et les produits à base de grains de céréales soient enrichis comme les autres aliments. Pour améliorer votre apport en acide folique et en vitamine $B_{12}$, vous devrez choisir des aliments riches dans ces vitamines et prendre des suppléments.

## La teneur en folate et en vitamine $B_{12}$ des produits d'alimentation courants

Les graphiques ci-contre montrent la teneur en folate et en vitamine $B_{12}$ des aliments de consommation courante, du plus riche au plus pauvre.

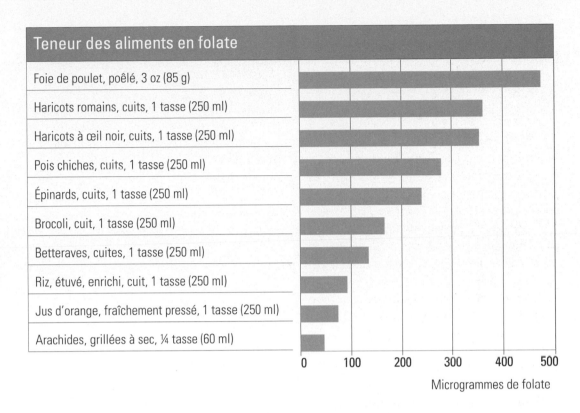

**Teneur des aliments en folate**

| Aliment | |
|---|---|
| Foie de poulet, poêlé, 3 oz (85 g) | |
| Haricots romains, cuits, 1 tasse (250 ml) | |
| Haricots à œil noir, cuits, 1 tasse (250 ml) | |
| Pois chiches, cuits, 1 tasse (250 ml) | |
| Épinards, cuits, 1 tasse (250 ml) | |
| Brocoli, cuit, 1 tasse (250 ml) | |
| Betteraves, cuites, 1 tasse (250 ml) | |
| Riz, étuvé, enrichi, cuit, 1 tasse (250 ml) | |
| Jus d'orange, fraîchement pressé, 1 tasse (250 ml) | |
| Arachides, grillées à sec, ¼ tasse (60 ml) | |

Microgrammes de folate

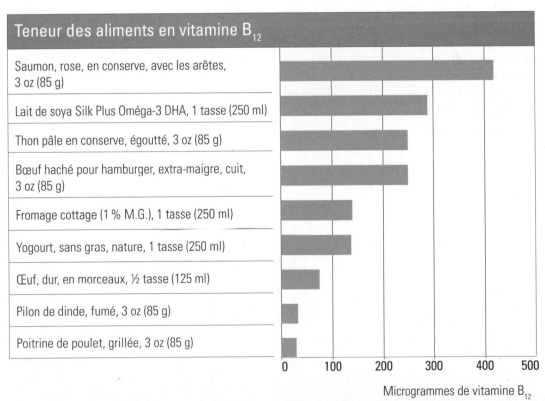

**Teneur des aliments en vitamine $B_{12}$**

| Aliment | |
|---|---|
| Saumon, rose, en conserve, avec les arêtes, 3 oz (85 g) | |
| Lait de soya Silk Plus Oméga-3 DHA, 1 tasse (250 ml) | |
| Thon pâle en conserve, égoutté, 3 oz (85 g) | |
| Bœuf haché pour hamburger, extra-maigre, cuit, 3 oz (85 g) | |
| Fromage cottage (1 % M.G.), 1 tasse (250 ml) | |
| Yogourt, sans gras, nature, 1 tasse (250 ml) | |
| Œuf, dur, en morceaux, ½ tasse (125 ml) | |
| Pilon de dinde, fumé, 3 oz (85 g) | |
| Poitrine de poulet, grillée, 3 oz (85 g) | |

Microgrammes de vitamine $B_{12}$

# La carence en fibres

Si vous ne mangez pas assez de fibres, vous serez sujet à un inconfort gastro-intestinal et à la constipation. Vous vous exposez également à un risque plus élevé de développer une diverticulose de l'intestin, le cancer du côlon, une maladie cardiaque et une quantité d'autres maladies associées. Soyez également vigilant de ne pas en manger trop : l'absorption de certains nutriments pourrait être limitée. La quantité de fibres dont vous avez besoin dépend de l'âge, du sexe et de votre apport calorique total. Si vous adoptez un sain régime sans gluten, il devrait être aussi facile pour vous que pour une personne suivant un régime normal de satisfaire vos besoins en fibres.

## Les fibres et la maladie cœliaque

Consommer assez de fibres est très important pour ceux qui sont atteints de la maladie cœliaque. Une fois que le régime sans gluten est commencé, un bon nombre de personnes se tournent instinctivement vers les grains sans gluten les plus courants : le riz et le maïs. Les pommes de terre s'ajoutent à la liste, de même que les mélanges à pâtes sans gluten, qui utilisent pour la plupart des farines raffinées qui ne contiennent plus que quelques fibres et nutriments, à moins que ces produits ne soient enrichis. Avec le temps, si vous dépendez de ces aliments et que vous évitez les fruits, les légumes et les légumineuses, le manque de fibres causera des ballonnements et de la constipation. Pour soulager ces symptômes, vous devez commencer par réintégrer graduellement de petites quantités de fibres dans votre alimentation à partir de céréales sans gluten, de fruits, de légumes, de légumineuses, de noix et de grains.

## Apport recommandé en fibres selon le groupe d'âge

| Groupe d'âge | Groupe d'âge/ apport suffisant (g/jour) |
|---|---|
| 0 à 12 mois | indéterminé |
| 1 à 3 ans | 19 |
| 4 à 8 ans | 25 |
| 9 à 13 ans (filles) | 26 |
| 9 à 13 ans (garçons) | 31 |
| 14 à 18 ans (femmes) | 26 |
| 14 à 18 ans (hommes) | 38 |
| 19 à 50 ans (femmes) | 25 |
| 19 à 50 ans (hommes) | 38 |
| 50 ans et plus (femmes) | 21 |
| 50 ans et plus (hommes) | 30 |
| Pendant la grossesse, 14 à 50 ans | 28 |
| Pendant l'allaitement, 14 à 50 ans | 29 |

Source : Institute of Medicine, Food and Nutrition Board, *Dietary Reference Intakes : Fibers*, 1997.

## Les aliments sans gluten riches en fibres

Le graphique ci-contre montre la quantité de fibres dans les aliments sans gluten, du plus riche au plus pauvre.

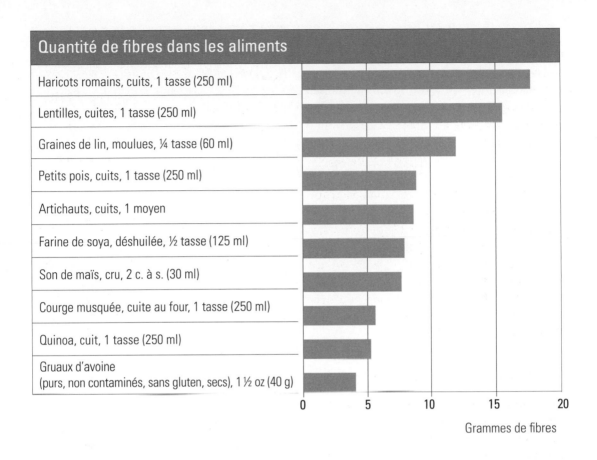

**Quantité de fibres dans les aliments**

| Aliment | Grammes de fibres |
|---|---|
| Haricots romains, cuits, 1 tasse (250 ml) | |
| Lentilles, cuites, 1 tasse (250 ml) | |
| Graines de lin, moulues, ¼ tasse (60 ml) | |
| Petits pois, cuits, 1 tasse (250 ml) | |
| Artichauts, cuits, 1 moyen | |
| Farine de soya, déshuilée, ½ tasse (125 ml) | |
| Son de maïs, cru, 2 c. à s. (30 ml) | |
| Courge musquée, cuite au four, 1 tasse (250 ml) | |
| Quinoa, cuit, 1 tasse (250 ml) | |
| Gruaux d'avoine (purs, non contaminés, sans gluten, secs), 1 ½ oz (40 g) | |

Grammes de fibres

## Conseils pour introduire des fibres dans votre régime

Pour essayer d'augmenter la quantité de fibres dans votre régime, la plupart des professionnels de la santé suggèrent de les introduire lentement et graduellement. Pourquoi ? Parce que les fibres sont pour l'appareil digestif ce que les poids sont pour les muscles. Après tout, vous n'iriez pas au gymnase lever des poids de 30 livres (14 kg) à votre première visite !

- Commencez avec 15 grammes et suivez ce programme pour un mois :

  Semaine 1 : 15 à 20 g (jour 1 : 15 g – jour 7 : 20 g)

  Semaine 2 : 20 à 25 g

  Semaine 3 : 25 à 30 g

  Semaine 4 : 30 à 35 g

- Choisissez parmi ces sources de fibres :

| | Semaine 1 | Semaine 2 | Semaine 3 | Semaine 4 |
|---|---|---|---|---|
| Portions de produits céréaliers | 4 | 5 | 6 | 7 |
| Portions de fruits | 1 | 2 | 2 | 3 |
| Portions de légumes | 3 | 3 | 4 | 5 |
| Portions de légumes cuits | – | ½ tasse (125 ml) | ½ à ¾ tasse (125 à 175 ml) | ¾ tasse (175 ml) |

- Quand vous augmentez votre apport en fibres, n'oubliez pas d'augmenter votre consommation quotivdienne de liquide – jusqu'à 6 à 8 tasses (1,5 à 2 l) par jour. L'eau est le meilleur choix, mais le thé, le café, le lait, les soupes claires, les jus et les fruits comme les oranges et le cantaloup peuvent être d'autres options.

# Les guides alimentaires

Même si la plupart d'entre nous sont conscients que nos habitudes alimentaires ont un effet sur notre santé, nous ne choisissons pas les aliments seulement pour leur valeur nutritive. Plusieurs facteurs influencent nos choix, comme les habitudes, les préférences personnelles, l'héritage ethnique ou les traditions, le confort émotionnel, la disponibilité, la commodité et l'argent. Il s'agit d'allier vos aliments favoris aux moments de plaisir au sein d'un régime alimentaire sans gluten équilibré. Pour vous aider à atteindre cet équilibre, consultez le guide alimentaire *MyPyramid* publié par le département américain de l'Agriculture (USDA) et *Bien manger avec le Guide alimentaire canadien*, publié par Santé Canada. Le nouveau *Guide alimentaire canadien* contient maintenant des solutions pour les végétariens et les végétaliens.

Ces guides alimentaires sont les outils parfaits pour aider les individus atteints de la maladie cœliaque à construire un régime qui contient :

- un apport suffisant de tous les nutriments ;
- un apport équilibré en vitamines et minéraux essentiels ;
- un contrôle de la consommation de calories ;
- des aliments à forte teneur nutritionnelle ;
- de la modération ;
- de la variété.

N'oubliez pas de choisir des substituts sans gluten.

## Nombre de **portions du Guide alimentaire** recommandé chaque jour

| | Enfants | | | Adolescents | | Adultes | | | |
|---|---|---|---|---|---|---|---|---|---|
| **Âge (ans)** | 2-3 | 4-8 | 9-13 | 14-18 | | 19-50 | | 51+ | |
| **Sexe** | Filles et garçons | | | Filles | Garçons | Femmes | Hommes | Femmes | Hommes |
| **Légumes et fruits** | 4 | 5 | 6 | 7 | 8 | 7-8 | 8-10 | 7 | 7 |
| **Produits céréaliers** | 3 | 4 | 6 | 6 | 7 | 6-7 | 8 | 6 | 7 |
| **Lait et substituts** | 2 | 2 | 3-4 | 3-4 | 3-4 | 2 | 2 | 3 | 3 |
| **Viandes et substituts** | 1 | 1 | 1-2 | 2 | 3 | 2 | 3 | 2 | 3 |

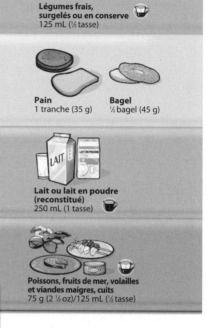

**Légumes frais, surgelés ou en conserve**
125 mL (½ tasse)

**Pain**
1 tranche (35 g)

**Bagel**
½ bagel (45 g)

**Lait ou lait en poudre (reconstitué)**
250 mL (1 tasse)

**Poissons, fruits de mer, volailles et viandes maigres, cuits**
75 g (2 ½ oz)/125 mL (½ tasse)

Le tableau ci-dessus indique le nombre de portions du Guide alimentaire dont vous avez besoin chaque jour dans chacun des quatre groupes alimentaires.

**Le fait de consommer les quantités et les types d'aliments recommandés dans le *Guide alimentaire canadien* et de mettre en pratique les trucs fournis vous aidera à :**

• Combler vos besoins en vitamines, minéraux et autres éléments nutritifs.

• Réduire le risque d'obésité, de diabète de type 2, de maladies du coeur, de certains types de cancer et d'ostéoporose.

• Atteindre un état de santé globale et de bien-être.

Source : Bien manger avec le *Guide alimentaire canadien*,
Santé Canada, 2011.

## À quoi correspond une portion du Guide alimentaire ?
### Regardez les exemples présentés ci-dessous.

**Légumes feuillus**
Cuits : 125 mL (½ tasse)
Crus : 250 mL (1 tasse)

**Fruits frais, surgelés ou en conserve**
1 fruit ou 125 mL (½ tasse)

**Jus 100 % purs**
125 mL (½ tasse)

**Pains plats**
½ pita ou ½ tortilla (35 g)

**Riz, boulgour ou quinoa, cuit**
125 mL (½ tasse)

**Céréales**
Froides : 30 g
Chaudes : 175 mL (¾ tasse)

**Pâtes alimentaires ou couscous, cuits**
125 mL (½ tasse)

**Lait en conserve (evaporé)**
125 mL (½ tasse)

**Boisson de soya enrichie**
250 mL (1 tasse)

**Yogourt**
175 g
(¾ tasse)

**Kéfir**
175 g
(¾ tasse)

**Fromage**
50 g (1 ½ oz)

**Légumineuses cuites**
175 mL (¾ tasse)

**Tofu**
150 g ou
175 mL (¾ tasse)

**Oeufs**
2 oeufs

**Beurre d'arachide ou de noix**
30 mL (2 c. à table)

**Noix et graines écalées**
60 mL (¼ tasse)

## Huiles et autres matières grasses
- Consommez une petite quantité, c'est-à-dire de 30 à 45 mL (2 à 3 c. à table) de lipides insaturés chaque jour. Cela inclut les huiles utilisées pour la cuisson, les vinaigrettes, la margarine et la mayonnaise.
- Utilisez des huiles végétales comme les huiles de canola, d'olive ou de soya.
- Choisissez des margarines molles faibles en lipides saturés et trans.
- Limitez votre consommation de beurre, margarine dure, saindoux et shortening.

# L'arc-en-ciel de l'alimentation végétarienne

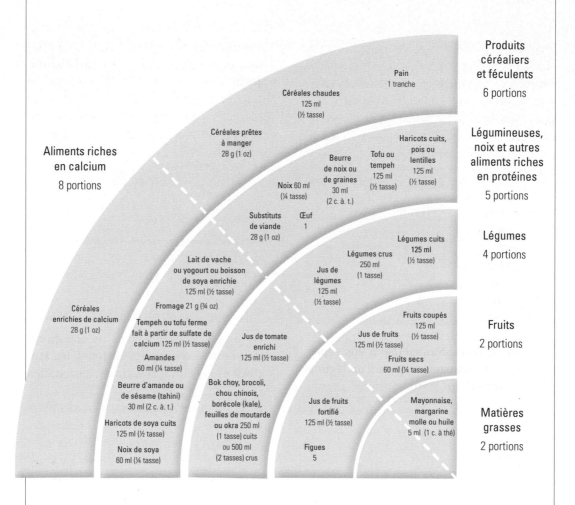

**Produits céréaliers et féculents**
6 portions

**Légumineuses, noix et autres aliments riches en protéines**
5 portions

**Légumes**
4 portions

**Fruits**
2 portions

**Matières grasses**
2 portions

**Aliments riches en calcium**
8 portions

Pain
1 tranche

Céréales chaudes
125 ml
(½ tasse)

Céréales prêtes
à manger
28 g (1 oz)

Haricots cuits,
pois ou
lentilles
125 ml
(½ tasse)

Beurre
de noix ou
de graines
30 ml
(2 c. à. t.)

Tofu ou
tempeh
125 ml
(½ tasse)

Noix 60 ml
(¼ tasse)

Substituts
de viande
28 g (1 oz)

Œuf
1

Légumes cuits
125 ml
(½ tasse)

Lait de vache
ou yogourt ou boisson
de soya enrichie
125 ml (½ tasse)

Légumes crus
250 ml
(1 tasse)

Jus de
légumes
125 ml
(½ tasse)

Fromage 21 g (¾ oz)

Céréales
enrichies de calcium
28 g (1 oz)

Tempeh ou tofu ferme
fait à partir de sulfate de
calcium 125 ml (½ tasse)

Jus de tomate
enrichi
125 ml (½ tasse)

Fruits coupés
125 ml
(½ tasse)

Jus de fruits
125 ml (½ tasse)

Amandes
60 ml (¼ tasse)

Fruits secs
60 ml (¼ tasse)

Beurre d'amande ou
de sésame (tahini)
30 ml (2 c. à. t.)

Bok choy, brocoli,
chou chinois,
borécole (kale),
feuilles de moutarde
ou okra 250 ml
(1 tasse) cuits
ou 500 ml
(2 tasses) crus

Jus de fruits
fortifié
125 ml (½ tasse)

Mayonnaise,
margarine
molle ou huile
5 ml (1 c. à thé)

Haricots de soya cuits
125 ml (½ tasse)

Noix de soya
60 ml (¼ tasse)

Figues
5

Adapté à partir de « A new food guide for North American vegetarians », Messina, V., Melina, V., et A.R. Mangels, *Can Diet Pract Res*. 2003; 64(2)82. © 2003 par Les diététistes du Canada. Reproduction autorisée.

# Conseils pour la planification des repas

Voici des conseils de planification des repas afin de s'assurer d'une bonne nutrition. Ces conseils proviennent des principaux guides alimentaires et ont été adaptés pour les individus souffrant de la maladie cœliaque. Le chapitre suivant contient un plan de repas pour quatre semaines, suivi de recettes sans gluten.

1. **Mangez une grande variété de fruits et de légumes.** On ne peut trop insister sur les bienfaits des fruits et légumes sur votre santé, votre immunité et votre bien-être en général. En plus de contenir des vitamines (vitamines B, vitamine C, vitamine E), des minéraux (potassium, magnésium) et des fibres, les fruits et légumes ajoutent des couleurs vives et une texture audacieuse à vos repas. Essayez de manger au moins un légume vert foncé et un légume orangé chaque jour.

   Portion = 1 tasse (250 ml) cru ou ½ tasse (125 ml) cuit

2. **Optez plus souvent pour les grains entiers.** Au moins la moitié de votre consommation quotidienne de grains devrait être faite de grains entiers. Les grains entiers vous fournissent un grand nombre de nutriments, particulièrement des vitamines B (thiamine, riboflavine, niacine et folate), du fer, du zinc, du magnésium et des fibres. Ces nutriments travaillent ensemble pour aider à vous fournir l'énergie dont vous avez besoin pour vivre pleinement.

   Portion = ½ tasse (125 ml) de grains entiers sans gluten cuits, 1 tranche (35 à 40 g) de pain sans gluten, 1 oz (30 g) de céréales froides sans gluten, ¾ de tasse (175 ml) de céréales chaudes de grains entiers sans gluten

3. **Buvez 2 tasses (500 ml) de lait à faible teneur en matières grasses ou de boisson non laitière enrichie chaque jour.** Boire du lait à faible teneur en matières grasses est une très bonne manière de consommer des protéines, du calcium, du magnésium, de la riboflavine, de la vitamine A, de la vitamine $B_{12}$, de la vitamine D et du zinc tout en minimisant la quantité de graisses saturées et de calories. Le lait de soya ou de riz enrichi et les autres boissons non laitières sont de très bonnes solutions de remplacement du lait ordinaire. Assurez-vous que ces laits sont enrichis de vitamine D et, bien sûr, qu'ils sont sans gluten.

   Portion = 1 tasse (250 ml)

4. **Optez plus souvent pour les substituts de viande comme les haricots, les lentilles et le tofu.** Les haricots, les lentilles et le tofu fournissent des nutriments essentiels – fer, zinc, magnésium et vitamines B (thiamine, riboflavine, niacine, vitamine $B_6$ et vitamine $B_{12}$). Les haricots et les lentilles vous font sentir rassasié parce qu'ils sont une excellente source de protéines et de fibres tout en contenant très peu de gras — un bon choix si vous voulez perdre du poids et abaisser votre niveau de cholestérol.

   Portion = ¾ tasse (175 ml) de légumes cuits ou de tofu

5. **Mangez 2 portions de poisson chaque semaine.** Tous les poissons contiennent des acides gras oméga-3 essentiels, y compris l'AEP (acide eicosapentaénoïque) et de l'ADH (acide docosahexaénoïque). Puisque le corps ne produit que très peu de ces substances, il faut les puiser de ces

aliments. L'omble, le hareng, le maquereau, la truite arc-en-ciel, le saumon et les sardines ont une haute teneur en acides gras oméga-3. Les avantages pour la santé cardiovasculaire associés à la consommation régulière de poisson ne sont pas dus uniquement à la présence des acides gras oméga-3 EPA et DHA, mais probablement aussi à la présence d'autres éléments nutritifs et au fait que le poisson prend la place d'autres aliments plus riches en lipides.

Portion = 2 ½ oz (75 g) de poisson cuit, de volaille ou de viande maigre, ¼ tasse (60 ml) de noix ou de graines, 2 c. à t. (10 ml) de beurre de noix ou de graines

6. **Introduisez une petite quantité de matière grasse insaturée dans votre alimentation chaque jour.** Visez 2 à 3 c.à s. (30 à 45 ml) de matière grasse insaturée provenant des huiles végétales, des sauces pour salade et des margarines molles qui ont une faible teneur en gras saturés et en gras trans. Réduire votre apport en gras saturés et en cholestérol est très important pour votre état de santé général. En outre, remplacer ces gras par des options saines comme l'huile d'olive, l'huile de pépins de raisin ou de canola ou d'autres huiles végétales peut réduire de manière importante le risque de maladie cardiaque. On peut trouver des bons gras dans les noix et les graines, dans les avocats, les poissons gras et les margarines non hydrogénées.

Portion = 1 c. à t. (5 ml) d'huile végétale, 2 c. à t. (10 ml) de vinaigrette ou de mayonnaise à teneur réduite en calories.

7. **Limitez votre consommation d'aliments contenant du sucre ou du sel ajouté.** Consommés avec modération, le sucre et le sel ne causent pas de problème, mais, en réalité, la plupart des produits alimentaires transformés contiennent plus de ces additifs que l'on ne pense. Une consommation élevée de sel est liée à la perte osseuse, et de plus en plus d'éléments montrent qu'elle est aussi liée à l'hypertension, particulièrement si nous y sommes prédisposés. La consommation élevée de sucre a été liée à une mauvaise tolérance au glucose et aux maladies cardiaques.

# Les portions déterminées

Les organismes qui œuvrent dans le domaine de l'alimentation et de la nutrition ont établi des portions déterminées pour une variété d'aliments dans les trois catégories de macronutriments – protéines, glucides et matières grasses. Utilisez ces mesures comme guide quand vous préparez un repas pour vous-même («portion pour une personne»), pour votre famille et pour des invités. Vous pouvez également vérifier si vous mangez moins ou davantage de nourriture que la quantité recommandée pour maintenir une bonne santé.

## 1 portion =

### Aliments contenant des glucides

Produits céréaliers et féculents
- 1 tranche de pain
- ¼ de bagel
- ½ tasse (125 ml) de riz, de quinoa, de millet, de polenta (semoule de maïs) ou de teff cuite
- ⅓ tasse (75 ml) de pâtes sans gluten cuites
- environ 1 oz (30 g) de céréales froides sans gluten
- ¾ tasse (175 ml) de céréales chaudes sans gluten
- 2 galettes de riz de grosseur moyenne
- ½ galette de maïs
- 2 tasses (500 ml) de maïs soufflé

Fruits et légumes
- 1 fruit de grosseur moyenne (pomme, orange, pêche)
- ½ tasse (125 ml) de fruits coupés (ananas, melon d'eau)
- ½ tasse (125 ml) de légumes cuits
- 1 tasse (250 ml) de légumes crus
- ½ pomme de terre

### Aliments contenant des protéines

Produits laitiers et substituts
- 1 tasse (250 ml) de lait (1 % M.G. ou moins)
- ¾ tasse (175 ml) de yogourt (1 % M.G. ou moins)

Viandes et substituts
- 2 ½ oz (75 g) de viande, de volaille ou de poisson
- 2 œufs ou 2 blancs d'œufs
- ¾ tasse (175 ml) de légumineuses cuites (p. ex., pois chiches, lentilles)
- 1 ½ oz (45 g) de fromage à pâte dure (p. ex., cheddar faible en gras)
- ¾ tasse (175 ml) de tofu ferme
- ¼ tasse (60 ml) de noix ou de graines
- ¾ tasse (175 ml) de hoummos

### Matières grasses

- 1 c. à t. (5 ml) d'huile végétale
- 2 c. à t. (10 ml) de sauce pour salade
- 2 c. à s. (30 ml) de beurre de noix ou de graines
- 1 c. à t. (5 ml) de margarine ou de beurre

# Histoire de cas

## Une saine gestion – finalement

William a 47 ans et présente des antécédents de selles fréquentes avec des épisodes occasionnels de constipation qui remontent à une dizaine d'années. Il y a environ deux ans, il a reçu un diagnostic de syndrome du côlon irritable et il a tenté de gérer ses symptômes en suivant un régime et en utilisant la médecine alternative.

Il y a un an, ses symptômes gastro-intestinaux se sont compliqués par l'apparition d'épisodes de diarrhée et de gaz douloureux. Il est devenu intolérant au lactose et présentait une perte de poids lente et constante de 10 livres (4,5 kg) pendant cette période. Il existait dans sa famille des antécédents de troubles gastro-intestinaux, mais il n'en savait que très peu parce que les membres de sa famille n'en parlaient pas ouvertement. Pour ces raisons, il était également mal à l'aise de parler des changements qu'il vivait avec son médecin de famille. Il a ainsi vécu avec ses symptômes pendant une longue période.

Quand William est finalement allé voir son médecin de famille, celui-ci lui a conseillé de gérer son syndrome du côlon irritable en suivant un régime, en faisant de l'exercice et en diminuant son stress. Quelques mois plus tard, William est retourné voir son médecin : il avait encore perdu 5 livres (2,3 kg) en plus de toujours souffrir des mêmes symptômes. Face à cette situation, le médecin a dirigé William vers un gastroentérologue, qui lui a diagnostiqué une maladie cœliaque.

Après une semaine de régime sans gluten, les symptômes de William s'étaient grandement améliorés. Il était surpris de voir combien il était facile d'oublier ce que c'était d'avoir des « intestins normaux » ! Il est venu me voir pour une première consultation à propos de la maladie cœliaque et nous avons discuté des ingrédients à éviter et de ceux qu'il fallait soupçonner et sur lesquels il était nécessaire de se renseigner auprès du fabricant. William avait également besoin de construire un menu afin de reprendre le poids qu'il avait perdu tout en tenant compte du besoin de consommer une quantité suffisante de fibres, de calcium et de vitamines B. À son rendez-vous de contrôle, William avait pris 3 livres (1,4 kg) et résolu ses problèmes intestinaux.

Chapitre 4

# Plans de repas sans gluten

# À propos des plans de repas sans gluten de 30 jours

Les plans de repas et les recettes qui suivent ont été conçus pour vous aider à atteindre un équilibre entre l'énergie que vous retirez de votre alimentation – l'apport quotidien total en calories – et les éléments nutritifs importants qui aident à vous garder dynamique et en santé.

Toutes les recettes de ce livre contiennent des ingrédients sains. Nous avons mis à profit des farines nutritives telles que la farine de teff, de quinoa, de sorgho et de riz brun ainsi que des céréales, des noix et des graines comme le gruau de millet, les graines de lin moulues, les enveloppes de psyllium, les noix de Grenoble, les amandes, les noix de cajou et les graines de tournesol pour ajouter des éléments nutritifs dans chaque délicieuse bouchée. Nous avons intégré des produits laitiers à faible teneur en gras, comme du fromage mozzarella partiellement écrémé, de la ricotta légère et du lait sans lactose à 1 %, en plus de substituts de produits laitiers végétaliens comme le lait de soya et la margarine ferme végétalienne, afin de vous aider à réduire votre apport total de graisses saturées et de cholestérol. Nous avons également choisi des ingrédients à faible teneur en sodium et utilisé beaucoup de savoureuses herbes et des épices naturelles sans gluten afin de remplacer la nécessité de sel dans l'assaisonnement. Et évidemment, nous avons utilisé énormément de fruits et légumes! Mais surtout, les repas sont délicieux et tous les membres de votre famille pourront les déguster, peu importe s'ils doivent suivre un régime sans gluten ou non.

Chaque menu quotidien vous fournit des aliments provenant de tous les groupes alimentaires. Néanmoins, il n'est pas indispensable de suivre le plan exactement comme il est présenté. Utilisez-le plutôt comme un guide afin de vous aider à combiner les repas et à les répartir de manière à satisfaire aux apports quotidiens recommandés pour les éléments qui manquent le plus souvent dans les régimes sans gluten: les fibres, le fer, le calcium et les vitamines B, comme le folate.

Lors de la conception des plans de repas, les critères suivants ont été pris en considération.

## Femmes — Apport recommandé en calories selon le groupe d'âge

| Groupe d'âge | sédentaire[1] | peu actif[2] | actif[3] |
|---|---|---|---|
| 19 à 30 ans | 2 000 | 2 000-2 200 | 2 400 |
| 31 à 50 ans | 1 800 | 2 000 | 2 200 |
| 51 ans + | 1 600 | 1 800 | 2 000-2 200 |

## Hommes — Apport recommandé en calories selon le groupe d'âge

| Groupe d'âge | sédentaire[1] | peu actif[2] | actif[3] |
|---|---|---|---|
| 19 à 30 ans | 2 400 | 2 600-2 800 | 3 000 |
| 31 à 50 ans | 2 200 | 2 400-2 600 | 2 800-3 000 |
| 51 ans + | 2 000 | 2 200-2 400 | 2 400-2 600 |

1. Sédentaire : décrit les activités quotidiennes de base comme les tâches ménagères ou la marche pour se rendre à l'autobus.

2. Peu actif : décrit les activités quotidiennes de base plus 30 à 60 minutes d'activités physiques modérées par jour (p. ex., marcher à une vitesse de 5 à 7 km/h)

3. Actif : décrit les activités quotidiennes de base plus 60 minutes d'activités physiques modérées par jour (p. ex., marcher à une vitesse de 5 à 7 km/h)

Source : *Dietary Guidelines for Americans 2005*, U.S. Department of Agriculture, Center for Nutrition Policy and Promotion, 2005.

Pour les besoins énergétiques estimatifs du Guide alimentaire canadien, voir http://www.hc-sc.gc.ca/fn-an/food-guide-aliment/basics-base/1_1_1-fra.php

## 1. Les calories

Les tableaux de la page précédente, basés sur les besoins énergétiques estimatifs moyens (BÉE) déterminés par l'Institute of Medicine (IOM) dans un rapport sur les apports nutritionnels de référence des macronutriments (2002), vous donneront une idée des calories que vous devriez consommer quotidiennement. Ils ont été calculés selon le sexe, l'âge, le niveau d'activité pour les individus de taille moyenne et d'un IMC de 21,5 pour les femmes adultes ou de 22,5 pour les hommes adultes.

Les menus présentés aux pages 130 à 138 font partie d'un plan qui fournit, en moyenne, de 1800 à 2000 calories par jour, ce qui correspond aux besoins énergétiques pour les femmes modérément actives âgées de 31 ans et plus. Si vos besoins caloriques sont différents, vous devrez ajuster vos portions en conséquence.

- Si vous avez besoin de plus de calories, augmentez vos portions pour le déjeuner, le dîner et le souper. Si une recette donne de 4 à 6 portions, par exemple, consommez un quart plutôt que un sixième.
- Si vous avez besoin de moins de calories, laissez tomber une des collations. Vous pouvez également réduire la fréquence de vos collations du soir ou de desserts selon votre niveau d'activité.

Dans les menus, les protéines, les lipides et les glucides fournissent les pourcentages suivants du total de calories.

- Protéines : 10 % à 35 % de l'apport en calories (c.-à-d., dans la fourchette recommandée)
- Lipides : 20 % à 35 % de l'apport en calories (c.-à-d., dans la fourchette recommandée pour les adultes)
- Glucides : 45 % à 65 % de l'apport en calories (c.-à-d., dans la fourchette recommandée)

Source : *Reference Intakes for Energy, Carbohydrates, Fiber, Fat, Protein and Amino Acids (Macronutrients)*, National Academy of Sciences, 2002.

## 2. Les fibres

Les menus ont été conçus pour fournir au moins 90 % de l'apport quotidien recommandé en fibres – de 25 à 35 grammes par jour – pour la majorité des personnes. Les hommes ont typiquement besoin de davantage de fibres que les femmes (38 grammes par jour pour les hommes âgés entre 20 et 50 ans).

## 3. Le fer

Les menus ont été conçus pour fournir entre 75 % et 80 % de l'apport quotidien recommandé en fer pour les femmes âgées entre 31 et 50 ans. Ce groupe occupe la deuxième place pour les besoins en fer (18 mg par jour, mais les femmes enceintes ont besoin de 27 mg par jour), et ce sont surtout les femmes qui sont atteintes de la maladie cœliaque. Les hommes du même groupe d'âge n'ont besoin que de 8 mg de fer par jour. Il est important pour les femmes de maximiser leur consommation de fer de toutes les sources possibles.

## 4. Le calcium

Les menus ont été conçus pour fournir de 75 % à 95 % de l'apport quotidien recommandé en calcium (1 000 mg par jour) pour la majorité des individus. Les jeunes hommes et les jeunes femmes, au même titre que les hommes et les femmes de plus de 50 ans, ont besoin de plus de calcium (1 200 mg par jour pour ceux entre 9 et 18 ans, et 1 200 mg pour ceux de plus de 50 ans).

### 5. La vitamine D

Les dernières recherches suggèrent que le besoin en vitamine D est plus grand qu'on ne le croyait. La meilleure façon d'atteindre les objectifs actuels est de prendre des suppléments. Bien qu'un bon nombre d'aliments soient des sources de vitamine D, y compris l'huile de foie de morue, le saumon, les produits laitiers et les produits de soya enrichis en vitamine D, il se peut qu'il ne soit pas toujours possible d'atteindre l'apport quotidien adéquat par la seule consommation de ces aliments.

### 6. Le folate

Les menus ont été conçus pour fournir au moins 60 % de l'apport quotidien recommandé en folate (400 microgrammes par jour) pour la majorité des individus.

Chaque menu quotidien fournit une quantité légèrement différente de tous les nutriments. Certains jours, vous consommerez plus de fer et moins de calcium ou une plus grande proportion de calories provenant des lipides, tandis que d'autres seront plus riches en fibres. Le plus important est de tenir compte de l'apport moyen en nutriments à la fin de chaque semaine.
*Bon appétit!*

## Plans de repas sans gluten de 30 jours

Femme de moins de 50 ans, 5 pi 6 po (1,7 m), 134 lb (61 kg), IMC = 21,6 (basé sur l'apport nutritionnel de référence pour l'énergie, référence grandeur/poids)

**Niveau d'activité :** de peu actif à modérément actif (décrit les activités quotidiennes de base plus 30 à 60 minutes d'activités physiques modérées par jour (p. ex., marcher à une vitesse de 5 à 7 km/h)

Apport calorique recommandé = **de 1800 à 2000 kcal**

## Semaine 1

| | Lundi | Mardi | Mercredi |
|---|---|---|---|
| **Déjeuner** | Wraps aux œufs Bon Matin<br>1 tasse (250 ml) de café ou de thé avec 2 c. à s. (30 ml) de lait écrémé sans lactose ou de succédané de lait | 1 muffin aux ananas et carottes<br>¾ tasse (175 ml) de yogourt aux bleuets, faible en gras<br>1 tasse (250 ml) de café ou de thé avec 2 c. à s. (30 ml) de lait écrémé sans lactose ou de succédané de lait | 1 muffin au millet et lin<br>Lait frappé aux fruits<br>1 tasse (250 ml) de café ou de thé avec 2 c. à s. (30 ml) de lait écrémé sans lactose ou de succédané de lait |
| **Collation de l'avant-midi** | 1 portion de céréales de grains entiers (p. ex., Enjoy Life) avec ¾ tasse (175 ml) de lait écrémé sans lactose ou de succédané de lait | Mélange du randonneur | 6 craquelins multigrains sans gluten<br>1 oz (28 g) de fromage à effilocher mozzarella partiellement écrémé (1 bâtonnet) |
| **Dîner** | 2 crêpes garnies de 1 ½ oz (45 g) de tranches de rôti de bœuf sans gluten, ½ tasse (125 ml) d'épinards hachés et 2 c. à t. (10 ml) de hoummos<br>Crème de légumes d'hiver | Pâtes avec crevettes et pois<br>1 pêche | Salade d'épinards avec poulet et mandarines<br>2 tranches de pain brun pour sandwich |
| **Collation de l'après-midi** | 1 oz (30 g) d'amandes (environ 24 noix)<br>6 abricots séchés | 1 tasse (250 ml) de mini-carottes<br>Trempette de haricots blancs | 2 oz (60 g) de noix de soya grillées<br>1 pomme |
| **Souper** | Pâtes avec crevettes et pois<br>Salade de tous les jours<br>1 rocher aux canneberges<br>1 tasse (250 ml) de thé avec 2 c. à s. (30 ml) de lait écrémé sans lactose ou de succédané de lait | Sauté au tofu<br>1 tasse (250 ml) de mélange de riz sauvage et de riz brun (p. ex., Lundberg Farms)<br>1 biscuit aux brisures de chocolat<br>1 tasse (250 ml) de lait écrémé sans lactose ou de succédané de lait | Lasagne sauce à la viande<br>Salade de tous les jours<br>½ tasse (125 ml) de yogourt glacé à la vanille |

## Analyse nutritionnelle quotidienne

| | | | |
|---|---|---|---|
| Calories (kcal) | 1 667 | 1 975 | 1 903 |
| Glucides (g) | 208 | 287 | 209 |
| Fibres (g) | 26 | 29 | 34 |
| Protéines (g) | 73 | 70 | 104 |
| Lipides (g) | 64 | 65 | 76 |
| Folate (mcg) | 191 | 185 | 235 |
| Fer (mg) | 14 | 13 | 15 |
| Calcium (mg) | 866 | 1 024 | 1 322 |

## Semaine 1

| | Jeudi | Vendredi | Samedi | Dimanche |
|---|---|---|---|---|
| | 1 portion de céréales froides enrichies sans gluten avec 1 c. à s. (15 ml) de graines de citrouille non salées et ½ tasse (125 ml) de bleuets et 1 tasse (250 ml) de lait écrémé sans lactose ou succédané de lait <br> 1 tasse (250 ml) de café ou de thé avec 2 c. à s. (30 ml) de lait écrémé sans lactose ou de succédané de lait | 1 œuf poché <br> 2 tranches de pain brun pour sandwich avec 2 c. à t. (10 ml) de confiture <br> ½ tasse (125 ml) de jus d'orange enrichi de calcium <br> 1 tasse (250 ml) de café ou de thé avec 2 c. à s. (30 ml) de lait écrémé sans lactose ou de succédané de lait | 2 crêpes garnies de fruits <br> 1 ½ tasse (375 ml) de lait écrémé sans lactose ou de succédané de lait | 2 œufs poêlés <br> 3 tranches (3 oz/90 g) de bacon de dos <br> 1 biscuit pour le thé assaisonné <br> 1 tasse (250 ml) de jus d'orange enrichi en calcium |
| | 1 tranche de pain aux bananes et aux canneberges avec ½ tasse (125 ml) de yogourt nature faible en gras | ½ oz (15 g) de graines de citrouille non salées et 6 abricots séchés | | |
| | Soupe à la façon de maman <br> 1 carré de pain plat aux olives et aux herbes | Galettes de courgette <br> Minestrone | Quiche aux épinards et au prosciutto <br> 2 tasses (500 ml) de laitue romaine hachée avec 2 c. à s. (30 ml) de vinaigrette italienne légère sans gluten (p. ex., Kraft) | Pasta e fagioli <br> Salade de tous les jours |
| | 1 barre d'énergie enrichie sans gluten | ¾ tasse (175 ml) d'edamame | 2 galettes de riz au sésame avec 4 c. à t. (20 ml) de beurre de pomme et 1 banane | ½ tasse (125 ml) de chou-fleur <br> 2 c. à s. (30 ml) de vinaigrette ranch à base de yogourt |
| | Doigts de dinde <br> Galettes de courgette <br> ½ portion de salade de pois chiches <br> 1 rocher aux canneberges <br> 1 tasse (250 ml) de lait écrémé sans lactose ou de succédané de lait | Soirée pizza <br> Salade de tous les jours <br> ½ tasse (125 ml) de yogourt glacé avec ½ tasse (125 ml) de framboises | Fatina (*schnitzel* à l'italienne) <br> Frites de patates douces <br> Salade d'oranges aux olives <br> Crumble aux bleuets et framboises | Spaghetti et boulettes de viande <br> Pois et champignons <br> 1 tartelette à l'érable et aux noix <br> 1 tasse (250 ml) de thé avec 2 c. à s. (30 ml) de lait écrémé sans lactose ou de succédané de lait |

## Analyse nutritionnelle quotidienne

| | | | |
|---|---|---|---|
| 1943 | 1 629 | 1 887 | 1 786 |
| 250 | 209 | 231 | 226 |
| 33 | 30 | 27 | 29 |
| 105 | 73 | 79 | 77 |
| 64 | 61 | 79 | 65 |
| 152 | 548 | 285 | 248 |
| 17 | 15 | 11 | 16 |
| 1 329 | 832 | 1 144 | 1 147 |

## Semaine 2

| | Lundi | Mardi | Mercredi |
|---|---|---|---|
| Déjeuner | Granola moelleuse avec ½ tasse (125 ml) de bleuets et 1 tasse (250 ml) de yogourt à la vanille faible en gras<br>1 tasse (250 ml) de café ou de thé avec 2 c. à s. (30 ml) de lait écrémé sans lactose ou de succédané de lait | Œuf à la coque<br>2 tranches de pain brun pour sandwich avec 2 c. à t. (10 ml) de confiture<br>½ tasse (125 ml) de jus d'orange enrichi en calcium<br>1 tasse (250 ml) de café ou de thé avec 2 c. à s. (30 ml) de lait écrémé sans lactose ou de succédané de lait | 1 tasse (250 ml) de flocons de quinoa cuits avec 1 c. à s. (15 ml) de raisins, 1 c. à s. (15 ml) de graines de lin ou de graines de Salba, 1 c. à s. (15 ml) de graines de citrouille non salées et 1 c. à t. (5 ml) de beurre<br>½ tasse (125 ml) de bleuets<br>1 tasse (250 ml) de café ou de thé avec 2 c. à s. (30 ml) de lait écrémé sans lactose ou de succédané de lait |
| Collation de l'avant-midi | 6 moitiés de noix et 6 abricots séchés | Mélange du randonneur<br>1 pomme | 2 Mini Babybel légers<br>½ tasse (125 ml) de tranches de concombre |
| Dîner | Thon à la casserole<br>Rapini, poivrons rouges et tomates séchées | 1 galette de saumon<br>Casserole de champignons | Soupe de pommes de terre, poireaux et brocoli<br>Pain de viande |
| Collation de l'après-midi | 1 tasse (250 ml) d'edamame | 1 muffin aux abricots et à l'avoine<br>½ tasse (125 ml) de lait écrémé sans lactose ou de succédané de lait | 1 carré de pain plat aux olives et aux herbes avec ¼ tasse (60 ml) de hoummos |
| Souper | Poulet cacciatore<br>Polenta au teff<br>1 mangue hachée avec ¼ tasse (60 ml) de ricotta extra-légère et 2 c. à s. (30 ml) de sirop d'agave | Saucisses de dinde et pâtes spirales<br>Salade grecque<br>Pouding au chocolat | Chili aux trois fèves et à la dinde<br>2 popovers<br>¾ tasse (175 ml) de yogourt à la vanille faible en gras<br>½ tasse (125 ml) de tranches de mangue |

## Analyse nutritionnelle quotidienne

| | | | |
|---|---|---|---|
| Calories (kcal) | 1 876 | 1 937 | 1 828 |
| Glucides (g) | 241 | 249 | 216 |
| Fibres (g) | 34 | 26 | 32 |
| Protéines (g) | 102 | 76 | 92 |
| Lipides (g) | 64 | 76 | 66 |
| Folate (mcg) | 620 | 190 | 332 |
| Fer (mg) | 17 | 14 | 13 |
| Calcium (mg) | 732 | 1 175 | 1 092 |

| Semaine 2 | | | |
|---|---|---|---|
| **Jeudi** | **Vendredi** | **Samedi** | **Dimanche** |
| 1 muffin aux fraises et amandes<br>½ tasse (125 ml) de jus d'orange enrichi en calcium<br>1 tasse (250 ml) de thé avec 2 c. à s. (30 ml) de lait écrémé sans lactose ou de succédané de lait | Granola croquante avec ½ tasse (125 ml) de framboises et 1 tasse (250 ml) de yogourt nature faible en gras<br>1 tasse (250 ml) de tisane | Déjeuner burrito<br>1 tasse (250 ml) de jus d'orange enrichi en calcium | Frittata aux aubergines et aux avocats<br>½ tasse (125 ml) de tomates cerises<br>1 tranche de pain brun pour sandwich<br>1 tasse (250 ml) de jus d'orange enrichi en calcium |
| ½ portion de granola croquante<br>1 tasse (250 ml) de lait écrémé sans lactose ou de succédané de lait | 1 muffin Froudouli<br>1 abricot | | |
| Chili aux trois fèves et à la dinde<br>1 portion de croustilles de maïs sans gluten (environ 18) | Salade niçoise au quinoa<br>1 poire | Galettes de thon<br>Courgettes farcies<br>6 craquelins multigrains | 1 ½ portion de salade de pois chiches<br>2 biscuits salés pour le thé |
| Lait frappé aux fruits | 1 biscotti au chocolat noisette<br>½ tasse (125 ml) de lait au chocolat sans lactose ou de succédané de lait au chocolat | Mélange du randonneur | 1 banane avec 1 c. à s. (15 ml) de beurre d'arachide naturel non salé |
| Rayon de sole<br>Salade d'oranges aux olives<br>Pilaf au quinoa et au pesto<br>1 carré aux brisures de chocolat | Ragoût de veau<br>Salade de bettes à carde et de pommes de terre<br>½ tasse (125 ml) de framboises et ½ tasse (125 ml) de mûres sauvages avec 2 c. à s. (30 ml) de sirop d'érable pur | 4 oz (125 g) de poitrine de poulet grillée<br>Salade de chou aux mandarines et canneberges<br>Artichauts farcis<br>½ tasse (125 ml) de yogourt glacé avec 2 c. à s. (30 ml) de brisures de chocolat mi-sucré sans gluten | Brochettes de poulet grillé avec ¼ tasse (60 ml) de tzatziki sans gluten<br>Épinards et amandes<br>1 tasse (250 ml) de riz brun à longs grains<br>1 morceau de gâteau des dieux avec compote de poires |

| Analyse nutritionnelle quotidienne | | | |
|---|---|---|---|
| 1 794 | 1 891 | 1 767 | 1 987 |
| 220 | 272 | 192 | 258 |
| 34 | 35 | 26 | 38 |
| 84 | 86 | 102 | 78 |
| 70 | 57 | 68 | 77 |
| 284 | 210 | 245 | 372 |
| 14 | 14 | 12 | 11 |
| 1 382 | 888 | 960 | 1 117 |

| Semaine 3 | Lundi | Mardi | Mercredi |
|---|---|---|---|
| Déjeuner | 2 pancakes maison avec 2 c. à s. (30 ml) de sirop d'érable pur<br>½ tasse (125 ml) de framboises<br>1 tasse (250 ml) de lait écrémé sans lactose ou de succédané de lait | 1 muffin aux bleuets<br>1 tasse (250 ml) de yogourt à la vanille faible en gras<br>1 tasse (250 ml) de café ou de thé avec 2 c. à s. (30 ml) de lait écrémé sans lactose ou de succédané de lait. | Wraps aux œufs Bon Matin<br>½ tasse (125 ml) de jus d'orange enrichi en calcium<br>1 tasse (250 ml) de café ou de thé avec 2 c. à s. (30 ml) de lait écrémé sans lactose ou de succédané de lait. |
| Collation de l'avant-midi | 1 oz (30 g) de noix de soya grillées<br>1 pomme | 2 c. à s. (30 ml) de graines de citrouille non salées et 6 abricots séchés | ½ tasse (125 ml) de yogourt aux bleuets<br>1 tranche de pain aux bananes et aux canneberges |
| Dîner | Salade de poulet, canneberges et mangues<br>13 craquelins multigrains | Roulés à la salade aux œufs<br>Soupe aux lentilles et aux épinards | Galettes de saumon<br>Épinards et amandes<br>¾ tasse (175 ml) de millet cuit |
| Collation de l'après-midi | Pizza du retour de l'école | 2 Mini Babybel légers<br>6 craquelins de céréales sans gluten | ½ barre de fruits et de noix sans gluten (p. ex., Lärabar) |
| Souper | Pâté chinois à la poêle<br>Salade de tous les jours<br>1 biscuit aux brisures de chocolat | Saucisses de dinde et mélange de fèves de Lima<br>½ tasse (125 ml) de millet cuit avec croustilles à la sauge<br>½ tasse (125 ml) de yogourt glacé | Pâtes à la carbonara<br>Pois et champignons<br>1 tasse (250 ml) de framboises |

| Analyse nutritionnelle quotidienne | | | |
|---|---|---|---|
| Calories (kcal) | 1 876 | 1 937 | 1 828 |
| Glucides (g) | 241 | 249 | 216 |
| Fibres (g) | 34 | 26 | 32 |
| Protéines (g) | 102 | 76 | 92 |
| Lipides (g) | 64 | 76 | 66 |
| Folate (mcg) | 620 | 190 | 332 |
| Fer (mg) | 17 | 14 | 13 |
| Calcium (mg) | 732 | 1 175 | 1 092 |

## Semaine 3

| Jeudi | Vendredi | Samedi | Dimanche |
|---|---|---|---|
| Muffin aux abricots et à l'avoine<br>Lait frappé aux fruits | 1 muffin aux ananas et carottes<br>1 tasse (250 ml) de fromage cottage 1 % ou de yogourt de soya<br>1 tasse (250 ml) de café ou de thé avec 2 c. à s. (30 ml) de lait écrémé sans lactose ou de succédané de lait | Gaufres pour le déjeuner, le brunch ou le dessert avec 2 c. à s. (30 ml) de sirop d'érable pur<br>½ tasse (125 ml) de yogourt à la vanille faible en gras avec ½ tasse (125 ml) de bleuets<br>1 tasse (250 ml) de café ou de thé avec 2 c. à s. (30 ml) de lait écrémé sans lactose ou de succédané de lait | 2 portions de pain doré avec 2 c. à s. (30 ml) de sirop d'érable pur<br>2 tranches (2 oz/30 g) de bacon de dos<br>½ tasse (125 ml) de bleuets et ½ tasse (125 ml) de baies sauvages<br>1 tasse (250 ml) de café ou de thé avec 2 c. à s. (30 ml) de lait écrémé sans lactose ou de succédané de lait |
| ½ tasse (125 ml) de pouding au riz sans gluten<br>1 tasse (250 ml) de raisins | 2 c. à s. (30 ml) de graines de citrouille non salées et 2 c. à s. (30 ml) de raisins | | |
| 4 oz (112 g) de thon en conserve dans l'eau, égoutté<br>Polenta avec sauce tomate | Casserole de trois champignons<br>Fenouil et tomates séchées au soleil | Hamburger à la salsa sur du pain sans gluten avec 2 c. à t. (10 ml) de ketchup, 2 c. à t. (10 ml) de moutarde préparée (p. ex., French's)<br>Frites de patates douces<br>Salade de tous les jours | 2 portions de wraps aux asperges<br>Salade de quinoa |
| 1 tasse (250 ml) d'edamame | 1 tasse (250 ml) de mini-carottes<br>2 portions de trempette de haricots blancs | 1 tranche de melon d'eau (¹⁄₁₆) | 1 muffin Froudouli<br>½ tasse (125 ml) de chocolat au lait sans lactose ou de succédané de lait au chocolat |
| Ragoût de bœuf cuit au four<br>Pommes de terre et patates douces cuites au four<br>1 rocher aux canneberges<br>1 tasse (250 ml) de thé avec 2 c. à s. (30 ml) de lait écrémé sans lactose ou de succédané de lait | 4 oz (125 g) de filet de saumon grillé<br>Salade de chou aux mandarines et canneberges<br>½ tasse (125 ml) de mélange de riz sauvage et de riz brun (p. ex., Lundberg Farms)<br>2 biscuits aux amandes<br>1 tasse (250 ml) de thé avec 2 c. à s. (30 ml) de lait écrémé sans lactose ou de succédané de lait | Pâté au poulet<br>Artichauts farcis<br>Pouding au chocolat | Ragoût de veau sur nokedli (dumpling)<br>½ tasse (125 ml) de morceaux de papaye |

## Analyse nutritionnelle quotidienne

| | | | |
|---|---|---|---|
| 1 731 | 1 891 | 1 956 | 1 998 |
| 206 | 221 | 269 | 233 |
| 27 | 35 | 32 | 30 |
| 94 | 99 | 89 | 93 |
| 60 | 78 | 69 | 80 |
| 566 | 340 | 227 | 230 |
| 16 | 18 | 14 | 12 |
| 1 038 | 830 | 976 | 954 |

## Semaine 4

| | Lundi | Mardi | Mercredi |
|---|---|---|---|
| **Déjeuner** | Granola moelleuse avec 1 tasse (250 ml) de lait écrémé sans lactose ou de succédané de lait<br>1 ½ tasse (375 ml) de fraises tranchées<br>1 tasse (250 ml) de tisane | 1 tranche de pain aux poires et aux noix<br>1 portion (6 oz/200 ml) de yogourt à boire sans gluten (p. ex., Yop à la vanille)<br>1 tasse (250 ml) de café ou de thé avec 2 c. à s. (30 ml) de lait écrémé sans lactose ou de succédané de lait | 2 tranches de pain brun pour sandwich avec 2 c. à s. (30 ml) de beurre d'amande et 1 c. à s. (15 ml) de beurre de pomme<br>1 tasse (250 ml) de café ou de thé avec 2 c. à s. (30 ml) de lait écrémé sans lactose ou de succédané de lait |
| **Collation de l'avant-midi** | ½ tasse (125 ml) de yogourt nature ou aromatisé<br>5 ou 6 craquelins aux pacanes et au riz (p. ex., Nut Thins) | 1 oz (28 g) de mozzarella à effilocher (1 bâtonnet)<br>½ poivron jaune, coupé en lanières | 1 biscotti au chocolat noisette<br>1 tasse (250 ml) de lait écrémé sans lactose ou de succédané de lait |
| **Dîner** | Salade d'épinards avec poulet et mandarines<br>1 carré de pain plat aux olives et aux herbes | Galettes de thon<br>Soupe aux lentilles et aux épinards<br>1 tranche de pain brun pour sandwich | Quiche sans croûte au rapini et aux palourdes<br>2 tasses (500 ml) de laitue romaine hachée avec 2 c. à s. (30 ml) de vinaigrette légère aux framboises sans gluten<br>13 craquelins multigrains |
| **Collation de l'après-midi** | 20 craquelins au soya sans gluten<br>1 pomme | 1 muffin aux courgettes et à l'avoine | 1 tasse (250 ml) de brocoli<br>Trempette de haricots blancs |
| **Souper** | Spaghetti et boulettes de viande<br>Salade de tous les jours<br>1 biscuit sablé aux noisettes<br>1 tasse (250 ml) de thé avec 2 c. à s. (30 ml) de lait écrémé sans lactose ou de succédané de lait | Quiche sans croûte au rapini et aux palourdes<br>Salade de quinoa<br>½ tasse (125 ml) de pêches hachées et ½ tasse (125 ml) de baies sauvages avec 1 c. à s. (15 ml) de sirop d'érable pur | Doigts de dinde<br>Sauté de garnitures pour pizza<br>1 tasse (250 ml) de mélange de riz sauvage et de riz brun (p. ex., Lundberg Farms)<br>1 crêpe garnie de fruits |

## Analyse nutritionnelle quotidienne

| | | | |
|---|---|---|---|
| Calories (kcal) | 1 884 | 1 714 | 1 900 |
| Glucides (g) | 267 | 192 | 225 |
| Fibres (g) | 34 | 28 | 32 |
| Protéines (g) | 85 | 93 | 92 |
| Lipides (g) | 57 | 69 | 75 |
| Folate (mcg) | 239 | 398 | 336 |
| Fer (mg) | 14 | 20 | 20 |
| Calcium (mg) | 978 | 1 304 | 1 075 |

## Semaine 4

| Jeudi | Vendredi | Samedi | Dimanche |
|-------|----------|--------|----------|
| 1 œuf brouillé avec 1 tranche (1 oz/30 g) de bacon de dos et ½ tasse (125 ml) de champignons tranchés<br>2 tranches de pain brun pour sandwich<br>½ tasse (125 ml) de jus d'orange enrichi en calcium<br>1 tasse (250 ml) de thé ou de café avec 2 c. à s. (30 ml) de lait écrémé sans lactose ou de succédané de lait | Pain doré avec 2 c. à s. (30 ml) de sirop d'érable pur<br>1 tasse (250 ml) de bleuets avec ½ tasse (125 ml) de yogourt à la vanille faible en gras<br>1 tasse (250 ml) de tisane | ½ tasse (125 ml) de cantaloup haché et ½ tasse (125 ml) de melon miel haché<br>1 tasse (250 ml) de thé ou de café avec 2 c. à s. (30 ml) de lait écrémé sans lactose ou de succédané de lait | 2 pancakes maison avec 2 c. à s. (30 ml) de sirop d'érable pur<br>1 tasse (250 ml) de mangue hachée<br>1 tasse (250 ml) de thé ou de café avec 2 c. à s. (30 ml) de lait écrémé sans lactose ou de succédané de lait |
| 1 oz (30 g) de noix de soya grillées<br>1 tasse (250 ml) de raisins | 2 morceaux de fromage La vache qui rit<br>¼ tasse (60 ml) de tranches de concombre<br>5 craquelins au manioc | | |
| 1 ½ portion de minestrone<br>1 biscuit pour le thé assaisonné | Salade niçoise au quinoa | 1 crêpe avec 1 c. à t. (5 ml) de margarine, 2 c. à t. (10 ml) de moutarde de Dijon, de 2 à 3 oz (60 à 90 g) de jambon de charcuterie et ½ tasse (125 ml) d'épinards hachés<br>Salade de pois chiches | Sardines et rôtie<br>Soupe à la façon de maman |
| 1 tranche de Pain aux bananes et aux amandes<br>½ tasse (125 ml) de yogourt faible en gras | Trempette d'épinards et de brocoli chaude<br>6 craquelins aux riz et amandes (p. ex., Nut Thins) | ½ tasse (125 ml) de fromage cottage 1 %<br>1 tasse (250 ml) de morceaux d'ananas frais | 1 pomme, coupée en morceaux avec 2 c. à s. (30 ml) de beurre d'arachide naturel non salé |
| Brochettes de poulet grillé<br>Pilaf au quinoa et au pesto<br>Salade grecque<br>½ tasse (125 ml) de sorbet | Lasagne aux aubergines et aux courgettes<br>Salade de tous les jours<br>Pouding au chocolat | Rayon de sole<br>Épinards et amandes<br>1 tasse (250 ml) de couscous brun (p. ex., Lundberg Farms)<br>Crumble aux bleuets et aux framboises | Gnocchis avec ½ tasse (125 ml) de sauce tomate sans gluten et 2 c. à s. (30 ml) de fromage parmesan fraîchement râpé<br>Haricots verts et romano<br>1 tasse (250 ml) de melon d'eau haché |

## Analyse nutritionnelle quotidienne

| | | | |
|-------|-------|-------|-------|
| 1 985 | 1 927 | 1 718 | 1 803 |
| 249 | 260 | 219 | 281 |
| 25 | 27 | 27 | 31 |
| 98 | 73 | 79 | 62 |
| 71 | 67 | 65 | 53 |
| 168 | 166 | 347 | 147 |
| 14 | 12 | 10 | 11 |
| 919 | 1 184 | 496 | 1 306 |

| Semaine 5 | Lundi | Mardi |
|---|---|---|
| Déjeuner | 1 ¼ tasse (300 ml) de céréales sans gluten (p. ex., Nature's Path Mesa Sunrise)<br>1 tasse (250 ml) de fraises<br>1 tasse (250 ml) de lait écrémé sans lactose ou de succédané de lait<br>1 tasse (250 ml) de thé | Quiche aux épinards et prosciutto<br>1 tasse (250 ml) de jus d'orange enrichi en calcium<br>1 tasse (250 ml) de café ou de thé avec 2 c. à s. (30 ml) de lait écrémé sans lactose ou de succédané de lait |
| Collation de l'avant-midi | 2 c. à s. (30 ml) de graines de tournesol non salées<br>1 orange | 1 muffin aux ananas et carottes |
| Dîner | Galettes de saumon<br>Polenta au teff | 2 portions de wraps aux asperges<br>Soupe aux pois chiches<br>1 tranche de pain brun pour sandwich |
| Collation de l'après-midi | Granola croquante | 1 galette de riz brun entier (p. ex., Lundberg Farms)<br>2 prunes |
| Souper | Saucisses de dinde et pâtes spirales<br>Rapini, poivrons rouges et tomates séchées<br>1 tasse (250 ml) de boules de cantaloup | Sauté au tofu<br>¾ tasse (175 ml) de millet cuit<br>2 biscuits classiques pour le thé avec 2 c. à t. (10 ml) de beurre ou de margarine ferme végétalienne et 2 c. à t. (10 ml) de confiture<br>1 tasse (250 ml) de thé avec 2 c. à s. (30 ml) de lait écrémé sans lactose ou de succédané de lait |

| Analyse nutritionnelle quotidienne | | |
|---|---|---|
| Calories (kcal) | 1818 | 1917 |
| Glucides (g) | 252 | 248 |
| Fibres (g) | 36 | 26 |
| Protéines (g) | 77 | 76 |
| Lipides (g) | 62 | 76 |
| Folate (mcg) | 265 | 264 |
| Fer (mg) | 15 | 13 |
| Calcium (mg) | 933 | 1697 |

# Besoins quotidiens en liquide

L'eau et d'autres liquides sont essentiels pour rester hydraté et permettre au corps de transporter les nutriments et se débarrasser des déchets. Selon la National Academy of Sciences (États-Unis), la consommation d'eau comprend l'eau potable, l'eau contenue dans les boissons et l'eau contenue dans les aliments. Les femmes vivant dans un climat tempéré ont besoin de 9 tasses (2,2 l) d'eau par jour, tandis que les hommes ont besoin de 13 tasses (3 l) d'eau par jour. Vous devez consommer plus d'eau si vous vivez dans un climat chaud ou si vous participez à des activités physiques modérées à intenses.

À l'exception des boissons alcoolisées, toutes les boissons sont prises en compte dans le total recommandé de consommation de liquide, y compris le café, le thé, le lait, la soupe, le jus, même les boissons rafraîchissantes pour étancher votre soif. L'eau contenue dans les fruits, les légumes et d'autres aliments est également prise en compte, mais elle est beaucoup plus difficile à quantifier. Quoi qu'il en soit, il est sage de consommer des fruits et des légumes plus souvent que du jus.

En règle générale, vous devez viser à boire :
- de 1 à 2 tasses (de 250 ml à 500 ml) de liquide à chaque repas (déjeuner, dîner et souper). Si un repas nécessite déjà 1 tasse (250 ml) de lait, complétez ce repas avec ½ à 1 tasse (125 à 250 ml) d'eau, selon votre soif ;
- au moins 1 à 2 tasses (250 à 500 ml) d'eau avec vos collations de l'avant-midi et de l'après-midi.

# Chapitre 5

# Recettes santé sans gluten

# Déjeuner et brunch

Versez ce lait frappé dans un contenant en acier inoxydable et savourez-le pendant que vous vous rendez au travail ou comme collation rapide. L'été, Theresa le verse dans des récipients glacés qu'elle congèle pour faire une gâterie adorée des enfants! N'hésitez pas à doubler ou tripler la recette pour faire autant de lait frappé que vous avez besoin.

# Lait frappé aux fruits

## Conseil

Vous pouvez acheter des graines de lin moulues (aussi appelées farine de lin), moudre des graines de lin au mélangeur avant d'ajouter le reste des ingrédients ou les moudre dans un moulin à café ou à épices. Si vous préférez moudre le lin vous-même, assurez-vous que le mélangeur ou le moulin n'est utilisé que pour les aliments sans gluten afin d'éviter la contamination croisée.

## Variations

Essayez cette recette avec du yogourt aromatisé.

Si vous préférez utiliser des fruits à plus faible teneur en sucre, essayez les kiwis, les pêches, les abricots, les bleuets et les mûres sauvages.

Mélangeur.

| | | |
|---|---|---|
| ½ | petite banane | ½ |
| 1 ½ tasse | fraises | 375 ml |
| 1 tasse | succédané de lait sans gluten enrichi ou lait sans lactose à 1 % (voir conseil p. 150) | 250 ml |
| ½ tasse | yogourt au soya sans gluten ou yogourt | 125 ml |
| 1 c. à s. | graines de lin, moulues (farine de lin) | 15 ml |

1. Dans un mélangeur, combiner la banane, les fraises, le lait, le yogourt et les graines de lin; mélanger pendant 1 minute.

### Éléments nutritifs par portion

| | |
|---|---|
| Calories | 120 |
| Glucides | 18 g |
| Fibres | 3 g |
| Protéines | 5 g |
| Lipides | 4 g |
| Fer | 1 mg |
| Calcium | 189 mg |

Ces délicieux pancakes ont le même goût que ceux que cuisinait votre mère. Servir avec une garniture de fruits et napper de sirop d'érable.

# Pancakes maison

| | | |
|---|---|---|
| ½ tasse | farine de sorgho | 125 ml |
| ½ tasse | farine de riz brun | 125 ml |
| ✓ 2 c. à s. | enveloppes de psyllium | 30 ml |
| 1 c. à t. | poudre à pâte sans gluten | 5 ml |
| ¼ c. à t. | bicarbonate de sodium | 1 ml |
| ¼ c. à t. | sel | 1 ml |
| 1 | œuf | 1 |
| 1 tasse | succédané de lait sans gluten enrichi ou lait sans lactose à 1 % | 250 ml |
| 1 c. à s. | miel liquide, sirop d'érable pur ou sirop d'agave | 15 ml |
| 2 c. à t. | huile de pépins de raisin | 10 ml |
| 1 c. à t. | extrait de vanille | 5 ml |
| | beurre ou huile de pépins de raisin | |

## Conseil

Optez pour votre succédané de lait favori, comme le lait de soya, le lait de riz, le lait d'amande ou un lait à base de pomme de terre. Si vous tolérez bien le lactose, utilisez du lait à 1 %.

1. Dans un grand bol, mélanger la farine de sorgho, la farine de riz brun, le psyllium, la poudre à pâte, le bicarbonate de sodium et le sel.

2. Dans un autre bol, battre l'œuf, le lait, le miel, l'huile et la vanille. Verser dans le mélange de farines et fouetter environ 1 minute ou jusqu'à consistance lisse.

3. Dans une crêpière ou dans une poêle antiadhésive, faire fondre 1 c. à t. (5 ml) de beurre à feu moyen. Pour chaque pancake, verser ¼ tasse (60 ml) du mélange. Cuire de 1 à 2 minutes ou jusqu'à ce que des bulles se forment et que les bords soient fermes. Retourner et cuire l'autre côté de 1 à 2 minutes ou jusqu'à ce que le dessous soit doré. Transférer dans une assiette et garder chaud. Répéter avec le mélange restant en graissant la crêpière et en ajustant le feu si nécessaire.

| Éléments nutritifs par portion | |
|---|---|
| Calories | 150 |
| Glucides | 21 g |
| Fibres | 2 g |
| Protéines | 4 g |
| Lipides | 5 g |
| Fer | 1 mg |
| Calcium | 127 mg |

## Variation

*Pancakes à la compote de pommes*

Ajouter ½ tasse (125 ml) de compote de pommes non sucrée au mélange. Les pancakes peuvent prendre 1 ou 2 minutes de plus à cuire. Servir saupoudrés de noix hachées et de cannelle moulue avant d'arroser de sirop d'érable.

## Conseils pour gagner du temps

Mélangez les ingrédients secs et conservez dans un contenant fermé hermétiquement jusqu'à deux semaines.

Faites cuire les pancakes le soir précédent et conservez-les au réfrigérateur. Faites-les réchauffer le matin.

Les pancakes cuits refroidis peuvent aussi être conservés dans un contenant fermé hermétiquement. Mettez du papier sulfurisé entre chaque pancake pour les séparer plus facilement et les garder au congélateur jusqu'à quatre semaines. Faites réchauffer et servez.

## Les enveloppes de psyllium

Les enveloppes de psyllium sont la partie extérieure de la graine qui provient d'un plantain, *Plantago ovata*. De nombreuses études de grande envergure ont démontré que la consommation quotidienne de petites quantités de fibres de psyllium (de 3 à 12 grammes par jour) peut aider à réduire le taux de cholestérol LDL (le « mauvais » cholestérol) dans le sang. D'autres études démontrent que le fait d'incorporer le psyllium à la nourriture le rend plus efficace pour réduire la réponse glycémique qu'un supplément en fibres solubles pris séparément de la nourriture.

Alexandra aime ajouter cette granola à son yogourt et laisser ramollir 5 minutes avant de manger. Elle ajoute aussi des bleuets sur le dessus. Miam!

Donne
12 portions

# Granola croquante

**Préchauffer le four à 300 °F (150 °C).**
**Plaque à pâtisserie, tapissée de papier sulfurisé** (parchemin).

| | | |
|---|---|---|
| 2 tasses | gros flocons d'avoine (à l'ancienne) sans gluten (voir conseils ci-contre) | 500 ml |
| 1 tasse | kasha (gruau de sarrasin grillé) | 250 ml |
| ½ tasse | enveloppes de psyllium (voir p. 143) | 125 ml |
| ½ tasse | mélasse légère (de fantaisie) | 125 ml |
| ¼ tasse | sirop d'agave | 60 ml |
| ½ tasse | noix de coco râpée | 125 ml |
| ½ tasse | canneberges séchées | 125 ml |
| ½ tasse | abricots séchés | 125 ml |
| ½ tasse | amandes effilées | 125 ml |
| ½ tasse | graines de tournesol non salées | 125 ml |
| 1 c. à s. | cannelle moulue | 15 ml |

## Conseils

Assurez-vous que l'avoine que vous utilisez est étiquetée «avoine pure» ou est certifiée sans gluten – ces précautions vous assurent que le produit que vous utilisez n'a pas été contaminé par le blé, l'orge ou le seigle.

Conservez dans un contenant fermé hermétiquement dans un endroit frais et sec jusqu'à 2 semaines.

1. Dans un bol, mélanger l'avoine, la kasha et les enveloppes de psyllium. Incorporer la mélasse et le sirop d'agave. Incorporer la noix de coco râpée, les canneberges, les abricots, les amandes, les graines de tournesol et la cannelle jusqu'à ce que le tout soit bien mélangé.

2. En utilisant une spatule, étendre la granola uniformément sur la plaque à pâtisserie préparée. Cuire au four de 15 à 30 minutes jusqu'à ce que la granola soit brun doré et dure. Laisser refroidir sur la plaque, puis briser en morceaux.

| Éléments nutritifs par portion | |
|---|---|
| Calories | 300 |
| Glucides | 50 g |
| Fibres | 8 g |
| Protéines | 6 g |
| Lipides | 9 g |
| Fer | 3 mg |
| Calcium | 75 mg |

Theresa préfère cette granola à la texture plus moelleuse. Elle se mange comme céréale pour le déjeuner ou comme collation.

# Granola moelleuse

## Conseils

Conservez dans un contenant fermé hermétiquement au réfrigérateur jusqu'à une semaine.

Pour une valeur nutritionnelle ajoutée, servez avec des petits fruits frais.

**Préchauffer le four à 300 °F** (150 °C).

**Plaque à pâtisserie, tapissée de papier sulfurisé** (parchemin).

| | | |
|---|---|---|
| 1 tasse | gros flocons d'avoine (à l'ancienne) sans gluten (voir conseils p. 144) | 250 ml |
| ¼ tasse | enveloppes de psyllium | 60 ml |
| ½ tasse | compote de pommes non sucrée | 125 ml |
| ¼ tasse | sirop d'érable pur | 60 ml |
| ¼ tasse | canneberges séchées | 60 ml |
| ¼ tasse | amandes effilées | 60 ml |
| ¼ tasse | graines de tournesol non salées | 60 ml |
| ¼ tasse | graines de sésame | 60 ml |
| 1 c. à t. | cannelle moulue | 5 ml |

1. Dans un bol, mélanger l'avoine et les enveloppes de psyllium. Incorporer la compote de pommes et le sirop d'érable. Incorporer les canneberges, les amandes, les graines de sésame et la cannelle jusqu'à ce que le tout soit bien mélangé.

2. En utilisant une spatule, étendre la granola uniformément sur la plaque à pâtisserie préparée. Cuire au four de 15 à 30 minutes jusqu'à ce que la granola soit dorée. Laisser refroidir sur la plaque, puis briser en morceaux.

### Éléments nutritifs par portion

| | |
|---|---|
| Calories | 210 |
| Glucides | 32 g |
| Fibres | 6 g |
| Protéines | 5 g |
| Lipides | 7 g |
| Fer | 2 mg |
| Calcium | 31 mg |

Theresa a appris à ses enfants à cuisiner quand ils étaient très jeunes. L'un de ses fils a élaboré cette recette.

Donne
**4 portions**

# Wraps aux œufs Bon Matin

| | | |
|---|---|---|
| 1 c. à s | huile de pépins de raisin | 15 ml |
| 4 | tranches de dinde rôtie de charcuterie sans gluten (voir conseils ci-contre) | 4 |
| 1 trait | sauce de soya sans gluten | 1 trait |
| 4 | œufs | 4 |
| 4 | crêpes (voir p. 152) | 4 |
| 2 | feuilles de laitue romaine, déchirées en deux | 2 |
| ¼ tasse | fromage cheddar, râpé | 60 ml |

1. Dans une poêle, chauffer l'huile à feu moyen-élevé. Ajouter la dinde et la sauce de soya; cuire environ 1 minute de chaque côté jusqu'à ce qu'elle soit dorée. Transférer sur une assiette et réserver.

2. Casser les œufs dans le liquide restant dans la poêle en s'assurant de briser le jaune. Cuire en retournant une fois, jusqu'à ce qu'ils soient cuits des deux côtés.

3. Placer une crêpe dans chaque assiette et ajouter une couche de laitue, de dinde, d'œuf et de fromage. Plier ou enrouler.

## Conseils

Utilisez plutôt des tranches de dinde sans nitrate, car elles sont un meilleur choix pour la santé.

Vous pouvez remplacer le fromage cheddar par du fromage de type cheddar râpé sans gluten ou du fromage de type mozzarella râpé sans gluten.

| Éléments nutritifs par portion | |
|---|---|
| Calories | 240 |
| Glucides | 16 g |
| Fibres | 1 g |
| Protéines | 15 g |
| Lipides | 13 g |
| Fer | 1 mg |
| Calcium | 67 mg |

Ces burritos sont idéals pour le déjeuner – ou pour tout autre repas. Servir avec des tranches d'avocat, de tomate ou de mangue.

# Déjeuner burrito

## Conseils

Vous pouvez remplacer le fromage cheddar par un fromage de type cheddar sans gluten.

Si vous disposez déjà de crêpes, assurez-vous de les cuire au micro-ondes à puissance élevée pendant 20 secondes avant l'assemblage.

| | | |
|---|---|---|
| 1 c. à t. | huile de pépins de raisin | 5 ml |
| 1 ½ tasse | haricots noirs en conserve, égouttés et rincés | 375 ml |
| ½ tasse | salsa 125 ml | |
| ¼ tasse | piments forts marinés, hachés et égouttés | 60 ml |
| 4 | œufs, battus | 4 |
| 1 tasse | fromage cheddar râpé, divisé | 250 ml |
| 6 | crêpes (voir p. 152) | 6 |

1. Dans une poêle, chauffer l'huile à feu moyen-élevé. Sauter les haricots noirs de 3 à 5 minutes ou jusqu'à ce qu'ils soient bien chauds. Ajouter la salsa et les piments forts ; faire sauter de 3 à 5 minutes ou jusqu'à ce que le mélange soit bien chaud. Ajouter les œufs et cuire en remuant jusqu'à ce que le mélange prenne. Retirer du feu et incorporer la moitié du fromage

2. Étaler un sixième du mélange d'œufs à la cuiller au centre de chaque crêpe. Garnir avec le fromage restant et enrouler.

## Éléments nutritifs par portion

| | |
|---|---|
| Calories | 250 |
| Glucides | 28 g |
| Fibres | 5 g |
| Protéines | 15 g |
| Lipides | 9 g |
| Fer | 2 mg |
| Calcium | 120 mg |

Frittata veut dire «frit» en italien. Theresa adore les aubergines et les avocats et a décidé de les combiner dans une frittata. Le résultat? Divin.

# Frittata aux aubergines et aux avocats

## Conseil

Couper la frittata en quatre morceaux facilite la manipulation.

| | | |
|---|---|---|
| 1 ½ c. à s. | huile de pépins de raisin | 22 ml |
| 1 tasse | poivron rouge, haché | 250 ml |
| ½ tasse | oignon, haché | 125 ml |
| 1 c. à s. | persil frais, haché | 15 ml |
| 2 tasses | aubergine japonaise, hachée (environ 1 de taille moyenne) | 500 ml |
| 4 | œufs, battus | 4 |
| ½ tasse | cheddar fort, râpé (vieilli) | 125 ml |
| 1 | avocat, en purée | 1 |
| ¼ tasse | romano, râpé | 60 ml |

1. Dans une poêle, chauffer l'huile à feu moyen-élevé. Faire revenir le poivron rouge, l'oignon et le persil de 3 à 5 minutes ou jusqu'à ce qu'ils soient tendres. Ajouter l'aubergine et sauter de 5 à 10 minutes ou jusqu'à ce que le mélange soit tendre et doré.

2. Verser les œufs sur les légumes et cuire jusqu'à ce que les bords soient fermes. Couper en 4 morceaux. Retourner et badigeonner d'avocat. Retirer du feu et saupoudrer le fromage uniformément sur la couche d'avocat. Couvrir et laisser reposer de 1 à 2 minutes. Servir chaud.

| Éléments nutritifs par portion | |
|---|---|
| Calories | 280 |
| Glucides | 12 g |
| Fibres | 6 g |
| Protéines | 14 g |
| Lipides | 20 g |
| Fer | 1 mg |
| Calcium | 176 mg |

Cette recette est longue à préparer, mais le résultat en vaut la peine!

## Conseil

Optez pour votre succédané de lait favori, comme le lait de soya, le lait de riz, le lait d'amande ou un lait à base de pomme de terre. Si vous tolérez bien le lactose, utilisez du lait à 1 %.

## Sardines et rôtie

Faire rôtir et étendre du beurre sur une tranche de pain sans gluten, puis y mettre une sardine, y compris l'huile contenue dans l'emballage et l'étaler uniformément. Servir avec des tranches de tomates. Le mari de Theresa adore cette recette pour déjeuner.

(Éléments nutritifs par portion : calories : 180 ; glucides : 23 g ; fibres : 4 g ; protéines : 8 g ; lipides : 6 g ; fer : 2 mg ; calcium : 111 mg)

### Éléments nutritifs par portion

| | |
|---|---|
| Calories | 320 |
| Glucides | 24 g |
| Fibres | 2 g |
| Protéines | 13 g |
| Lipides | 16 g |
| Fer | 2 mg |
| Calcium | 347 mg |

# Quiche aux épinards et au prosciutto

**Préchauffer le four à 350 °F (180 °C).**
**Assiette à tarte en verre de 23 cm (9 po).**

| | Pâte à tarte pour un fond de tarte de 23 cm (9 po) (voir p. 250) | |
|---|---|---|
| 8 oz | épinards (environ 5 tasses/1,25 l), taillés | 250 g |
| 4 | œufs | 4 |
| 1 tasse | lait sans lactose à 1 % ou succédané de lait sans gluten enrichi | 250 ml |
| 2 tasses | fromage cheddar léger, râpé | 500 ml |
| 3 à 4 | tranches de prosciutto, sans le gras | 3 à 4 |

1. Placer la pâte dans l'assiette à tarte. Chauffer au four pendant 10 minutes. Retirer du four, laisser le four en marche, et laisser refroidir légèrement.

2. Dans une grande casserole d'eau bouillante, faire bouillir les épinards de 1 à 2 minutes jusqu'à ce qu'ils se flétrissent. Égoutter et mettre de côté.

3. Dans un bol, fouetter ensemble les œufs et le lait. Au fouet, ajouter le fromage et les épinards égouttés.

4. Placer le prosciutto sur le fond de tarte. Verser le mélange d'œufs. Cuire de 35 à 40 minutes ou jusqu'à ce que le mélange soit gonflé et de couleur brun doré et qu'un cure-dent inséré au centre en ressorte propre. Laisser reposer environ 10 minutes avant de tailler en pointes.

Cette recette est simple et délicieuse, surtout quand elle est servie avec des bleuets et des fraises.

Donne
**4 portions**

# Pain doré

| | | |
|---|---|---|
| 1 | œuf | 1 |
| ½ tasse | succédané de lait sans gluten enrichi ou lait sans lactose à 1 % | 125 ml |
| ½ c. à t. | extrait de vanille | 2 ml |
| 4 c. à t. | beurre ou margarine végétalienne, divisé | 20 ml |
| 4 tranches | pain rassis, enrichi, sans gluten, coupées en deux | 4 |
| | cannelle moulue | |
| | sirop d'érable pur ou sirop d'agave (facultatif) | |

1. Dans un bol à fond plat, battre l'œuf, le lait et la vanille jusqu'à ce que le mélange soit mousseux.

2. Dans une poêle à frire, faire fondre 1 c. à t. (5 ml) de beurre à feu moyen-élevé. Prendre deux moitiés de pain à la fois et tremper les deux côtés du pain dans le mélange d'œuf. Mettre dans la poêle et cuire, en retournant une fois, de 2 à 3 minutes chaque côté ou jusqu'à ce que les deux côtés soient de couleur brune. Transférer dans une assiette et garder chaud. Répéter avec le pain et le mélange d'œuf restant en faisant fondre 1 c. à t. (5 ml) de beurre avant chaque lot.

3. Servir saupoudré de cannelle ou garni d'un filet de sirop d'érable, si désiré.

## Conseil

Optez pour votre succédané de lait favori, comme le lait de soya, le lait de riz, le lait d'amande ou un lait à base de pomme de terre. Si vous tolérez bien le lactose, utilisez du lait à 1 %.

La margarine végétalienne, comme les bâtonnets végétaliens au goût de beurre de Earth Balance, contient presque la moitié moins de graisses saturées que le beurre ordinaire et ne contient pas de cholestérol. Quand une recette exige du beurre, la margarine végétalienne peut constituer une alternative délicieuse et bénéfique pour la santé du cœur.

| Éléments nutritifs par portion | |
|---|---|
| Calories | 210 |
| Glucides | 23 g |
| Fibres | 4 g |
| Protéines | 4 g |
| Lipides | 8 g |
| Fer | 1 mg |
| Calcium | 70 mg |

Vous pensiez peut-être que vous deviez éviter les gaufres quand vous avez appris que vous deviez suivre un régime sans gluten, mais détrompez-vous, ces gaufres sont si délicieuses que vous ne croirez pas qu'elles sont sans gluten. Garnissez-les de crème glacée ou de petits fruits comme petit plaisir supplémentaire.

# Gaufres pour le déjeuner, le brunch ou le dessert

## Conseils

Tout dépendant de votre gaufrier, le temps de cuisson peut varier d'aussi peu que 2 minutes à autant que 5 minutes. Lisez le manuel accompagnant votre gaufrier pour ajuster le temps de cuisson.

Préparez ces gaufres en avance, laissez-les refroidir, enveloppez-les de papier sulfurisé et congelez-les jusqu'à un mois. Faites-les rôtir le matin pour un déjeuner rapide ou quand vous avez envie d'une gaufre.

**Gaufrier, légèrement huilé avec de l'huile de pépins de raisin, puis préchauffé.**

| | | |
|---|---|---|
| ¾ tasse | farine de riz blanc | 175 ml |
| ¼ tasse | farine de sorgho | 60 ml |
| ¼ tasse | fécule de pomme de terre | 60 ml |
| ¼ tasse | graines de lin moulu (farine de graines de lin) | 60 ml |
| 1 c. à s. | poudre à pâte sans gluten | 15 ml |
| ¼ c. à t. | sel | 1 ml |
| 2 | œufs, séparés | 2 |
| 2 tasses | succédané de lait sans gluten enrichi ou lait sans lactose à 1 % (voir conseil p. 150) | 500 ml |
| ¼ tasse | huile de pépins de raisin | 60 ml |

1. Dans un grand bol, en utilisant un fouet, mélanger la farine de riz blanc, la farine de sorgho, la fécule de pomme de terre, les graines de lin, la poudre à pâte et le sel.

2. Dans un autre bol, fouetter ensemble les jaunes d'œufs, le lait et l'huile jusqu'à ce que le tout soit mélangé. Incorporer au mélange de farines jusqu'à ce que le tout soit bien mélangé.

3. Dans un petit bol, en utilisant un batteur électrique, battre les blancs d'œufs jusqu'à consistance ferme. Incorporer les blancs d'œufs à la pâte jusqu'à ce que le tout soit bien mélangé. Laisser reposer pendant 5 minutes.

4. Verser ¾ tasse (175 ml) de pâte dans votre gaufrier chaud (ou la quantité appropriée à votre gaufrier). Fermer le couvercle et cuire environ 3 minutes (voir le conseil ci-contre) ou jusqu'à ce qu'elle prenne une couleur brun doré. Répéter avec le reste de la pâte en remuant la pâte et en huilant le gaufrier avec de l'huile de pépins de raisin entre les lots si nécessaire.

| Éléments nutritifs par portion | |
|---|---|
| Calories | 260 |
| Glucides | 28 g |
| Fibres | 2 g |
| Protéines | 7 g |
| Lipides | 14 g |
| Fer | 1 mg |
| Calcium | 154 mg |

Ces crêpes peuvent être utilisées pour préparer des enchiladas ou des wraps garnis de fromage à la crème et de tranches de piment fort, de fromage à la crème et de tranches de concombre, de beurre d'amandes et de rondelles de banane, de beurre d'arachide et de confiture… les possibilités sont infinies.

Donne
**10 crêpes**
(1 par portion)

# Crêpes

**Poêle de 23 cm** (9 po).

| | | |
|---|---|---|
| ½ tasse | de farine de sorgho | 125 mg |
| ½ tasse | de fécule de pomme de terre | 125 ml |
| ½ c. à t. | de sucre de canne | 2 ml |
| 2 | œufs | 2 |
| ½ tasse | de lait sans lactose à 1 % ou succédané de lait enrichi sans gluten | 125 ml |
| 2 c. à s. | de beurre ou margarine végétalienne, fondu(e) | 30 ml |
| | beurre ou margarine végétalienne | |

1. Dans un grand bol, en utilisant un fouet, mélanger la farine de sorgho, la fécule de pomme de terre et le sucre.

2. Dans un autre bol, battre les œufs, le lait, le beurre fondu et ½ tasse (125 ml) d'eau. Incorporer dans le mélange de farines jusqu'à ce que le tout soit bien mélangé.

3. Dans une poêle à frire, faire fondre ½ c. à t. (2 ml) de beurre à feu moyen, en s'assurant de recouvrir le fond de la poêle. Pour chaque crêpe, verser ¼ tasse (60 ml) du mélange et s'assurer qu'il recouvre le fond de la poêle. Cuire environ 1 minute ou jusqu'à ce que les bords commencent à se retrousser. Retourner et cuire environ 1 minute ou jusqu'à ce que le dessous soit doré. Transférer dans une assiette et garder chaud. Répéter avec le reste du mélange en ajustant le feu et en faisant fondre ½ c. à t. (2 ml) de beurre entre chaque crêpe si nécessaire.

## Conseils

Optez pour votre succédané de lait favori, comme le lait de soya, le lait de riz, le lait d'amande ou un lait à base de pomme de terre. Si vous tolérez bien le lactose, utilisez du lait à 1 %.

Les crêpes peuvent être préparées à l'avance, refroidies et placées dans un contenant fermé hermétiquement, séparées par du papier sulfurisé jusqu'à trois jours. Avant de servir, réchauffez chaque crêpe dans une assiette au micro-ondes à puissance élevée environ 20 secondes pour les ramollir.

| Éléments nutritifs par portion | |
|---|---|
| Calories | 100 |
| Glucides | 14 g |
| Fibres | 1 g |
| Protéines | 3 g |
| Lipides | 4 g |
| Fer | 0,4 mg |
| Calcium | 20 mg |

Ces délicieuses crêpes aux fruits sont aussi formidables au déjeuner qu'en dessert.

# Crêpes garnies de fruits

## Conseil

Si les pêches, les fraises et les bleuets ne sont pas de saison, vous pouvez utiliser des fruits congelés. Dégelez-les dans la poêle à feu doux et passez à l'étape 1 en omettant l'eau.

| | | |
|---|---|---|
| 2 tasses | pêches, tranchées | 500 ml |
| 2 tasses | fraises, tranchées | 500 ml |
| 1 tasse | bleuets | 250 ml |
| 2 c. à t. | sirop d'agave | 10 ml |
| 1 c. à t. | farine de riz blanc | 5 ml |
| 4 | crêpes (voir p. 152) | 4 |

1. Dans une poêle, mélanger les pêches, les fraises, les bleuets et 2 c. à s. (30 ml) d'eau. Arroser de sirop d'agave et de farine de riz ; cuire à feu doux en remuant délicatement de 3 à 5 minutes ou jusqu'à épaississement.

2. À la cuiller, déposer la garniture au centre de chaque crêpe, enrouler ou plier.

## Éléments nutritifs par portion

| | |
|---|---|
| Calories | 190 |
| Glucides | 36 g |
| Fibres | 4 g |
| Protéines | 4 g |
| Lipides | 5 g |
| Fer | 1 mg |
| Calcium | 40 mg |

# Pains et muffins

Cette recette de pain est l'une des premières que la famille de Theresa a adoptée quand ils ont commencé leur régime sans gluten, et il n'en reste jamais à la fin de la journée. La farine de quinoa est un ajout récent et fournit une valeur nutritive supplémentaire.

# Pain aux bananes et aux canneberges

## Conseil

Il est inutile d'attendre que les canneberges congelées se décongèlent. Ajoutez-les directement au mélange.

Si vous n'avez pas de moule à pain en verre, utilisez un moule en métal et ajoutez de 5 à 10 minutes au temps de cuisson.

**Préchauffer le four à 350 °F (180 °C).**

**Moule à pain en verre de 23 × 12,5 cm (9 × 5 po)**, graissé, garnir le fond d'une feuille de papier sulfurisé.

| | | |
|---|---|---|
| ½ tasse | farine de riz blanc | 125 ml |
| ¼ tasse | farine de riz brun | 60 ml |
| ¼ tasse | farine de quinoa | 60 ml |
| 2 c. à t. | poudre à pâte sans gluten | 10 ml |
| 1 ½ c. à t. | cannelle moulue | 7 ml |
| ¼ c. à t. | sel | 1 ml |
| ½ tasse | sucre brut de canne | 125 ml |
| ¼ tasse | beurre ou margarine végétalienne, ramolli(e) | 60 ml |
| 2 | œufs | 2 |
| 1 tasse | bananes mûres, réduites en purée | 250 ml |
| 1 tasse | canneberges fraîches ou congelées | 250 ml |

1. Dans un bol de grandeur moyenne, fouetter ensemble la farine de riz blanc, la farine de riz brun, la farine de quinoa, la poudre à pâte, la cannelle et le sel.

2. Dans un grand bol, en utilisant un batteur électrique, crémer le sucre et le beurre jusqu'à consistance légère et mousseuse. Incorporer les œufs un à la fois jusqu'à consistance homogène. Incorporer les bananes. Incorporer les ingrédients secs jusqu'à ce que les ingrédients soient combinés. Ajouter les canneberges délicatement.

3. Verser le mélange dans le moule à pain. Cuire au four de 45 à 50 minutes ou jusqu'à ce qu'un cure-dent inséré au centre ressorte propre. Laisser refroidir dans le moule placé sur une grille pendant 10 minutes. Retirer du moule et enlever le papier sulfurisé. Transférer sur une grille et laisser refroidir complètement.

| Éléments nutritifs par portion | |
|---|---|
| Calories | 210 |
| Glucides | 33 g |
| Fibres | 2 g |
| Protéines | 3 g |
| Lipides | 7 g |
| Fer | 1 mg |
| Calcium | 12 mg |

Les pommes sont un ingrédient courant, mais les poires fonctionnent tout aussi bien et apportent une touche d'originalité.

# Pain aux poires et aux noix

**Préchauffer le four à 350 °F (180 °C).**

**Moule à pain en verre de 23 × 12,5 cm (9 × 5 po), graissé, garnir le fond d'une feuille de papier sulfurisé.**

| | | |
|---|---|---|
| 1 tasse | farine de sorgho | 250 ml |
| ¼ tasse | fécule de tapioca | 60 ml |
| 2 c. à t. | poudre à pâte sans gluten | 10 ml |
| ¼ c. à t. | sel | 1 ml |
| ¼ c. à t. | cannelle moulue | 1 ml |
| ½ tasse | sucre brut de canne | 125 ml |
| ¼ tasse | beurre, ramolli | 60 ml |
| 2 | œufs | 2 |
| 1 c. à t. | extrait de vanille | 5 ml |
| 1 tasse | poires fermes, grossièrement broyées (environ 2) | 250 ml |
| 1 tasse | noix, hachées | 250 ml |

1. Dans un bol de grandeur moyenne, fouetter ensemble la farine de sorgho, la fécule de tapioca, la poudre à pâte, le sel et la cannelle.

2. Dans un grand bol, en utilisant un batteur électrique, crémer le sucre et le beurre jusqu'à consistance légère et mousseuse. Incorporer les œufs un à la fois jusqu'à consistance homogène. Incorporer la vanille. Incorporer les ingrédients secs jusqu'à ce que les ingrédients soient combinés. Ajouter délicatement les poires et les noix.

3. Verser le mélange dans le moule à pain. Cuire au four de 45 à 50 minutes ou jusqu'à ce qu'un cure-dent inséré au centre en ressorte propre. Laisser refroidir dans le moule placé sur une grille pendant 10 minutes. Retirer du moule et enlever le papier sulfurisé. Transférer sur une grille et laisser refroidir complètement.

## Conseil

Optez pour les poires qui sont dures lorsque vous pressez le col près du pédoncule. Assurez-vous de ne pas utiliser des poires mûres et molles puisqu'elles seront trop juteuses pour ce pain. N'épluchez pas les poires : en plus d'ajouter de l'allure au pain, la peau enrichit les éléments nutritifs et la texture.

| Éléments nutritifs par portion | |
|---|---|
| Calories | 280 |
| Glucides | 34 g |
| Fibres | 3 g |
| Protéines | 6 g |
| Lipides | 17 g |
| Fer | 1 mg |
| Calcium | 33 mg |

Ce pain tendre, qui se tranche facilement, est idéal pour les sandwichs. Savourez-le avec du beurre et de la confiture, comme le fait le mari de Theresa.

# Pain brun pour sandwich

## Conseils

Réchauffez le lait dans une tasse à mesurer en verre au micro-ondes à puissance élevée pendant 1 minute, ou de façon traditionnelle, dans une petite casserole à feu doux.

Si vous n'avez pas de moule à pain en verre, utilisez un moule en métal et ajoutez de 5 à 10 minutes au temps de cuisson.

Laissez le pain refroidir complètement avant de le couper en tranches. Utilisez un couteau à pain denté pour de meilleurs résultats. Emballez le pain refroidi et conservez-le à température ambiante jusqu'à 4 jours ou réfrigérez-le jusqu'à 1 mois.

**Batteur sur socle.**

**Moule à pain en verre de 23 × 12,5 cm (9 × 5 po), graissé, garnir le fond d'une feuille de papier sulfurisé.**

| | | |
|---|---|---|
| 1 tasse | farine de sorgho | 250 ml |
| ⅓ tasse | enveloppes de psyllium (voir p. 143) | 75 ml |
| ¼ tasse | farine de riz blanc | 60 ml |
| ¼ tasse | farine de riz brun | 60 ml |
| ¼ tasse | fécule de tapioca | 60 ml |
| 2 c. à s. | sucre brut de canne | 30 ml |
| 1 c. à t. | sel | 5 ml |
| ¼ tasse | beurre froid, en cubes | 60 ml |
| 2 c. à t. | levure à action rapide | 10 ml |
| 1 tasse | lait sans lactose à 1 %, chauffé de 120 °F à 130 °F (50 °C à 55 °C) | 250 ml |
| 2 | œufs, légèrement battus | 2 |

1. Dans le grand bol du batteur, mélanger la farine de sorgho, le psyllium, la farine de riz blanc, la farine de riz brun, la fécule de tapioca, le sucre, le sel et le beurre. Battre à faible vitesse jusqu'à ce que le beurre soit bien incorporé. Ajouter la levure et battre pendant 1 minute.

2. À faible vitesse, ajouter peu à peu le lait en battant jusqu'à ce qu'il soit incorporé (1 minute). Incorporer les œufs. Battre 5 minutes et arrêter à la moitié pour racler les parois du bol.

3. Étendre la pâte dans le moule. Couvrir avec une serviette et laisser lever dans un endroit chaud environ 1 heure ou jusqu'à ce que la pâte ait doublé. Préchauffer le four à 350 °F (180 °C).

4. Cuire de 35 à 40 minutes ou jusqu'à ce que le pain soit doré et qu'un cure-dent inséré au centre en ressorte propre. Laisser refroidir sur une grille 5 minutes. Glisser un couteau autour de la paroi et démouler le pain. Enlever le papier sulfurisé, transférer le pain sur une grille et laisser refroidir complètement.

### Éléments nutritifs par portion

| | |
|---|---|
| Calories | 110 |
| Glucides | 15 g |
| Fibres | 2 g |
| Protéines | 3 g |
| Lipides | 4 g |
| Fer | 0,5 mg |
| Calcium | 23 mg |

Ce délicieux pain peut accompagner le dîner ou le souper ou peut être servi comme hors-d'œuvre.

# Pain plat aux olives et aux herbes

**Batteur sur socle.**
**Moule à pain en verre de 23 × 12,5 cm** (9 × 5 po), graissé avec de l'huile d'olive, garnir le fond d'une feuille de papier sulfurisé.

| | | |
|---|---|---|
| 1 tasse | farine de sorgho | 250 ml |
| 1/3 tasse | enveloppes de psyllium | 75 ml |
| 1/4 tasse | farine de riz blanc | 60 ml |
| 1/4 tasse | farine de riz brun | 60 ml |
| 1/4 tasse | fécule de tapioca | 60 ml |
| 2 c. à s. | sucre brut de canne | 30 ml |
| 1 c. à s. | assaisonnement à l'italienne séché | 15 ml |
| 1 c. à t. | sel | 5 ml |
| 1/4 tasse | beurre froid, en cubes | 60 ml |
| 2 c. à t. | levure à action rapide | 10 ml |
| 1 tasse | lait sans lactose à 1 %, chauffé de 120 °F à 130 °F (50 °C à 55 °C) | 250 ml |
| 2 | œufs, légèrement battus | 2 |
| 1/2 tasse | olives Kalamata, tranchées | 125 ml |

**Garniture**

| | | |
|---|---|---|
| 1 c. à t. | huile d'olive | 5 ml |
| | assaisonnement à l'italienne séché | |
| | sel et poivre noir fraîchement moulu | |

## Conseils

Réchauffez le lait dans une tasse à mesurer en verre au micro-ondes à puissance élevée pendant 1 minute, ou de façon traditionnelle, dans une petite casserole à feu doux.

Ce pain plat peut être accompagné d'une trempette faite à partir de 2 c. à s. (30 ml) d'huile d'olive mélangées avec 1 c. à t. (5 ml) de vinaigre.

| Éléments nutritifs par portion | |
|---|---|
| Calories | 220 |
| Glucides | 30 g |
| Fibres | 5 g |
| Protéines | 6 g |
| Lipides | 9 g |
| Fer | 1 mg |
| Calcium | 52 mg |

1. Dans le grand bol du batteur, mélanger la farine de sorgho, le psyllium, la farine de riz blanc, la farine de riz brun, la fécule de tapioca, le sucre, l'assaisonnement, le sel et le beurre. Battre à faible vitesse jusqu'à ce que le beurre soit bien incorporé. Ajouter la levure et battre 1 minute.

2. À faible vitesse, ajouter le lait en battant 1 minute. Incorporer les œufs. Battre 5 minutes, et arrêter à la moitié pour racler les parois du bol. Incorporer les olives. Étendre la pâte dans le moule.

3. *Garniture :* napper la pâte d'huile d'olive et assaisonner de sel, de poivre et d'assaisonnement à l'italienne. Recouvrir avec une serviette et laisser lever dans un endroit chaud environ 1 heure ou jusqu'à ce que la pâte ait doublé en volume. Préchauffer le four à 350 °F (180 °C).

4. Cuire de 35 à 40 minutes ou jusqu'à ce que le pain soit doré et qu'un cure-dent inséré au centre en ressorte propre. Laisser refroidir placé sur une grille 5 minutes. Glisser un couteau autour de la paroi et démouler le pain. Enlever le papier sulfurisé, transférer sur une grille et laisser refroidir.

Les popovers sont un véritable délice qui peut tout aussi bien accompagner une soupe qu'un rôti de bœuf. Ils ressemblent beaucoup au fameux pouding du Yorkshire.

# Popovers

## Conseil

Optez pour votre succédané de lait favori, comme le lait de soya, le lait de riz, le lait d'amande ou un lait à base de pomme de terre. Si vous tolérez bien le lactose, utilisez du lait à 1 %.

**Préchauffer le four à 450 °F (230 °C).**
**Moule à muffins pour 12 muffins.**

| | | |
|---|---|---|
| ½ tasse | farine de riz blanc | 125 ml |
| 1 c. à s. | enveloppes de psyllium (voir p. 143) | 15 ml |
| ¼ c. à t. | sel | 1 ml |
| 2 | œufs, légèrement battus | 2 |
| 1 tasse | lait sans lactose à 1 % ou succédané de lait enrichi sans gluten | 250 ml |
| 1 c. à s. | beurre, fondu | 15 ml |

1. Dans un grand bol, mélanger la farine de riz blanc, les enveloppes de psyllium et le sel.

2. Dans un autre bol, fouetter ensemble les œufs, le lait et le beurre. Verser dans les ingrédients secs et remuer jusqu'à consistance homogène.

3. Verser la pâte dans les moules à muffins en divisant le mélange également. Cuire au four pendant 15 minutes. Réduire la température à 350 °F (180 °C) et cuire pendant 5 minutes ou jusqu'à ce qu'ils soient dorés. Laisser refroidir dans le moule placé sur une grille pendant 5 minutes. Glisser un couteau autour de la paroi du moule et démouler les popovers. Servir chauds.

| Éléments nutritifs par portion | |
|---|---|
| Calories | 50 |
| Glucides | 6 g |
| Fibres | 1 g |
| Protéines | 2 g |
| Lipides | 2 g |
| Fer | 0,2 mg |
| Calcium | 33 mg |

L'un des aliments dont Theresa s'ennuyait en suivant un régime sans gluten était les biscuits, mais plus maintenant! Elle sert ces biscuits avec du beurre et de la confiture.

Donne
**12 biscuits**
(1 par portion)

# Biscuits classiques pour le thé

**Préchauffer le four à 350 °F (180 °C).**
**Plaque à biscuits, recouverte de papier sulfurisé.**

| | | |
|---|---|---|
| ½ tasse | fécule de pomme de terre | 125 ml |
| ¼ tasse | farine de sorgho | 60 ml |
| ¼ tasse | farine de riz brun | 60 ml |
| 1 c. à s. | sucre brut de canne | 15 ml |
| 2 c. à t. | poudre à pâte sans gluten | 10 ml |
| 2 c. à s. | beurre froid ou margarine végétalienne, en morceaux | 30 ml |
| 1 | blanc d'œuf, légèrement battu | 1 |
| ¼ tasse | lait sans lactose à 1 % ou succédané de lait enrichi sans gluten | 60 ml |

1. Dans un grand bol, mélanger la fécule de pomme de terre, la farine de sorgho, la farine de riz brun, le sucre et la poudre à pâte. En utilisant un mélangeur à pâtisserie ou deux couteaux, couper le beurre jusqu'à ce que le mélange ressemble à des pois.

2. Dans un autre bol, fouetter ensemble le blanc d'œuf et le lait. Verser dans les ingrédients secs et mélanger jusqu'à consistance homogène.

3. En utilisant une cuiller, découper 12 cuillerées de pâte et les placer à 5 cm (2 po) les unes des autres sur la plaque. Cuire au four de 10 à 12 minutes ou jusqu'à ce que les biscuits soient fermes au toucher. Laisser refroidir sur la plaque pendant environ 5 minutes. Transférer les biscuits sur une grille et laisser refroidir légèrement. Servir chaud.

## Conseil

Optez pour votre succédané de lait favori, comme le lait de soya, le lait de riz, le lait d'amande ou un lait à base de pomme de terre. Si vous tolérez bien le lactose, utilisez du lait à 1 %.

## Variation

*Biscuits classiques avec raisins pour le thé*: ajouter ½ c. à t. (2 ml) de cannelle moulue à la poudre à pâte et ajouter ½ tasse (125 ml) de raisins à la pâte à la fin de l'étape 2. Cuire comme indiqué.

| Éléments nutritifs par portion | |
|---|---|
| Calories | 70 |
| Glucides | 13 g |
| Fibres | 0 g |
| Protéines | 1 g |
| Lipides | 2 g |
| Fer | 0,2 mg |
| Calcium | 14 mg |

Ces biscuits accompagnent bien les repas à base de viande ou les soupes.

# Biscuits salés pour le thé

## Conseil

Optez pour votre succédané de lait favori, comme le lait de soya, le lait de riz, le lait d'amande ou un lait à base de pomme de terre. Si vous tolérez bien le lactose, utilisez du lait à 1 %.

**Préchauffer le four à 350 °F** (180 °C).
**Plaque à biscuits, recouverte de papier sulfurisé.**

| ½ tasse | fécule de pomme de terre | 125 ml |
|---|---|---|
| ¼ tasse | farine de sorgho | 60 ml |
| ¼ tasse | farine de riz brun | 60 ml |
| 1 c. à s. | sucre brut de canne | 15 ml |
| 2 c. à t. | poudre à pâte sans gluten | 10 ml |
| 2 c. à s. | beurre froid ou margarine végétalienne, en morceaux | 30 ml |
| 1 | blanc d'œuf, légèrement battu | 1 |
| ¼ tasse | lait sans lactose à 1 % ou succédané de lait enrichi sans gluten | 60 ml |
| ¼ tasse | tomates séchées au soleil dans l'huile, égouttées | 60 ml |
| ¼ tasse | romano, râpé | 60 ml |
| ½ c. à t. | paprika | 2 ml |
| ½ c. à t. | assaisonnement à l'italienne séché | 2 ml |

1. Dans un grand bol, mélanger la fécule de pomme de terre, la farine de sorgho, la farine de riz brun, le sucre et la poudre à pâte. En utilisant un mélangeur à pâtisserie ou deux couteaux, couper le beurre jusqu'à ce que le mélange ressemble à des pois.

2. Dans un autre bol, fouetter ensemble le blanc d'œuf et le lait. Verser dans les ingrédients secs et mélanger jusqu'à consistance homogène. Incorporer les tomates, le fromage, le paprika et l'assaisonnement.

3. En utilisant une cuiller, découper 15 cuillerées de pâte et les placer à 5 cm (2 po) les unes des autres sur la plaque. Cuire au four de 10 à 12 minutes ou jusqu'à ce que les biscuits soient dorés. Laisser refroidir sur la plaque pendant environ 5 minutes. Transférer les biscuits sur une grille et laisser refroidir légèrement. Servir chauds.

## Éléments nutritifs par portion

| Calories | 90 |
|---|---|
| Glucides | 13 g |
| Fibres | 1 g |
| Protéines | 2 g |
| Lipides | 4 g |
| Fer | 0,3 mg |
| Calcium | 43 mg |

Quand Theresa prononce les mots « muffins santé », ses fils grimacent. Mais quand des muffins ont aussi bon goût que ceux-ci, il est facile d'oublier qu'ils sont une solution santé. Servez-les pour accompagner des repas à base de poulet quand vous voulez impressionner vos amis.

**Donne
9 muffins**
(1 par portion)

# Muffins au millet et au lin

Préchauffer le four à 350 °F (180 °C).

**Moule pour 12 muffins, 9 cavités tapissées de coupelles de papier.**

| ½ tasse | gruau de millet | 125 ml |
|---|---|---|
| ¼ tasse | farine de riz brun | 60 ml |
| ¼ tasse | graines de lin moulues (farine de lin) | 60 ml |
| 2 c. à t. | poudre à pâte sans gluten | 10 ml |
| 1 | œuf | 1 |
| 2 c. à s. | sucre brut de canne | 30 ml |
| ½ tasse | lait sans lactose à 1 % ou succédané de lait enrichi sans gluten | 125 ml |
| 2 c. à s. | compote de pommes | 30 ml |

1. Dans un grand bol, fouetter ensemble le gruau de millet, la farine de riz brun, les graines de lin et la poudre à pâte.

2. Dans un bol de grandeur moyenne, fouetter ensemble l'œuf, le sucre, le lait et la compote de pommes jusqu'à consistance homogène. Verser dans les ingrédients secs et remuer jusqu'à consistance homogène.

3. Mettre la pâte dans le moule à muffins à l'aide d'une cuiller en la répartissant également. Cuire au four de 15 à 20 minutes ou jusqu'à ce qu'un cure-dent inséré au centre en ressorte propre. Laisser refroidir dans le moule sur une grille pendant 5 minutes. Transférer les muffins sur une grille pour qu'ils refroidissent.

## Conseil

Optez pour votre succédané de lait favori, comme le lait de soya, le lait de riz, le lait d'amande ou un lait à base de pomme de terre. Si vous tolérez bien le lactose, utilisez du lait à 1 %.

| Éléments nutritifs par portion | |
|---|---|
| Calories | 100 |
| Glucides | 18 g |
| Fibres | 3 g |
| Protéines | 4 g |
| Lipides | 3 g |
| Fer | 2 mg |
| Calcium | 33 mg |

Quand vous introduisez de l'avoine pure et non contaminée dans votre régime, commencez par de petites quantités, comme l'un de ces muffins pour le déjeuner. Pour plus de renseignements, voir la page 43.

# Muffins aux abricots et à l'avoine

## Conseils

Assurez-vous que l'avoine que vous achetez soit étiquetée « avoine pure » ou qu'elle soit certifiée sans gluten – cette précaution vous assure qu'il n'y a pas eu de contamination croisée par le blé, l'orge ou le seigle.

Optez pour votre succédané de lait favori, comme le lait de soya, le lait de riz, le lait d'amande ou un lait à base de pomme de terre. Si vous tolérez bien le lactose, utilisez du lait à 1 %.

**Préchauffer le four à 350 °F** (180 °C).
**Moule pour 12 muffins, tapissé de coupelles de papier.**

| | | |
|---|---|---|
| ½ tasse | farine de sorgho | 125 ml |
| ½ tasse | fécule de tapioca | 125 ml |
| ½ tasse | gros flocons d'avoine (à l'ancienne) sans gluten | 125 ml |
| 2 c. à t. | poudre à pâte sans gluten | 10 ml |
| 1 c. à t. | cannelle moulue | 5 ml |
| 2 | œufs | 2 |
| ¼ tasse | sucre brut de canne | 60 ml |
| ½ tasse | lait sans lactose à 1 % ou succédané de lait enrichi sans gluten | 125 ml |
| ¼ tasse | huile de tournesol | 60 ml |
| ¼ tasse | mélasse de fantaisie | 60 ml |
| ½ tasse | abricots, hachés | 125 ml |
| ½ tasse | noix, hachées | 125 ml |

1. Dans un grand bol, fouetter ensemble la farine de sorgho, la fécule de tapioca, l'avoine, la poudre à pâte et la cannelle.

2. Dans un bol de grandeur moyenne, fouetter ensemble les œufs, le sucre, le lait, l'huile et la mélasse jusqu'à consistance homogène. Verser dans les ingrédients secs et remuer jusqu'à consistance homogène. Incorporer délicatement les abricots et les noix.

3. Mettre la pâte dans le moule à muffins à l'aide d'une cuiller en la répartissant également. Cuire au four 25 minutes ou jusqu'à ce qu'un cure-dent inséré au centre en ressorte propre. Laisser refroidir dans le moule sur une grille pendant 5 minutes. Transférer les muffins sur une grille pour qu'ils refroidissent.

| Éléments nutritifs par portion | |
|---|---|
| Calories | 200 |
| Glucides | 27 g |
| Fibres | 2 g |
| Protéines | 5 g |
| Lipides | 10 g |
| Fer | 2 mg |
| Calcium | 57 mg |

Theresa s'est inspirée d'une comptine entendue dans un film quand elle a nommé ces muffins.

Donne
**12 muffins**
(1 par portion)

# Muffins Froudouli

**Préchauffer le four à 350 °F** (180 °C).
**Moule pour 12 muffins, tapissé de coupelles de papier.**

| | | |
|---|---|---|
| ½ tasse | gruau de millet | 125 ml |
| ½ tasse | farine de riz brun | 125 ml |
| ¼ tasse | fécule de pomme de terre | 60 ml |
| 2 c. à t. | poudre à pâte sans gluten | 10 ml |
| 1 c. à t. | cannelle moulue | 5 ml |
| 2 | œufs | 2 |
| ¼ tasse | sucre brut de canne | 60 ml |
| 1 tasse | compote de pommes non sucrée | 250 ml |
| 2 c. à s. | huile de pépins de raisin | 30 ml |
| 1 c. à t. | extrait de vanille | 5 ml |
| 1 tasse | noix, hachées | 250 ml |
| 1 tasse | abricots séchés, tranchés ou cerises séchées | 250 ml |

1. Dans un grand bol, fouetter ensemble le gruau de millet, la farine de riz brun, la fécule de pomme de terre, la poudre à pâte et la cannelle.

2. Dans un bol de grandeur moyenne, fouetter ensemble les œufs, le sucre, la compote de pomme, l'huile et la vanille jusqu'à consistance homogène. Verser dans les ingrédients secs et remuer jusqu'à consistance homogène. Incorporer délicatement les abricots et les noix.

3. Mettre la pâte dans le moule à muffins à l'aide d'une cuiller en la répartissant également. Cuire au four de 20 à 25 minutes ou jusqu'à ce qu'un cure-dent inséré au centre en ressorte propre. Laisser refroidir dans le moule sur une grille pendant 5 minutes. Transférer les muffins sur une grille pour qu'ils refroidissent.

| Éléments nutritifs par portion | |
|---|---|
| Calories | 220 |
| Glucides | 31 g |
| Fibres | 3 g |
| Protéines | 4 g |
| Lipides | 10 g |
| Fer | 2 mg |
| Calcium | 29 mg |

Ces muffins se congèlent bien, vous pouvez donc toujours en avoir un sous la main pour un déjeuner rapide ou pour une collation. Vous n'avez qu'à le réchauffer au micro-ondes pendant 30 secondes et c'est parti.

# Muffins aux bleuets

## Conseils

Pour extraire le zeste du citron, utilisez une râpe, comme une microplane.

Optez pour votre succédané de lait favori, comme le lait de soya, le lait de riz, le lait d'amande ou un lait à base de pomme de terre. Si vous tolérez bien le lactose, utilisez du lait à 1 %.

**Préchauffer le four à 350 °F (180 °C).**

**Moule pour 12 muffins, tapissé de coupelles de papier.**

| | | |
|---|---|---|
| ½ tasse | farine de riz brun | 125 ml |
| ¼ tasse | farine de sorgho | 60 ml |
| ¼ tasse | fécule de pomme de terre | 60 ml |
| ¼ tasse | graines de lin moulues (farine de lin) | 60 ml |
| 2 c. à t. | poudre à pâte sans gluten | 10 ml |
| ½ c. à t. | sel | 2 ml |
| 2 | œufs | 2 |
| ¼ tasse | sucre brut de canne | 60 ml |
| ½ tasse | compote de pommes non sucrée | 125 ml |
| ¼ tasse | lait sans lactose à 1 % ou succédané de lait enrichi sans gluten | 60 ml |
| 1 tasse | pommes, pelées, coupées en morceaux | 250 ml |
| 1 tasse | bleuets frais ou congelés | 250 ml |
| ¼ tasse | noix, hachées | 60 ml |
| 2 c. à t. | zeste de citron, râpé | 10 ml |

1. Dans un grand bol, fouetter ensemble la farine de riz brun, la farine de sorgho, la fécule de pomme de terre, les graines de lin, la poudre à pâte et le sel.

2. Dans un bol de grandeur moyenne, fouetter ensemble les œufs, le sucre, la compote de pommes et le lait jusqu'à consistance homogène. Verser dans les ingrédients secs et remuer jusqu'à consistance homogène. Incorporer délicatement les pommes, les bleuets, les noix et le zeste de citron.

3. Mettre la pâte dans le moule à muffins à l'aide d'une cuiller en la répartissant également. Cuire au four de 20 à 25 minutes ou jusqu'à ce qu'un cure-dent inséré au centre en ressorte propre. Laisser refroidir dans le moule sur une grille pendant 5 minutes. Transférer les muffins sur une grille pour qu'ils refroidissent.

| Éléments nutritifs par portion | |
|---|---|
| Calories | 120 |
| Glucides | 20 g |
| Fibres | 2 g |
| Protéines | 3 g |
| Lipides | 3,5 g |
| Fer | 1 mg |
| Calcium | 26 mg |

Cette recette est faible en gras mais pleine de saveur et d'éléments nutritifs – une recette gagnante!

Donne
**12 muffins**
(1 par portion)

# Muffins aux ananas et aux carottes

**Préchauffer le four à 350 °F** (180 °C).
**Moule pour 12 muffins, tapissé de coupelles de papier.**

| | | |
|---|---|---|
| ½ tasse | farine de riz brun | 125 ml |
| ¼ tasse | farine de sorgho | 60 ml |
| ¼ tasse | farine de teff | 60 ml |
| 2 c. à t. | poudre à pâte sans gluten | 10 ml |
| 1 c. à t. | cannelle moulue | 5 ml |
| ¼ c. à t. | sel | 1 ml |
| 2 | œufs | 2 |
| ¼ tasse | sucre brut de canne | 60 ml |
| 1 c. à s. | huile végétale | 15 ml |
| 1 tasse | ananas en conserve non sucré, finement haché | 250 ml |
| 1 tasse | carottes, râpées | 250 ml |
| ½ tasse | noix, hachées et rôties | 125 ml |

## Conseil

Pour faire rôtir les noix, les étendre sur une plaque de cuisson et cuire à 350 °F (180 °C) de 5 à 8 minutes ou rôtir à sec dans une poêle en remuant constamment de 3 à 5 minutes jusqu'à ce qu'elles soient rôties et odorantes.

1. Dans un grand bol, fouetter ensemble la farine de riz brun, la farine de sorgho, la farine de teff, la poudre à pâte, la cannelle et le sel.

2. Dans un bol de grandeur moyenne, fouetter ensemble les œufs, le sucre et l'huile jusqu'à consistance homogène. Incorporer les ananas. Verser dans les ingrédients secs et remuer jusqu'à consistance homogène. Incorporer délicatement les carottes et les noix.

3. Mettre la pâte dans le moule à muffins à l'aide d'une cuiller en la répartissant également. Cuire au four de 25 à 30 minutes ou jusqu'à ce qu'un cure-dent inséré au centre en ressorte propre. Laisser refroidir dans le moule sur une grille pendant 5 minutes. Transférer les muffins sur une grille pour qu'ils refroidissent.

| Éléments nutritifs par portion | |
|---|---|
| Calories | 130 |
| Glucides | 18 g |
| Fibres | 2 g |
| Protéines | 3 g |
| Lipides | 5 g |
| Fer | 1 mg |
| Calcium | 20 mg |

Ces muffins aux fruits et aux noix font une bonne collation du matin ou un savoureux déjeuner rapide.

# Muffins aux fraises et aux amandes

## Conseil

Optez pour votre succédané de lait favori, comme le lait de soya, le lait de riz, le lait d'amande ou un lait à base de pomme de terre. Si vous tolérez bien le lactose, utilisez du lait à 1 %.

Préchauffer le four à 350 °F (180 °C).

Moule pour 12 muffins, 10 cavités tapissées de coupelles de papier.

| ½ tasse | farine de sorgho | 125 ml |
|---|---|---|
| ½ tasse | farine d'amarante | 125 ml |
| 2 c. à t. | poudre à pâte sans gluten | 10 ml |
| ½ c. à t. | cannelle moulue | 2 ml |
| ¼ c. à t. | sel | 1 ml |
| ½ tasse | sucre brut de canne | 125 ml |
| ¼ tasse | beurre ou margarine végétalienne, ramolli(e) | 60 ml |
| ¼ tasse | fromage à la crème ou fromage à la crème de soya, ramolli | 60 ml |
| 1 | œuf | 1 |
| ¼ tasse | lait sans lactose à 1 % ou succédané de lait enrichi sans gluten | 60 ml |
| 1 tasse | fraises, en morceaux | 250 ml |
| 1 tasse | amandes effilées | 250 ml |

1. Dans un grand bol, fouetter la farine de sorgho, la farine d'amarante, la poudre à pâte, la cannelle et le sel.

2. Dans un bol moyen, faire mousser le sucre, le beurre et le fromage à la crème au batteur. Ajouter l'œuf, puis le lait. Verser dans les ingrédients secs et remuer jusqu'à consistance homogène. Incorporer les fraises et les amandes.

3. Mettre la pâte dans le moule à muffins à l'aide d'une cuiller en la répartissant également. Cuire au four de 20 à 25 minutes ou jusqu'à ce qu'un cure-dent inséré au centre en ressorte propre. Laisser refroidir dans le moule sur une grille pendant 5 minutes. Transférer les muffins sur une grille pour qu'ils refroidissent.

| Éléments nutritifs par portion | |
|---|---|
| Calories | 230 |
| Glucides | 23 g |
| Fibres | 3 g |
| Protéines | 6 g |
| Lipides | 14 g |
| Fer | 1 mg |
| Calcium | 68 mg |

Ces muffins sont faibles en matières grasses mais pleins de saveur. Pendant qu'ils cuisent, une odeur délectable flottera dans la maison – soyez patients et laissez-les refroidir un peu avant de les dévorer !

Donne
**12 muffins**
(1 par portion)

# Muffins aux courgettes et à l'avoine

Préchauffer le four à 350 °F (180 °C).
Moule pour 12 muffins, tapissé de coupelles de papier.

| | | |
|---|---|---|
| ½ tasse | farine de sorgho | 125 ml |
| ½ tasse | gros flocons d'avoine (à l'ancienne) (voir conseil p. 163) | 125 ml |
| ¼ tasse | graines de tournesol non salées | 60 ml |
| 2 c. à t. | poudre à pâte sans gluten | 10 ml |
| 2 c. à t. | cannelle moulue | 10 ml |
| 2 | œufs | 2 |
| ¼ tasse | sucre brut de canne | 60 ml |
| ¼ tasse | compote de pommes non sucrée | 60 ml |
| 2 c. à s. | huile de pépins de raisin | 30 ml |
| 2 tasses | courgettes, râpées | 500 ml |
| ¼ tasse | raisins | 60 ml |

## Conseil

Ne pelez pas les courgettes – la peau ajoute des éléments nutritifs et de la couleur. Cependant, si vos enfants sont comme ceux de Theresa et que vous voulez qu'ils mangent ces muffins sans s'apercevoir des morceaux verts, vous pouvez les peler avant de les broyer.

1. Dans un grand bol, fouetter ensemble la farine de sorgho, l'avoine, les graines de tournesol, la poudre à pâte et la cannelle.

2. Dans un bol de grandeur moyenne, fouetter ensemble les œufs, le sucre, la compote de pommes et l'huile jusqu'à consistance homogène. Incorporer les courgettes. Verser dans les ingrédients secs et remuer jusqu'à consistance homogène. Incorporer délicatement les raisins.

3. Mettre la pâte dans le moule à muffins à l'aide d'une cuiller en la répartissant également. Cuire au four de 25 à 30 minutes ou jusqu'à ce qu'un cure-dent inséré au centre en ressorte propre. Laisser refroidir dans le moule sur une grille pendant 5 minutes. Transférer les muffins sur une grille pour qu'ils refroidissent.

| Éléments nutritifs par portion | |
|---|---|
| Calories | 110 |
| Glucides | 16 g |
| Fibres | 2 g |
| Protéines | 3 g |
| Lipides | 5 g |
| Fer | 1 mg |
| Calcium | 25 mg |

Theresa aime tellement le pain aux bananes qu'elle a élaboré une recette pour satisfaire ses besoins nutritionnels et ses goûts. Alex a suggéré d'ajouter des abricots séchés et de la farine de teff pour plus de fer et de fibres et des amandes pour davantage de calcium.

# Pain aux bananes et aux amandes

## Conseil

Si vous n'avez pas de moule à pain en verre, utilisez un moule en métal et ajoutez de 5 à 10 minutes au temps de cuisson.

**Préchauffer le four à 350 °F (180 °C).**

**Moule à pain en verre de 23 × 12,5 cm (9 × 5 po), graissé, garnir le fond d'une feuille de papier sulfurisé.**

| | | |
|---|---|---|
| ¾ tasse | farine de sorgho | 175 ml |
| ¼ tasse | farine de teff | 60 ml |
| 2 c. à t. | poudre à pâte sans gluten | 10 ml |
| 1 c. à t. | bicarbonate de sodium | 5 ml |
| ¼ c. à t. | sel | 1 ml |
| 2 | œufs | 2 |
| ½ tasse | sucre brut de canne | 125 ml |
| ⅓ tasse | huile végétale | 75 ml |
| 1 c. à t. | extrait d'amande | 5 ml |
| 1 tasse | bananes mûres, réduites en purée | 250 ml |
| ¼ tasse | abricots secs, hachés | 60 ml |
| ¼ tasse | amandes effilées | 60 ml |

1. Dans un grand bol, fouetter ensemble la farine de sorgho, la farine de teff, la poudre à pâte, le bicarbonate de sodium et le sel.

2. Dans un bol de grosseur moyenne, fouetter ensemble les œufs, le sucre, l'huile et l'extrait d'amande jusqu'à consistance homogène. Incorporer les bananes. Verser les ingrédients secs et mélanger jusqu'à ce que les ingrédients soient combinés. Ajouter délicatement les abricots et les amandes.

3. Verser le mélange dans le moule à pain. Cuire au four environ 50 minutes ou jusqu'à ce qu'un cure-dent inséré au centre en ressorte propre. Laisser refroidir dans le moule placé sur une grille pendant 10 minutes. Retirer du moule et enlever le papier sulfurisé. Transférer sur une grille et laisser refroidir complètement.

## Éléments nutritifs par portion

| | |
|---|---|
| Calories | 260 |
| Glucides | 34 g |
| Fibres | 3 g |
| Protéines | 5 g |
| Lipides | 13 g |
| Fer | 1 mg |
| Calcium | 35 mg |

# Soupes et salades

La mère de Theresa a généreusement accepté de partager cette simple et délicieuse recette. Les ingrédients de la minestrone peuvent changer de semaine en semaine selon ce dont vous disposez. Soyez aventureux et essayez les légumes que vous avez sous la main – vous ne serez pas déçu.

# Minestrone

## Conseil

Une conserve de 19 oz (540 ml) de haricots donnera environ 2 tasses (500 ml) une fois les haricots égouttés et rincés. Si vous avez des conserves plus petites ou plus grosses, vous pouvez utiliser le volume recommandé ou ajouter le volume de votre conserve.

## Variation

Remplacez le poulet par du bœuf. Ajoutez 1 tasse (250 ml) de pâtes sans gluten cuites à votre soupe.

| | | |
|---|---|---|
| 1 c. à s. | huile de pépins de raisin | 15 ml |
| 1 | gousse d'ail, finement hachée | 1 |
| ½ tasse | oignon, haché | 125 ml |
| 1 c. à s. | persil frais, haché | 15 ml |
| 1 | pomme de terre (avec la peau), hachée | 1 |
| 1 | tomate, hachée | 1 |
| 2 | tasses de haricots romains, égouttés et rincés | 500 ml |
| 1 tasse | poulet cuit, coupé en cubes | 250 ml |
| ½ tasse | pois | 125 ml |
| ½ tasse | fleurons de brocoli | 125 ml |
| ½ tasse | céleri, haché | 125 ml |
| ¼ tasse | tomates séchées au soleil dans l'huile, égouttées | 60 ml |
| | sel et poivre noir fraîchement moulu | |

1. Dans une grande casserole, chauffer l'huile à feu moyen. Faire revenir l'ail, l'oignon et le persil de 3 à 4 minutes ou jusqu'à ce que les morceaux d'oignons soient ramollis.

2. Incorporer la pomme de terre, la tomate, les haricots, le poulet, les pois, le brocoli, le céleri, les tomates séchées et 8 tasses (2 l) d'eau; amener à ébullition à feu moyen-élevé. Couvrir en laissant le couvercle entrouvert, réduire le feu et laisser mijoter en remuant à l'occasion pendant 30 minutes ou jusqu'à ce que les légumes soient tendres (ou jusqu'à une 1 ½ heure pour une texture très tendre). Assaisonner de sel et de poivre, au goût.

## Éléments nutritifs par portion

| | |
|---|---|
| Calories | 160 |
| Glucides | 21 g |
| Fibres | 5 g |
| Protéines | 11 g |
| Lipides | 4 g |
| Fer | 2 mg |
| Calcium | 43 mg |

Cette délicieuse soupe peut être soit consistante, soit plus fluide, selon les goûts de votre famille.

# Soupe de pommes de terre, poireaux et brocoli

## Conseils

Il peut y avoir beaucoup de saletés entre les feuilles du poireau et il doit être bien nettoyé à l'eau froide avant d'être tranché.

Si vous avez un mélangeur à main, vous pouvez réduire la soupe en purée directement dans la casserole.

| | | |
|---|---|---|
| 2 c. à s. | huile de pépins de raisin | 30 ml |
| 2 | poireaux (les parties blanche et vert clair seulement), tranchés | 2 |
| 4 tasses | bouillon de légumes à teneur réduite en sodium, sans gluten | 1 l |
| 2 | pommes de terre, pelées et hachées | 2 |
| 2 tasses | brocoli, haché, frais ou congelé | 500 ml |
| 1 c. à t. | sel | 5 ml |
| ¼ c. à t. | poivre noir fraîchement moulu | 1 ml |

1. Dans une grande casserole, chauffer l'huile à feu moyen-élevé. Faire revenir les poireaux de 4 à 5 minutes ou jusqu'à ce qu'ils flétrissent. Ajouter le bouillon et 4 tasses (1 l) d'eau ; amener à ébullition. Ajouter les pommes de terre, le brocoli, le sel et le poivre ; ramener à ébullition. Abaisser le feu et laisser mijoter 15 minutes ou jusqu'à ce que les pommes de terre soient tendres.

2. Servir la soupe consistante, ou pour une consistance plus fluide, transférer la soupe dans un robot culinaire ou dans un mélangeur et réduire la soupe en une purée de la consistance désirée.

| Éléments nutritifs par portion | |
|---|---|
| Calories | 90 |
| Glucides | 13 g |
| Fibres | 3 g |
| Protéines | 2 g |
| Lipides | 3 g |
| Fer | 1 mg |
| Calcium | 47 mg |

Cette recette vous est généreusement offerte par l'amie de Theresa, Danielle. Elle est délicieuse accompagnée de popovers (voir p. 159).

# Crème de légumes d'hiver

## Conseil

Pour réduire le temps de préparation, achetez des légumes déjà coupés.

| | | |
|---|---|---|
| 4 tasses | bouillon de poulet à teneur réduite en sodium, sans gluten | 1 l |
| 2 tasses | oignons, hachés | 500 ml |
| 2 tasses | panais, hachés | 500 ml |
| 2 tasses | carottes, hachées | 500 ml |
| 2 tasses | brocoli, haché | 500 ml |
| 1 tasse | navet, haché | 250 ml |
| 5 | feuilles de laurier | 5 |
| | muscade moulue | |
| | sel et poivre noir fraîchement moulu | |

1. Dans une grande casserole, mélanger le bouillon, 4 tasses (1 l) d'eau, les oignons, les panais, les carottes, le brocoli, le navet, les feuilles de laurier et une pincée de muscade. Amener à ébullition à feu moyen-élevé. Couvrir, réduire le feu et laisser mijoter en remuant à l'occasion de 45 à 60 minutes ou jusqu'à ce que les légumes soient tendres. Jeter les feuilles de laurier.

2. À l'aide d'un mélangeur à main, ou par lots dans un robot culinaire ou un mélangeur, réduire la soupe en purée lisse. Assaisonner au goût avec du sel et du poivre. Servir la soupe saupoudrée de muscade.

## Éléments nutritifs par portion

| | |
|---|---|
| Calories | 80 |
| Glucides | 16 g |
| Fibres | 4 g |
| Protéines | 3 g |
| Lipides | 0 g |
| Fer | 1 mg |
| Calcium | 50 mg |

La mère de Theresa n'avait jamais l'air de mesurer les ingrédients quand elle préparait une soupe; elle y mettait un peu de ceci, un peu de cela. Mais pour vous aider à préparer cette magnifique soupe, Theresa a mesuré les ingrédients pour vous. Il peut être long de couper tous les légumes, mais le résultat en vaut la peine.

# Soupe à la façon de maman

## Conseils

Plus longtemps la soupe mijote, meilleur est le goût.

Cette soupe se congèle bien. Laissez refroidir, divisez en portions individuelles et congelez dans des contenants fermés hermétiquement jusqu'à un mois.

| | | |
|---|---|---|
| 2 c. à s. | huile de pépins de raisin | 30 ml |
| 3 | oignons verts, hachés | 3 |
| 3 c. à s. | persil frais, haché | 45 ml |
| 2 | carottes, hachées | 2 |
| 2 | branches de céleri, hachées | 2 |
| 1 | courgette, hachée | 1 |
| 2 tasses | pois chiches en conserve, égouttés et rincés (voir conseil p. 176) | 500 ml |
| 2 tasses | pois congelés | 500 ml |
| 2 tasses | haricots verts surgelés, hachés | 500 ml |
| 2 tasses | haricots de Lima congelés ou haricots jaunes | 500 ml |
| 4 tasses | bouillon de poulet à teneur réduite en sodium, sans gluten | 1 l |
| ¼ tasse | sauce tomate (ou 1 tomate, hachée) | 60 ml |
| ¼ c. à t. | sel | 1 ml |
| ¼ c. à t. | poivre noir fraîchement moulu | 1 ml |

1. Dans une grande casserole, chauffer l'huile à feu moyen. Faire revenir les oignons verts et le persil pendant 3 minutes ou jusqu'à ce que les oignons soient ramollis.

2. Incorporer les carottes, le céleri, la courgette, les pois chiches, les pois, les haricots verts, les haricots de Lima, le bouillon et 4 tasses (1 l) d'eau, la sauce tomate, le sel et le poivre. Couvrir en laissant le couvercle entrouvert, réduire le feu et laisser mijoter en remuant à l'occasion pendant 30 minutes ou jusqu'à ce que les légumes soient tendres (pour une texture plus lisse, laisser mijoter pendant 1 heure).

| Éléments nutritifs par portion | |
|---|---|
| Calories | 160 |
| Glucides | 25 g |
| Fibres | 7 g |
| Protéines | 8 g |
| Lipides | 0 g |
| Fer | 2 mg |
| Calcium | 56 mg |

Le fils de Theresa, Eli, est un chasseur de soupes. Un jour, il est revenu de chez un ami en ne tarissant plus d'éloges à l'égard de la soupe aux lentilles de celui-ci. L'ami a eu la gentillesse de partager sa recette avec Theresa, et avec vous.

# Soupe aux lentilles et aux épinards

## Conseil

Achetez des sacs d'épinards qui ont été congelés en petits cubes plutôt qu'en blocs. Vous pouvez mesurer les cubes et les ajouter à la soupe sans les décongeler. Si vous n'en trouvez pas, utilisez des épinards hachés surgelés, décongelés et égouttés.

| | | |
|---|---|---|
| 2 c. à s. | huile d'olive | 30 ml |
| 2 | gousses d'ail, hachées | 2 |
| ¼ tasse | oignon, haché | 60 ml |
| ¼ tasse | céleri, haché | 60 ml |
| ½ tasse | carottes, hachées | 125 ml |
| 2 tasses | lentilles en conserve, égouttées, rincées | 500 ml |
| 1 tasse | épinards congelés, en cubes | 250 ml |
| 4 tasses | bouillon de dinde (voir p. 187) ou bouillon de légumes ou de poulet à teneur réduite en sodium, sans gluten | 1 l |
| | sel et poivre fraîchement moulu | |

1. Dans une grande casserole, chauffer l'huile à feu moyen. Faire revenir l'ail, l'oignon, le céleri et les carottes de 3 à 4 minutes ou jusqu'à ce qu'ils soient ramollis.

2. Incorporer les lentilles, les épinards et le bouillon; amener à ébullition à feu vif. Couvrir en laissant le couvercle entrouvert, réduire le feu à doux et laisser mijoter en remuant à l'occasion pendant 30 minutes ou jusqu'à ce que les légumes soient tendres (pour une texture plus lisse, laisser mijoter pendant 1 heure). Assaisonner au goût avec du sel et du poivre.

| Éléments nutritifs par portion | |
|---|---|
| Calories | 220 |
| Glucides | 26 g |
| Fibres | 10 g |
| Protéines | 13 g |
| Lipides | 8 g |
| Fer | 5 mg |
| Calcium | 81 mg |

Derrière cette simple recette se cache le génie de la maman de Theresa. Cette soupe accompagne bien n'importe quel repas.

# Soupe aux pois chiches

| | | |
|---|---|---|
| 8 | petites pommes de terre, coupées en morceaux | 8 |
| 4 tasses | bouillon de poulet ou de légumes à teneur réduite en sodium, sans gluten | 1 l |
| 2 tasses | pois chiches en conserve, égouttés et rincés | 500 ml |
| ½ c. à t. | romarin séché | 2 ml |

1. Dans une grande casserole, mélanger les pommes de terre, le bouillon, les pois chiches, le romarin et 4 tasses (1 l) d'eau. Amener à ébullition à feu moyen-élevé. Couvrir en laissant le couvercle entrouvert, réduire le feu à doux et laisser mijoter en remuant à l'occasion pendant 30 minutes ou jusqu'à ce que les pommes de terre soient tendres (pour une texture plus lisse, laisser mijoter pendant 1 heure).

## Conseil

Une conserve de 19 oz (540 ml) de pois chiches donnera environ 2 tasses (500 ml) une fois les pois chiches égouttés et rincés. Si vous avez des conserves plus petites ou plus grosses, vous pouvez utiliser le volume recommandé ou ajouter le volume de votre conserve.

| Éléments nutritifs par portion | |
|---|---|
| Calories | 190 |
| Glucides | 40 g |
| Fibres | 6 g |
| Protéines | 6 g |
| Lipides | 1 g |
| Fer | 2 mg |
| Calcium | 41 mg |

Cette soupe traditionnelle italienne de pâtes et de haricots était un aliment de base dans la famille de Theresa quand elle était plus jeune. Cette version utilise des pâtes sans gluten.

# Pasta e fagioli

## Conseils

Une conserve de 19 oz (540 ml) de haricots donnera environ 2 tasses (500 ml) une fois les haricots égouttés et rincés. Si vous avez des conserves plus petites ou plus grosses, vous pouvez utiliser le volume recommandé ou ajouter le volume de votre conserve.

Vous pouvez utiliser votre variété et votre forme de pâtes sans gluten préférées pour cette soupe. Cherchez les nouvelles variétés contenant des éléments nutritifs supplémentaires, comme les pâtes de quinoa ou de riz brun.

| | | |
|---|---|---|
| 1 c. à s. | huile de pépins de raisin | 15 ml |
| 1 | gousse d'ail, hachée | 1 |
| ½ tasse | oignon, haché | 125 ml |
| 1 c. à s. | persil frais, haché | 15 ml |
| 4 tasses | bouillon de poulet ou de légumes à teneur réduite en sodium, sans gluten | 1 l |
| 2 tasses | haricots romains en conserve, rincés et égouttés | 500 ml |
| 3 c. à s. | sauce tomate | 45 ml |
| 8 oz | pâtes courtes sans gluten (voir conseil ci-contre) | 250 g |
| | sel (facultatif) | |
| ¼ tasse | romano, râpé | 60 ml |

1. Dans une grande casserole, chauffer l'huile à feu moyen. Faire revenir l'ail, l'oignon et le persil de 3 à 4 minutes ou jusqu'à ce que l'oignon soit ramolli.

2. Incorporer le bouillon, les haricots et la sauce tomate; amener à ébullition. Réduire le feu et laisser mijoter en remuant à l'occasion de 35 à 45 minutes pour amalgamer les saveurs.

3. Pendant ce temps, dans une grande casserole d'eau bouillante, cuire les pâtes selon les instructions sur l'emballage ou jusqu'à ce qu'elles soient tendres mais fermes (al dente). Égoutter.

4. Verser les pâtes dans la soupe et assaisonner au goût avec du sel, si désiré. Servir la soupe saupoudrée de fromage.

| Éléments nutritifs par portion | |
|---|---|
| Calories | 440 |
| Glucides | 77 g |
| Fibres | 12 g |
| Protéines | 17 g |
| Lipides | 7 g |
| Fer | 6 mg |
| Calcium | 199 mg |

Cette savoureuse salade est parfaite pour les rassemblements autour d'un bon gril dans la cour arrière et pour les pique-niques – ou quand vous recevez vos amis et votre famille à la maison. Elle se prépare le soir précédent ce qui permet donc de gagner du temps le jour de l'événement.

Donne de
8 à 10 portions

# Salade de chou aux mandarines et aux canneberges avec noix et raisins

| | | |
|---|---|---|
| 3 tasses | chou rouge ou vert, haché | 750 ml |
| 2 tasses | carottes, hachées | 500 ml |
| 1 tasse | céleri, haché | 250 ml |
| ½ tasse | oignons verts, hachés | 125 ml |
| 1 c. à s. | jus de citron fraîchement pressé | 15 ml |
| ½ tasse | raisins | 125 ml |
| ½ tasse | graines de citrouille verte, écalées (pepitas) | 125 ml |
| ½ tasse | canneberges fraîches | 125 ml |
| ½ tasse | moitiés de noix | 125 ml |
| 6 c. à s. | huile d'olive extra-vierge | 90 ml |
| ¼ tasse | vinaigre brun ou naturel | 60 ml |
| 1 | conserve (10 oz/284 ml) de mandarines ou d'oranges, égouttées | 1 |

1. Dans un grand bol, mélanger le chou, les carottes, le céleri et les oignons verts. Arroser de jus de citron et bien mélanger. Ajouter les raisins, les graines de citrouille, les canneberges et les noix.

2. Dans un petit bol, mélanger l'huile et le vinaigre. Verser sur la salade et bien mélanger. Ajouter des mandarines ou des oranges sur le dessus. Couvrir et réfrigérer pendant la nuit pour que les saveurs se marient.

| Éléments nutritifs par portion | |
|---|---|
| Calories | 230 |
| Glucides | 19 g |
| Fibres | 3 g |
| Protéines | 4 g |
| Lipides | 16 g |
| Fer | 2 mg |
| Calcium | 34 mg |

Pendant l'enfance de Theresa, tous les soupers de famille étaient accompagnés d'une salade. Avec ses couleurs vives et son goût frais, celle-ci est un excellent choix de tous les jours.

# Salade de tous les jours

## Conseil

Au chapitre des herbes séchées, Theresa adore le mélange séché à l'italienne. Vous pouvez aussi utiliser du basilic ou du thym, ou une combinaison des deux.

| | | |
|---|---|---|
| 4 tasses | feuilles de jeunes épinards (environ 6 oz/175 g) | 1 l |
| ½ tasse | chou rouge | 125 ml |
| ½ tasse | concombre, pelé et tranché | 125 ml |
| ½ tasse | poivron jaune, haché | 125 ml |
| ¼ tasse | poivron rouge, haché | 60 ml |
| 20 | tomates cerises | 20 |
| 2 c. à s. | vinaigre balsamique | 30 ml |
| 1 ½ c. à s. | huile d'olive extra-vierge | 22 ml |
| 1 c. à t. | herbes séchées (voir conseil ci-contre) | 5 ml |
| | sel et poivre noir fraîchement moulu | |

1. Dans un grand bol, mélanger les épinards, le chou, le concombre, le poivron jaune, le poivron rouge et les tomates.

2. Dans un petit bol, mélanger le vinaigre, l'huile et les herbes. Verser sur la salade et bien mélanger. Assaisonner au goût avec du sel et du poivre.

| Éléments nutritifs par portion | |
|---|---|
| Calories | 90 |
| Glucide | 9 g |
| Fibres | 2 g |
| Protéines | 2 g |
| Lipides | 6 g |
| Fer | 1 mg |
| Calcium | 43 mg |

Simple et délicieuse, cette recette se préparait traditionnellement à Noël dans la maison de la mère de Theresa, en Italie.
Le seul type d'orange qui pousse en Italie est l'orange
sanguine, qui en est donc l'ingrédient traditionnel, mais
d'autres types d'oranges peuvent aussi être utilisés.

**Donne
4 portions**

# Salade d'oranges aux olives

| | | |
|---|---|---|
| 3 | oranges, coupées en morceaux | 3 |
| 1 ¾ tasse | olives noires dénoyautées | 425 ml |
| 2 c. à s. | huile d'olive extra-vierge | 30 ml |
| | sel et poivre noir fraîchement moulu | |

| Éléments nutritifs par portion | |
|---|---|
| Calories | 170 |
| Glucides | 12 g |
| Fibres | 3 g |
| Protéines | 1 g |
| Lipides | 13 g |
| Fer | 2 mg |
| Calcium | 76 mg |

1. Dans un bol de grandeur moyenne, mélanger les oranges
   et les olives. Arroser d'huile d'olive et bien mélanger.
   Assaisonner au goût avec du sel et du poivre.

---

Theresa et Alex aiment toutes deux la salade grecque. Elles
ont donc concocté celle-ci pour la partager avec vous.

**Donne
4 portions**

# Salade grecque

| | | |
|---|---|---|
| 2 | tomates, coupées en quartiers | 2 |
| 1 | poivron vert, haché | 1 |
| 2 tasses | concombres anglais, tranchés | 500 ml |
| ½ tasse | olives Kalamata, tranchées | 125 ml |
| ¼ tasse | oignon rouge, haché | 60 ml |
| 2 c. à s. | huile d'olive extra-vierge | 30 ml |
| 2 c. à s. | vinaigre brun ou naturel | 30 ml |
| ½ c. à t. | origan séché | 2 ml |
| | sel et poivre noir fraîchement moulu | |
| ½ tasse | fromage feta léger ou ordinaire, émietté | 125 ml |

| Éléments nutritifs par portion | |
|---|---|
| Calories | 200 |
| Glucides | 13 g |
| Fibres | 2 g |
| Protéines | 8 g |
| Lipides | 14 g |
| Fer | 1 mg |
| Calcium | 92 mg |

1. Dans un grand bol, mélanger les tomates, le poivron vert, les concombres,
   les olives et les oignons.

2. Dans un petit bol, mélanger l'huile, le vinaigre et l'origan. Verser sur la salade et bien
   mélanger. Assaisonner au goût avec du sel et du poivre. Saupoudrer de fromage feta.

Cette salade est excellente pour les journées passées à la plage ou pour les pique-niques. Elle fait également une délicieuse collation santé quand vous avez un petit creux. La famille de Theresa l'adore à tout moment de l'année.

# Salade de pois chiches

## Conseil

Une conserve de 19 oz (540 ml) de pois chiches donnera environ 2 tasses (500 ml) une fois les pois chiches égouttés et rincés. Vous aurez donc besoin de 2 conserves de cette taille pour cette recette. Si vous avez des conserves plus petites ou plus grosses, vous pouvez utiliser le volume recommandé ou ajouter le volume de votre conserve.

| | | |
|---|---|---|
| 4 tasses | pois chiches en conserve, égouttés et rincés | 1 l |
| ½ tasse | oignon, haché | 125 ml |
| ½ tasse | poivron rouge, haché | 125 ml |
| 8 | tomates cerises, en quartiers | 8 |
| 2 | gousses d'ail, hachées | 2 |
| 2 | carottes, hachées | 2 |
| 3 c. à s. | jus de citron fraîchement pressé | 45 ml |
| 3 c. à s. | vinaigre aromatisé au romarin | 45 ml |
| 2 c. à s. | huile d'olive extra-vierge | 30 ml |
| 1 c. à s. | moutarde préparée, sans gluten | 15 ml |
| 1 c. à t. | persil séché | 5 ml |
| 1 c. à t. | basilic séché | 5 ml |
| ½ c. à t. | origan séché | 2 ml |
| ½ c. à t. | romarin séché | 2 ml |
| | sel et poivre noir fraîchement moulu | |

1. Dans un grand bol, mélanger les pois chiches, l'oignon, le poivron rouge, les tomates, l'ail et les carottes.

2. Dans un petit bol, mélanger le jus de citron, le vinaigre, l'huile, la moutarde, le persil, le basilic, l'origan et le romarin. Verser sur la salade et bien mélanger. Assaisonner au goût avec du sel et du poivre. Couvrir et réfrigérer pendant 1 heure pour permettre aux saveurs de se mélanger.

## Éléments nutritifs par portion

| | |
|---|---|
| Calories | 150 |
| Glucides | 22 g |
| Fibres | 5 g |
| Protéines | 6 g |
| Lipides | 5 g |
| Fer | 2 mg |
| Calcium | 39 mg |

Vous en avez marre des salades de pommes de terre
ordinaires ? Celle-ci est une bonne solution de rechange.

Donne
4 portions

# Salade de bettes à carde et de pommes de terre

## Conseils

Si vous préférez les bettes à carde cuites plus lisses, ajoutez-les aux pommes de terre et cuisez le tout pendant 20 minutes.

Les épinards, les endives ou les scaroles peuvent remplacer les bettes à carde selon la saison. Si vous utilisez des épinards, ajoutez-les à la dernière minute de cuisson pour qu'ils flétrissent sans être trop cuits.

Tartinés sur tranche de pain brun pour sandwich (p. 157), les restes de cette salade ont très bon goût !

| | | |
|---|---|---|
| 2 tasses | pommes de terre, coupées en cubes (avec la peau) | 500 ml |
| 4 tasses | bettes hachées | 1 l |
| 2 c. à s. | huile d'olive extra-vierge | 30 ml |
| | sel et poivre noir fraîchement moulu | |

1. Placer les pommes de terre dans une grande casserole et recouvrir de 8 tasses (2 l) d'eau. Amener à ébullition à feu moyen-élevé. Abaisser le feu et laisser mijoter 15 minutes ou jusqu'à ce que les pommes de terre soient presque tendres. Ajouter les bettes et laisser mijoter de 5 à 8 minutes ou jusqu'à ce que les pommes de terre et les bettes soient tendres. Égoutter et transférer dans un grand bol.

2. Arroser les bettes et les pommes de terre d'huile, assaisonner avec du sel et du poivre au goût et bien mélanger.

## Éléments nutritifs par portion

| | |
|---|---|
| Calories | 230 |
| Glucides | 38 g |
| Fibres | 4 g |
| Protéines | 4 g |
| Lipides | 7 g |
| Fer | 2 mg |
| Calcium | 33 mg |

Simple et délicieuse, cette salade est une véritable locomotive nutritionnelle. Grâce au quinoa, elle fournit même une protéine complète, ce qui en fait un très bon choix pour les végétariens. Elle pourra servir de 2 à 4 personnes, selon votre désir de partager !

# Salade de quinoa

## Variation

Si vous préparez cette recette pour des non-végétariens, vous pouvez remplacer le bouillon de légumes par un bouillon de dinde ou de poulet à teneur réduite en sodium et sans gluten.

| | | |
|---|---|---|
| 1 ¼ tasse | bouillon de légumes à teneur réduite en sodium, sans gluten | 300 ml |
| ¾ tasse | quinoa, rincé | 175 ml |
| ½ tasse | pois surgelés, décongelés | 125 ml |
| ¼ tasse | poivron orange, finement haché | 60 ml |
| ¼ tasse | poivron jaune, finement haché | 60 ml |
| 1 c. à s. | oignon rouge, finement haché | 15 ml |
| 2 c. à s. | huile d'olive extra-vierge | 30 ml |
| 1 c. à s. | persil frais, haché | 15 ml |
| 1 c. à t. | thym | 5 ml |
| 1 c. à t. | jus de citron fraîchement pressé | 5 ml |
| | sel et poivre noir fraîchement moulu | |

1. Dans une casserole, amener le bouillon à ébullition à feu élevé. Ajouter le quinoa, réduire le feu à doux, couvrir et laisser mijoter pendant 20 minutes ou jusqu'à ce que le quinoa soit tendre et que le liquide soit presque absorbé. Retirer du feu et laisser reposer, couvert, pendant 5 minutes ou jusqu'à ce que le liquide soit absorbé.

2. Dans un grand bol, mélanger le quinoa, les pois, le poivron orange, le poivron jaune et l'oignon rouge.

3. Dans un petit bol, fouetter ensemble l'huile, le persil, le thym et le jus de citron. Verser sur la salade et bien mélanger. Assaisonner au goût avec du sel et du poivre. Servir chaud ou couvrir et réfrigérer pendant 1 heure, jusqu'à ce que la salade soit refroidie et servir froid.

## Éléments nutritifs par portion

| | |
|---|---|
| Calories | 210 |
| Glucides | 26 g |
| Fibres | 4 g |
| Protéines | 6 g |
| Lipides | 9 g |
| Fer | 2 mg |
| Calcium | 32 mg |

Cette salade est excellente pour les pique-niques, l'été. Rangez les ingrédients individuellement et préparez la salade sur un lit de laitue romaine quand vous êtes prêt à servir.

Donne
4 portions

# Salade niçoise au quinoa

| ¾ tasse | quinoa, rincé | 175 ml |
| 2 | œufs | 2 |
| 4 | feuilles de laitue romaine | 4 |
| ½ tasse | jambon cuit, haché, sans gluten | 125 ml |
| ¼ tasse | olives vertes, hachées | 60 ml |
| ¼ tasse | oignon rouge, haché | 60 ml |
| ½ tasse | poivron rouge rôti, tranché | 125 ml |
| 6 | tomates cerises, tranchées | 6 |
| 1 | conserve (6 oz/170 g) de thon léger, conservé dans l'eau, égoutté | 1 |
| 2 c. à s. | huile d'olive extra-vierge | 30 ml |
| 2 c. à s. | vinaigre de riz blanc | 30 ml |
| | sel et poivre noir fraîchement moulu | |

## Conseil

Optez pour le thon léger en conserve (listao, albacore ou mignon). Ils contiennent moins de mercure que le thon blanc.

1. Dans une casserole, amener 1 ¼ tasse (300 ml) d'eau à ébullition à feu vif. Ajouter le quinoa, réduire le feu à doux, couvrir et laisser mijoter pendant 20 minutes ou jusqu'à ce que le quinoa soit tendre et que le liquide soit presque absorbé. Retirer du feu et laisser reposer, couvert, pendant 3 minutes ou jusqu'à ce que le liquide soit absorbé.

2. Pendant ce temps, placer les œufs dans une autre casserole et couvrir d'eau. Amener à ébullition à feu vif. Retirer du feu, couvrir et laisser reposer pendant 15 minutes. Enlever les coquilles d'œufs et couper en deux.

3. Placer la laitue romaine dans une grande assiette. Placer le quinoa uniformément sur la laitue, puis les œufs, le jambon, les olives, les oignons rouges, les poivrons rôtis, les tomates et le thon. Arroser d'huile et de vinaigre. Assaisonner au goût avec du sel et du poivre.

| Éléments nutritifs par portion | |
| --- | --- |
| Calories | 340 |
| Glucides | 27 g |
| Fibres | 4 g |
| Protéines | 24 g |
| Lipides | 15 g |
| Fer | 4 mg |
| Calcium | 65 mg |

Theresa aime tellement cette recette qu'elle était réticente à l'idée de la partager. Elle est cependant heureuse de la partager avec vous.

# Salade d'épinards avec poulet et mandarines

| | | |
|---|---|---|
| 6 tasses | feuilles de jeune épinard (environ 10 oz/300 g) | 1,5 l |
| 2 tasses | poulet cuit, haché | 500 ml |
| 2 tasses | pousses de haricots (germes de haricot mung) | 500 ml |
| ½ tasse | amandes effilées | 125 ml |
| 2 | conserves (10 oz chacune/284 mg) de mandarines, égouttées | 2 |
| ½ tasse | vinaigrette aux graines de pavot | 125 ml |

1. Dans un grand bol, mélanger les épinards, le poulet, les pousses de haricot, les amandes et les mandarines. Ajouter la vinaigrette aux graines de pavot et bien mélanger.

### Éléments nutritifs par portion

| | |
|---|---|
| Calories | 360 |
| Glucides | 27 g |
| Fibres | 5 g |
| Protéines | 28 g |
| Lipides | 16 g |
| Fer | 3 mg |
| Calcium | 104 mg |

Joseph et Eli, les fils de Theresa, ont toujours adoré sa recette de sandwich à la salade aux œufs. Les olives vertes la rendent particulièrement délicieuse.

Donne
4 portions

# Roulés à la salade aux œufs

| 6 | œufs | 6 |
|---|---|---|
| ½ tasse | olives vertes, tranchées | 125 ml |
| ½ tasse | céleri, haché | 125 ml |
| ¼ tasse | oignon, haché | 60 ml |
| ¼ tasse | mayonnaise légère, sans gluten | 60 ml |
| 1 c. à t. | moutarde préparée, sans gluten | 5 ml |
| 4 | crêpes (voir p. 152) | 4 |
| 4 | feuilles de laitue romaine | 4 |

1. Placer les œufs dans une casserole de grosseur moyenne et couvrir d'eau. Amener à ébullition à feu vif. Retirer du feu, couvrir et laisser reposer pendant 15 minutes. Écailler les œufs.

2. Dans un grand bol, réduire les œufs en purée à l'aide d'un pilon à pommes de terre. Incorporer les olives, le céleri, l'oignon, la mayonnaise et la moutarde.

3. Placer une feuille de laitue sur chaque crêpe. Étendre un quart de la salade aux œufs au centre de chaque feuille. Rouler et servir.

## Conseil

Si vous avez déjà des crêpes, assurez-vous de les réchauffer au micro-ondes pendant 20 secondes à puissance élevée avant d'assembler le sandwich.

## Variation

En remplacement des crêpes, vous pouvez utiliser les feuilles de laitue romaine pour rouler la salade aux œufs. Le sandwich est également délicieux avec du pain brun (voir p. 157).

| Éléments nutritifs par portion | |
|---|---|
| Calories | 280 |
| Glucides | 18 g |
| Fibres | 1 g |
| Protéines | 12 g |
| Lipides | 18 g |
| Fer | 2 mg |
| Calcium | 67 mg |

Ce bouillon polyvalent peut être préparé quand vous cuisinez une dinde entière. Conservez les restes dans une grande casserole au réfrigérateur et préparez votre bouillon le lendemain. Une partie du bouillon peut immédiatement être transformée en soupe de quinoa (voir l'encadré) et le reste gardé au congélateur.

# Bouillon de dinde

## Conseil

Une fois le bouillon refroidi, divisez-le en portions de 1 à 2 tasses (250 à 500 ml) et gardez-le dans des contenants fermés hermétiquement placés au congélateur. Vous pouvez le garder jusqu'à un mois.

## Variation

Les restes de dinde peuvent être remplacés par des restes de poulet, une dinde non cuite ou par des morceaux ou des os de poulet. Assurez-vous de garder la viande lorsque vous égouttez le bouillon.

| | | |
|---|---|---|
| 1 | carcasse de dinde | 1 |
| 1 c. à t. | sel | 5 ml |
| 1 | carotte | 1 |
| 1 | branche de céleri | 1 |
| 1 | oignon, pelé | 1 |
| 3 c. à s. | sauce tomate | 45 ml |

1. Placer la carcasse de dinde dans une grande casserole. Couvrir de 12 tasses (3 l) d'eau et saupoudrer de sel. Amener à ébullition à feu moyen élevé.

2. Si de la mousse se forme à la surface, l'écumer. Ajouter la carotte, le céleri, l'oignon et la sauce tomate. Couvrir, en laissant le couvercle entrouvert, réduire le feu et faire mijoter pendant 1 ½ heure.

3. Graduellement, verser le bouillon dans un tamis aux mailles fines placé au-dessus d'une autre grande casserole et presser les parties solides pour récupérer autant de liquide que possible. Jeter les résidus.

### Éléments nutritifs par portion

| | |
|---|---|
| Calories | 20 |
| Glucides | 0 g |
| Fibres | 0 g |
| Protéines | 2 g |
| Lipides | 1 g |
| Fer | 0 mg |
| Calcium | 0 mg |

**Soupe de quinoa**

Pour transformer facilement ce bouillon en soupe nourrissante pour deux personnes, amener 2 tasses (500 ml) à ébullition, puis ajouter ¼ tasse (60 ml) de quinoa rincé ou du riz à longs grains. Réduire le feu, couvrir et laisser mijoter pendant 20 minutes ou jusqu'à ce que le quinoa soit tendre.

(Éléments nutritifs par portion : calories 90 ; glucides : 15 g ; fibres : 1 g ; protéines : 4 g ; lipides : 1,5 g ; fer : 1 mg ; calcium : 10 mg)

Pour en faire une soupe encore plus nourrissante, ajoutez au quinoa des morceaux de carotte, de céleri et des morceaux de poulet cuits ou de dinde.

# Pizza et pâtes

Cette mini-pizza constitue une collation nutritive au retour de l'école, l'après-midi. Elle est également délicieuse pour les fêtes d'enfants puisque chacun peut créer sa propre pizza à partir d'un choix de garnitures. Les adultes l'aiment aussi !

# Pizza du retour de l'école

Gril préchauffé.

| | | |
|---|---|---|
| 1 | galette de riz sans gluten | 1 |
| 1 c. à s. | ketchup sans gluten | 15 ml |
| 1 à 2 c. à s. | fromage mozzarella, râpé | 15 à 30 ml |
| | ou fromage sans gluten de type mozzarella | |
| 4 | tranches de pepperoni sans gluten | 4 |
| 3 | olives vertes, tranchées | 3 |
| 1 pincée | assaisonnement italien séché | 1 pincée |

1. Étendre le ketchup uniformément sur la galette de riz et saupoudrer de fromage, au goût. Placer le pepperoni et les olives sur le dessus. Saupoudrer d'assaisonnement italien.

2. Griller de 40 à 60 secondes ou jusqu'à ce que le fromage soit fondu. Laisser refroidir.

| Éléments nutritifs par portion | |
|---|---|
| Calories | 140 |
| Glucides | 13 g |
| Fibres | 1 g |
| Protéines | 12 g |
| Lipides | 5 g |
| Fer | 1 mg |
| Calcium | 40 mg |

Donne
8 portions

# Soirée pizza

**Gril préchauffé.**

| | | |
|---|---|---|
| 1 | croûte à pizza cuite (voir ci-dessous) | 1 |
| ½ tasse | sauce tomate sans gluten | 125 ml |
| 1 tasse | fromage râpé sans gluten de type mozzarella ou fromage mozzarella partiellement écrémé | 250 ml |
| ¼ tasse | romano, râpé | 60 ml |
| 6 | tranches de prosciutto | 6 |
| 20 | olives vertes, tranchées | 20 |

| Éléments nutritifs par portion | |
|---|---|
| Calories | 290 |
| Glucides | 32 g |
| Fibres | 4 g |
| Protéines | 11 g |
| Lipides | 13 g |
| Fer | 1 mg |
| Calcium | 204 mg |

1. Placer la croûte à pizza sur une plaque à pâtisserie et étendre la sauce tomate, puis, saupoudrer de fromage mozzarella et de romano. Placer le prosciutto et les olives sur le dessus.

2. Griller de 5 à 10 minutes jusqu'à ce que le fromage soit fondu et bouillonnant.

# Croûte à pizza

**Batteur sur socle. Plaque à biscuits de 30 × 25 cm (12 × 10 po), recouverte de papier sulfurisé.**

| | | |
|---|---|---|
| 1 tasse | farine de riz blanc | 250 ml |
| ⅓ tasse | enveloppes de psyllium | 75 ml |
| ¼ tasse | farine de sorgho | 60 ml |
| ¼ tasse | farine de riz brun | 60 ml |
| ¼ tasse | fécule de tapioca ou fécule de pomme de terre | 60 ml |
| 2 c. à s. | sucre de canne | 30 ml |
| 1 c. à t. | sel | 5 ml |

| Éléments nutritifs par portion | |
|---|---|
| Calories | 210 |
| Glucides | 29 g |
| Fibres | 4 g |
| Protéines | 5 g |
| Lipides | 9 g |
| Fer | 1 mg |
| Calcium | 43 mg |

La vie chez Theresa n'existe tout simplement pas sans pizza. C'est un repas hebdomadaire, comme ce l'est dans plusieurs familles.

## Conseils

Pour faire une pizza, ajoutez vos sauces et vos garnitures favorites sur le dessus et faites-la griller de 5 à 10 minutes ou jusqu'à ce que la croûte soit croquante et que la garniture soit bouillonnante, ou suivez la recette à la page 189.

Réchauffez le lait dans une tasse à mesurer en verre au micro-ondes à puissance élevée pendant 1 minute, ou de façon traditionnelle, dans une petite casserole à feu doux.

Cette pâte peut également être préparée sous forme de pain. Après avoir fait la pâte, suivez les étapes 3 et 4 du pain brun pour sandwich (voir p. 157).

| | | |
|---|---|---|
| ¼ tasse | huile de pépins de raisin ou huile d'olive | 60 ml |
| 2 c. à t. | levure à action rapide | 10 ml |
| 1 tasse | lait sans lactose à 1 %, chauffé de 120 °F à 130 °F (50 °C à 55 °C) | 250 ml |
| 2 | œufs, légèrement battus | 2 |
| | farine de riz blanc | |

1. Dans le grand bol d'un batteur sur socle, mélanger la farine de riz blanc, le psyllium, la farine de sorgho, la farine de riz brun, la fécule de tapioca, le sucre, le sel et l'huile. Battre à basse vitesse jusqu'à ce que l'huile soit bien mélangée. Ajouter la levure et battre pendant 1 minute.

2. En battant à faible vitesse, incorporer graduellement le lait chaud, jusqu'à ce qu'il soit bien mélangé. Battre 1 minute. Incorporer les œufs jusqu'à ce qu'ils soient bien mélangés. Battre 5 minutes en arrêtant le batteur à mi-chemin pour gratter les parois du bol.

3. Couvrir la plaque à biscuits de farine de riz blanc. En utilisant une louche ou une cuiller, déposer la pâte sur la plaque. Les mains bien enfarinées, former une rondelle. Enfariner légèrement la pâte et le rouleau à pâtisserie avec de la farine de riz blanc. Étendre la pâte au rouleau pour qu'elle recouvre le papier sulfurisé de manière uniforme. Si nécessaire, enfariner les doigts pour travailler les coins. Couvrir avec une serviette non pelucheuse et laisser lever dans un endroit chaud sans courant d'air de 45 à 60 minutes ou jusqu'à ce que la pâte ait doublé de volume. Pendant ce temps, préchauffer le four à 350 °F (180 °C).

4. Cuire de 15 à 20 minutes ou jusqu'à ce que la pâte soit légèrement dorée et qu'un cure-dent inséré au centre en ressorte propre.

Les saucisses de dinde remplacent bien les saucisses de porc. Il existe plusieurs options, vous n'avez qu'à vous assurer que les saucisses que vous choisissez sont sans gluten.

Donne de
5 à 7 portions

# Saucisses de dinde et pâtes spirales

## Variation

Remplacer la saucisse de dinde par une saucisse de poulet ou de porc sans gluten.

| | | |
|---|---|---|
| 1 lb | saucisses de dinde (environ 4), coupées en gros morceaux | 500 g |
| 5 c. à s. | huile d'olive | 75 ml |
| 1 | gousse d'ail, hachée | 1 |
| 1 tasse | brocoli, haché | 250 ml |
| 1 tasse | céleri, haché | 250 ml |
| ½ tasse | poivron rouge, haché | 125 ml |
| ½ tasse | oignon, haché | 125 ml |
| 1 c. à t. | basilic séché | 5 ml |
| 1 c. à t. | persil séché | 5 ml |
| 12 oz | pâtes de riz brun en spirales | 375 g |
| ¼ tasse | romano, râpé | 60 ml |

1. Dans une poêle, à feu moyen-élevé, faire revenir les saucisses de 10 à 15 minutes ou jusqu'à ce qu'elles soient dorées de tous les côtés et que l'intérieur ne soit plus rose. À l'aide d'une cuiller à rainures, transférer les saucisses dans une assiette tapissée de papier absorbant. Éliminer tout le gras de la poêle.

2. Ajouter de l'huile dans la poêle et chauffer à feu moyen-élevé. Faire revenir l'ail, le brocoli, le céleri, le poivron rouge, l'oignon, le basilic et le persil de 5 à 10 minutes ou jusqu'à ce qu'ils soient légèrement croquants.

3. Pendant ce temps, dans une grande casserole d'eau bouillante, cuire les pâtes selon les instructions sur l'emballage jusqu'à ce qu'elles soient tendres mais fermes (al dente). Égoutter et transférer dans un grand bol.

4. Ajouter les saucisses et le mélange de légumes et mélanger délicatement. Servir saupoudré de romano.

| Éléments nutritifs par portion | |
|---|---|
| Calories | 380 |
| Glucides | 45 g |
| Fibres | 3 g |
| Protéines | 13 g |
| Lipides | 17 g |
| Fer | 2 mg |
| Calcium | 48 mg |

Il s'agit de la recette favorite de Theresa. Savourez-la comme elle le fait, servie avec une salade de tomates et un accompagnement de pois, de champignons et d'oignons.

# Pâtes à la carbonara

## Conseil

Optez pour vos pâtes sans gluten favorites. Theresa aime particulièrement les pâtes à base de quinoa et de riz brun.

| | | |
|---|---|---|
| 12 oz | pâtes de type penne ou en spirales sans gluten | 375 g |
| 8 | tranches de bacon, hachées | 8 |
| 3 c. à s. | huile d'olive | 45 ml |
| 4 à 6 | gousses d'ail, hachées | 4 à 6 |
| 1 c. à s. | persil frais, haché | 15 ml |
| 2 | œufs, légèrement battus | 2 |
| 1 tasse | romano, râpé | 250 ml |

1. Dans une grande casserole d'eau bouillante, cuire les pâtes selon les instructions sur l'emballage jusqu'à ce qu'elles soient tendres mais fermes (al dente). Égoutter et conserver 1 ½ tasse (375 ml) de l'eau de cuisson. Remettre les pâtes dans la casserole.

2. Pendant ce temps, dans une poêle chauffée à feu moyen, cuire le bacon en remuant pendant environ 5 minutes ou jusqu'à ce qu'il soit croquant. À l'aide d'une cuiller à rainures, le transférer dans une assiette tapissée de papier absorbant. Éliminer tout le gras de la poêle.

3. Ajouter de l'huile dans la poêle et chauffer à feu moyen. Faire revenir l'ail selon votre goût et le persil de 2 à 3 minutes ou jusqu'à ce que l'ail soit doré. Ajouter aux pâtes.

4. Dans un petit bol, fouetter ensemble les œufs et le fromage. Verser sur les pâtes. Chauffer la casserole à feu doux et remuer constamment, de 3 à 5 minutes ou jusqu'à ce que les œufs s'épaississent. Ajouter assez d'eau de cuisson des pâtes pour obtenir la consistance désirée, mélanger délicatement pour bien enrober. Ajouter le bacon.

## Éléments nutritifs par portion

| | |
|---|---|
| Calories | 450 |
| Glucides | 52 g |
| Fibres | 1 g |
| Protéines | 15 g |
| Lipides | 18 g |
| Fer | 4 mg |
| Calcium | 289 mg |

Longue à préparer, cette sauce en vaut la peine. Préparez-la le week-end, quand vous avez du temps et que vous voulez déguster un bon repas à la fin de la journée. Servez cette recette accompagnée de rapini cuit, de poivrons rouges et d'une salade. Tout le mérite en revient à la maman de Theresa.

Donne de
6 à 8 portions

# Spaghetti et boulettes de viande

| | | |
|---|---|---|
| 1 lb | bœuf haché extra-maigre | 500 g |
| ½ tasse | oignon, haché | 125 ml |
| ½ tasse | chapelure de pain sec sans gluten | 125 ml |
| ½ tasse | romano, râpé | 125 ml |
| 2 c. à s. | persil frais, haché | 30 ml |
| 1 c. à s. | zeste de citron, râpé | 15 ml |
| 1 c. à t. | assaisonnement italien séché | 5 ml |
| 1 c. à t. | basilic séché | 5 ml |
| 2 c. à t. | huile d'olive | 10 ml |
| 1 | conserve de tomates broyées (28 oz/780 ml) | 1 |
| 1 pot | sauce tomate (23 oz/650 ml) aux épinards et fromage, sans gluten | 1 |
| 1 lb | spaghetti sans gluten | 500 g |

## Conseil

Si vous n'avez plus de chapelure sans gluten, utilisez un batteur électrique ou un robot ménager pour moudre des craquelins ou des galettes de riz sans gluten en fines miettes.

## Variation

Remplacez les boulettes de viande par 1 lb (500 g) de saucisses de dinde sans gluten. Faites cuire les saucisses entières dans la sauce et coupez-les en morceaux avant de servir. Vous pouvez aussi faire une combinaison des deux.

1. Dans un grand bol, en utilisant vos mains, mélanger le bœuf, l'oignon, la chapelure, le fromage, le persil, le zeste de citron, l'assaisonnement et le basilic. Ramasser 2 c. à s. (30 ml) du mélange et former des boules. Répéter jusqu'à ce que tout le mélange soit sous forme de boulettes de viande.

2. Dans une grande casserole, chauffer l'huile à feu moyen-élevé. Cuire les boulettes de viande en les retournant souvent, jusqu'à ce qu'elles soient dorées sur tous les côtés. Incorporer les tomates, la sauce et 3 tasses (750 ml) d'eau; amener à ébullition. Couvrir en laissant le couvercle entrouvert, réduire le feu à doux et laisser mijoter pendant 2 ½ heures pour amalgamer les saveurs.

3. Dans une grande casserole d'eau bouillante, cuire les pâtes selon les instructions sur l'emballage jusqu'à ce qu'elles soient tendres mais fermes (al dente). Égoutter et transférer dans une assiette de service.

4. Verser les boulettes de viande et la sauce sur le spaghetti.

| Éléments nutritifs par portion | |
|---|---|
| Calories | 430 |
| Glucides | 61 g |
| Fibres | 6 g |
| Protéines | 21 g |
| Lipides | 10 g |
| Fer | 4 mg |
| Calcium | 185 mg |

Theresa a longtemps essayé de devenir végétarienne, mais les hommes de la maison préfèrent la lasagne à la viande. Cette recette est donc pour elle seule. Elle vous la révélera, mais seulement si vous demandez poliment.

## Conseil

Si vous devez éviter les produits laitiers, vous pouvez remplacer la ricotta et la mozzarella par 3 tasses (750 ml) de fromage de type mozzarella râpé sans gluten.

# Lasagne aux aubergines et aux courgettes

**Préchauffer le four à 350 °F** (180 °C).
**Plat en verre de 33 × 23 cm** (13 × 9 po).

| | | |
|---|---|---|
| 9 | **pâtes à lasagne sans gluten** | 9 |
| 1 pot | **sauce tomate** (23 oz/650 ml) **sans gluten, de préférence avec épinards** | 1 |
| 1 ½ tasse | **fromage mozzarella partiellement écrémé, râpé** | 375 ml |
| 1 | **aubergine japonaise, finement tranchée** | 1 |
| 1 ½ tasse | **ricotta légère** | 375 ml |
| 1 | **courgette, finement tranchée** | 1 |
| ¼ tasse | **romano, râpé** | 60 ml |
| | **sel et poivre noir fraîchement moulu** | |

1. Cuire les pâtes selon les instructions sur l'emballage.

2. Étendre une fine couche de sauce dans le plat. Couvrir de 3 pâtes à lasagne en s'assurant qu'elles ne se chevauchent pas. Couvrir d'un quart de la sauce. Parsemer d'un tiers de la mozzarella. Placer l'aubergine dessus. Couvrir d'un tiers de la sauce restante, puis de la moitié de la ricotta. Ajouter 3 autres pâtes et ajouter une couche de sauce tomate et la moitié de la mozzarella restante. Placer la courgette dessus. Couvrir avec la sauce restante, puis avec la ricotta. Couvrir avec les pâtes restantes.

3. Verser ½ tasse (125 ml) d'eau dans le pot de sauce tomate et brasser ; verser sur la lasagne. Parsemer de mozzarella et du romano restants.

4. Couvrir de papier d'aluminium et cuire au four de 45 à 50 minutes ou jusqu'à ce que la sauce bouillonne et que le fromage soit fondu. Enlever le papier et cuire 15 minutes. Griller 5 minutes ou jusqu'à ce que le dessus soit doré. Laisser reposer 10 minutes. Assaisonner avec du sel et du poivre, au goût. Servir.

## Éléments nutritifs par portion

| | |
|---|---|
| Calories | 370 |
| Glucides | 45 g |
| Fibres | 7 g |
| Protéines | 19 g |
| Lipides | 15 g |
| Fer | 2 mg |
| Calcium | 430 mg |

Donne
**9 portions**

# Lasagne sauce à la viande

**Préchauffer le four à 350 °F (180 °C).**
**Plat en verre de 33 × 23 cm (13 × 9 po), graissé.**

| | | |
|---|---|---|
| 12 | nouilles de riz pour lasagne | 12 |
| 2 c. à t. | huile d'olive | 10 ml |
| 1 lb | bœuf haché extra-maigre | 500 g |
| 1 tasse | oignons, hachés | 250 ml |
| 1 | gousse d'ail, hachée | 1 |
| 1 pot | sauce tomate (23 oz/650 ml) **sans gluten, de préférence avec épinards** | 1 |
| 1½ tasse | fromage mozzarella partiellement écrémé, râpé | 375 ml |
| 1¼ tasse | romano ou parmesan, râpé | 300 ml |

1. Dans une grande casserole d'eau bouillante, cuire les pâtes selon les instructions sur l'emballage jusqu'à ce qu'elles soient tendres mais fermes (al dente). Égoutter.

2. Dans une grande casserole, chauffer l'huile à feu moyen-élevé. Cuire le bœuf, les oignons et l'ail en émiettant le bœuf avec le dos d'une cuiller. Cuire pendant 8 minutes ou jusqu'à ce que le bœuf ne soit plus rose. Incorporer la sauce pour les pâtes et cuire en remuant et en grattant les morceaux bruns qui pourraient coller à la casserole. Cuire environ 3 minutes ou jusqu'à ce que la sauce bouillonne. Retirer du feu.

3. Étendre une fine couche de sauce dans le plat. Couvrir de 3 pâtes à lasagne en s'assurant qu'elles ne se chevauchent pas. Couvrir d'un quart de la sauce. Saupoudrer d'un quart de mozzarella et de romano. Répéter cette couche trois fois, en finissant avec les fromages.

4. Couvrir de papier d'aluminium et cuire au four de 45 à 50 minutes ou jusqu'à ce que la sauce bouillonne et que le fromage soit fondu. Enlever le papier d'aluminium et cuire 15 minutes ou jusqu'à ce que le dessus soit légèrement doré. Laisser reposer 10 minutes avant de servir.

## Conseil

Si les pâtes brisent, utilisez-les pour le dessous de la lasagne et gardez celles qui sont intactes pour le dessus — personne ne s'en apercevra.

## Variation

Vous pouvez utiliser de la dinde hachée en remplacement du bœuf.

| Éléments nutritifs par portion | |
|---|---|
| Calories | 360 |
| Glucides | 32 g |
| Fibres | 3 g |
| Protéines | 23 g |
| Lipides | 14 g |
| Fer | 2 mg |
| Calcium | 386 mg |

Donne de
**4 à 6 portions**

Simple et rapide, cette recette de pâtes se prépare rien qu'en 30 minutes – parfait pour les soirées occupées !

# Pâtes avec crevettes et pois

## Conseil

Quand Theresa a vu Paul Newman montrer à Sally Field comment peler l'ail dans le film *Absence de malice*, elle a décidé d'essayer cette méthode, et elle l'utilise depuis ce temps. Coupez la partie dure de la gousse, puis posez un couteau de chef sur le dessus de la gousse, le côté plat vers le haut. Avec le poing, martelez le couteau. Ce mouvement assouplit la pelure et elle s'enlève complètement. Cette opération écrase un peu la gousse, mais c'est sans importance si vous avez l'intention de la hacher ; en fait, cela vous aide en même temps.

| | | |
|---|---|---|
| 12 oz | pâtes de type penne ou spirale | 375 g |
| 3 c. à s. | huile d'olive | 45 ml |
| 3 à 4 | gousses d'ail, hachées | 3 à 4 |
| 1 c. à t. | basilic | 5 ml |
| 1 c. à t. | persil séché | 5 ml |
| 1 pincée | poivre de Cayenne | 1 pincée |
| 8 oz | crevettes pelées, cuites et congelées | 250 g |
| 1 tasse | pois verts congelés | 250 ml |
| ¼ tasse | romano | 60 ml |
| | sel et poivre noir fraîchement moulu | |

1. Dans une grande marmite d'eau bouillante, cuire les pâtes selon les instructions sur l'emballage jusqu'à ce qu'elles soient tendres mais fermes (al dente). Égoutter, en conservant 2 tasses (500 ml) d'eau de cuisson. Remettre les pâtes dans la marmite.

2. Dans une poêle à frire, chauffer l'huile à feu doux. Faire revenir l'ail à votre goût, le basilic, le persil et le poivre de Cayenne de 3 à 5 minutes ou jusqu'à ce que l'ail soit ramolli et odorant. Ajouter les crevettes et les pois ; faire revenir pendant 5 minutes jusqu'à ce que le tout soit bien chaud.

3. Ajouter le mélange de crevettes aux pâtes. Ajouter assez d'eau de cuisson des pâtes pour obtenir la consistance désirée, mélanger délicatement pour bien enrober. Incorporer le romano et assaisonner de sel et de poivre, au goût.

### Éléments nutritifs par portion

| | |
|---|---|
| Calories | 360 |
| Glucides | 46 g |
| Fibres | 4 g |
| Protéines | 16 g |
| Lipides | 11 g |
| Fer | 2 mg |
| Calcium | 118 mg |

# Plats végétariens et fruits de mer

Les fils de Theresa appelaient cette recette les «galettes de fromage» parce qu'ils préféraient ignorer qu'elles contenaient des courgettes. Ces galettes sont fantastiques, soit comme plat principal, soit comme accompagnement, chaudes ou froides.

# Galettes de courgettes

Bouteille à vaporiser d'huile de pépins de raisin.

| | | |
|---|---|---|
| 4 | œufs, battus | 4 |
| 4 | gousses d'ail, hachées | 4 |
| 2 tasses | courgettes, hachées | 500 ml |
| ½ tasse | mozzarella, râpée, ou fromage de type mozzarella | 125 ml |
| ½ tasse | cheddar, râpé, à teneur réduite en gras ou fromage de type cheddar | 125 ml |
| ½ tasse | farine de sorgho ou de riz blanc sel et poivre noir fraîchement moulu | 125 ml |

1. Dans un grand bol, mélanger les œufs, l'ail, les courgettes, la mozzarella, le cheddar et la farine.

2. Pulvériser de l'huile dans une grande poêle et chauffer à feu moyen-élevé. Pour chaque galette, verser ¼ tasse (60 ml) du mélange. Cuire de 1 à 2 minutes ou jusqu'à ce que les bords soient fermes. Retourner et cuire de 1 à 2 minutes ou jusqu'à ce qu'elle soit dorée et que le centre soit chaud. Transférer dans une assiette et garder chaud. Répéter avec le mélange restant, en ajoutant de l'huile et en ajustant le feu entre chaque lot si nécessaire.

## Éléments nutritifs par portion

| | |
|---|---|
| Calories | 200 |
| Glucides | 20 g |
| Fibres | 2 g |
| Protéines | 14 g |
| Lipides | 8 g |
| Fer | 2 mg |
| Calcium | 180 mg |

L'amie de Theresa, Christine, a servi ce délicieux plat lors d'un pique-nique et a eu la gentillesse de partager sa recette. Theresa l'a adaptée pour vous. Si vous préférez servir cette recette comme accompagnement plutôt que comme plat principal, il donnera 8 portions.

Donne
4 portions

# Pilaf de quinoa et de noix de cajou

Préchauffer le four à 350 °F (180 °C).

Plat allant au four de 25 × 20 cm (10 × 8 po), **légèrement graissé.**

## Conseil

Optez pour votre succédané de lait favori, comme le lait de soya, le lait de riz, le lait d'amande ou un lait à base de pomme de terre.

| 1 | gousse d'ail, hachée | 1 |
|---|---|---|
| ¾ tasse | noix de cajou, concassées | 175 ml |
| ½ tasse | oignon, haché | 125 ml |
| ½ tasse | céleri, haché | 125 ml |
| ½ tasse | poivron rouge, haché | 125 ml |
| ½ tasse | quinoa, rincé | 125 ml |
| 1 ½ tasse | succédané de lait sans gluten enrichi | 375 ml |
| 1 c. à s. | persil frais, haché | 15 ml |
| 1 c. à t. | basilic séché | 5 ml |
| ¼ c. à t. | sauge séchée | 1 ml |
| | sel et poivre noir fraîchement moulu | |

1. Dans un grand bol, mélanger l'ail, les noix, l'oignon, le céleri, le poivron rouge et le quinoa. Incorporer le lait, le persil, le basilic et la sauge. Assaisonner de sel et de poivre, au goût. Verser dans le plat de cuisson préparé.

2. Cuire au four environ 45 minutes ou jusqu'à ce que le pilaf soit doré et que le liquide soit absorbé. Placer dans des assiettes à servir.

| Éléments nutritifs par portion | |
|---|---|
| Calories | 290 |
| Glucides | 30 g |
| Fibres | 3 g |
| Protéines | 10 g |
| Lipides | 15 g |
| Fer | 4 mg |
| Calcium | 174 mg |

Voici la recette de polenta que Theresa a adaptée à partir de celle de sa mère. À l'époque de ses parents, ce repas était servi sur un grand plateau au milieu de la table. Tout le monde avait sa fourchette et se servait. Un repas comme Theresa les aime.

# Polenta avec sauce tomate

## Conseil

Achetez une sauce tomate pour pâtes à teneur réduite en sodium, idéalement de 330 à 390 mg par portion de 125 ml (½ tasse).

| | | |
|---|---|---|
| 1 c. à s. | huile de pépins de raisin | 15 ml |
| 6 | tranches de 0,5 cm (¼ po) d'épaisseur de polenta préparée | 6 |
| 1 tasse | sauce tomate pour pâtes, sans gluten | 250 ml |
| ½ tasse | romano, râpé | 125 ml |

1. Dans une grande poêle, chauffer l'huile à feu moyen-élevé. Cuire les tranches de polenta environ 1 minute par côté ou jusqu'à ce qu'elles soient dorées. Ajouter la sauce tomate et cuire 1 minute. Réduire le feu et laisser mijoter pendant 5 minutes. Servir saupoudré de fromage.

| Éléments nutritifs par portion | |
|---|---|
| Calories | 290 |
| Glucides | 30 g |
| Fibres | 3 g |
| Protéines | 10 g |
| Lipides | 14 g |
| Fer | 4 mg |
| Calcium | 174 mg |

Cette recette est tirée du livre *Going Wild in the Kitchen* de Leslie Cerier (Square One Publishers, 2005). Utilisation autorisée.

# Polenta au teff

**Poêle de 25 cm** (10 po).

**Assiette à tarte de 23 cm** (9 po).

| | | |
|---|---|---|
| 2 c. à s. | huile d'olive extra-vierge | 30 ml |
| 8 | gousses d'ail, tranchées grossièrement | 8 |
| 1 tasse | oignons, hachés grossièrement | 250 ml |
| 1 tasse | poivron vert, haché | 250 ml |
| ⅔ tasse | graines de teff | 150 ml |
| 2 tasses | eau bouillante | 500 ml |
| ½ c. à t. | sel marin | 2 ml |
| 2 tasses | tomates italiennes (Roma), hachées | 500 ml |
| 1 tasse | basilic frais, haché | 250 ml |

## Conseil

À la fin de l'étape 1, il peut y avoir un surplus de liquide à cause des tomates, mais tant que le teff n'est pas croustillant, la polenta n'est pas prête.

1. Dans une grande poêle, chauffer l'huile à feu moyen. Faire revenir l'ail et les oignons pendant 5 minutes ou jusqu'à ce qu'ils soient tendres. Ajouter le poivron vert et faire revenir pendant 2 minutes ou jusqu'à ce qu'ils soient d'un vert vif. Incorporer le teff. Incorporer graduellement l'eau bouillante et le sel ; laisser mijoter en remuant pendant 2 minutes. Incorporer les tomates et le basilic ; réduire le feu à doux, couvrir et laisser mijoter en remuant à l'occasion de 10 à 15 minutes ou jusqu'à ce que l'eau soit absorbée.

2. Transférer la polenta dans l'assiette à tarte et laisser refroidir 30 minutes avant de trancher et servir.

| Éléments nutritifs par portion | |
|---|---|
| Calories | 220 |
| Glucides | 32 g |
| Fibres | 6 g |
| Protéines | 6 g |
| Lipides | 8 g |
| Fer | 3 mg |
| Calcium | 102 mg |

Beaucoup de personnes pensent qu'elles n'aiment pas le tofu, mais elles changeront d'avis après avoir goûté à cette recette! Inutile de leur dire avant qu'elles ne le mangent – laissez-les l'engloutir et surprenez-les par la suite.

# Sauté au tofu

## Conseil

Pour gagner du temps, vous pouvez utiliser 6 tasses (1,5 l) de légumes hachés surgelés que vous aurez dégelés.

Mélangeur.

| | | |
|---|---|---|
| 6 oz | tofu ferme | 175 g |
| 2 c. à s. | beurre d'arachide naturel | 30 ml |
| 2 c. à s. | sauce de soya sans gluten | 30 ml |
| 2 c. à s. | huile de pépins de raisin | 30 ml |
| 1 tasse | haricots verts, parés | 250 ml |
| 1 tasse | pois mange-tout, parés | 250 ml |
| 1 tasse | brocoli, haché | 250 ml |
| 1 tasse | céleri, haché | 250 ml |
| ½ tasse | poivron rouge, haché | 125 ml |
| ½ tasse | poivron jaune, haché | 125 ml |
| ½ tasse | courgette, tranchée ou hachée | 125 ml |
| ¼ tasse | oignon rouge, haché | 60 ml |
| 1 | gousse d'ail, finement hachée | 1 |
| ½ tasse | noix de cajou | 125 ml |

1. Dans un mélangeur, combiner le tofu, le beurre d'arachide, la sauce de soya et ¼ tasse (60 ml) d'eau ; mélanger jusqu'à consistance lisse. Mettre de côté.

2. Dans un wok ou une grande poêle, chauffer l'huile à feu moyen-élevé. Faire revenir les haricots, les pois mange-tout, le brocoli, le céleri, le poivron rouge, le poivron jaune, la courgette, l'oignon rouge et l'ail pendant 5 minutes. Incorporer le tofu et faire sauter de 5 à 10 minutes ou jusqu'à ce que les légumes soient légèrement croquants (ou jusqu'à la cuisson désirée). Servir saupoudré de noix de cajou.

## Éléments nutritifs par portion

| | |
|---|---|
| Calories | 340 |
| Glucides | 24 g |
| Fibres | 7 g |
| Protéines | 16 g |
| Lipides | 23 g |
| Fer | 4 mg |
| Calcium | 349 mg |

Theresa et sa famille adorent le poisson. Ils pêchent la perche tout l'été et ne se fatiguent jamais de la manger avec cette pâte à frire légère et moelleuse qui goûte un peu comme des croustilles. Elle peut être utilisée pour n'importe quelle sorte de poisson, pour les crevettes et même pour les rondelles d'oignon.

Donne
8 portions

# Poisson pané

| ½ tasse | farine de riz blanc | 125 ml |
| ½ tasse | farine de sorgho ou farine de riz blanc supplémentaire | 125 ml |
| 1 c. à t. | sel | 5 ml |
| 2 | œufs, séparés | 2 |
| ¾ tasse | bière sans gluten ou eau | 175 ml |
| 1 c. à s. | beurre ou margarine végétalienne, fondu(e) | 15 ml |
| ¼ tasse | huile de pépins de raisin (environ) | 60 ml |
| 8 | filets de poisson blanc sans la peau (environ 3 ½ oz/100 g chacun) | 8 |

1. Dans un grand bol, mélanger la farine de riz, la farine de sorgho et le sel.

2. Dans un petit bol, fouetter ensemble les jaunes d'œufs, la bière et le beurre. Incorporer le mélange de farines.

3. Dans un autre bol, à l'aide d'un malaxeur électrique, battre les blancs d'œufs jusqu'à formation de pics mous. Verser dans le mélange de farines.

4. Dans une grande poêle, chauffer l'huile à feu moyen-élevé. Tremper les filets dans la pâte un à la fois et laisser égoutter le surplus. Par lots, pour éviter de les empiler dans la poêle, faire frire le poisson de 4 à 5 minutes par côté ou jusqu'à ce que la chair du poisson se défasse facilement à la fourchette. Ajouter de l'huile et ajuster le feu entre les lots, si nécessaire.

## Conseil

Les filets de poisson pané peuvent être refroidis sur une grille, enveloppés dans du papier sulfurisé et congelés dans un contenant fermé hermétiquement ou un sac de congélation jusqu'à 2 mois. Placez le poisson congelé sur une plaque tapissée de papier sulfurisé ou du papier d'aluminium et réchauffer au four à 400 °F (200 °C) pendant 20 minutes en le retournant une fois pendant la cuisson, jusqu'à ce que le poisson soit bien chaud et que la pâte à frire soit croustillante.

### Éléments nutritifs par portion

| | |
| --- | --- |
| Calories | 300 |
| Glucides | 14 g |
| Fibres | 1 g |
| Protéines | 25 g |
| Lipides | 15 g |
| Fer | 1 mg |
| Calcium | 36 mg |

Espérons que vous excuserez le calembour, mais cette recette de poisson enveloppé de chapelure est un véritable rayon de soleil pour l'esprit – et pour le corps!

# Rayon de sole

## Conseil

Pour émietter les craquelins, placez-les dans un sac en plastique à fermeture hermétique. Fermez-le et utilisez un rouleau à pâte pour les réduire en morceaux de la grosseur de la chapelure de pain sec. Sinon, vous pouvez les émietter à l'aide d'un mélangeur.

**Préchauffer le four à 350 °F (180 °C).**
**Plat de cuisson en verre de 33 × 23 cm (13 × 9 po), graissé.**

| | | |
|---|---|---|
| 2 | gousses d'ail, finement hachées | 2 |
| ¼ tasse | chapelure de biscuits sans gluten | 60 ml |
| 2 c. à s. | persil frais, haché | 30 ml |
| 2 c. à s. | huile d'olive (environ) | 30 ml |
| | Jus de ½ citron | |
| 3 | filets de sole sans la peau (environ 3 ½ oz/100 g chacun) | 3 |

1. Dans un petit bol, mélanger l'ail, la chapelure de biscuits, le persil, l'huile et le jus de citron; remuer jusqu'à ce qu'une pâte se forme et ajouter de l'huile si le mélange est trop sec.

2. Placer les filets dans le plat de cuisson préparé. Étendre la pâte sur le poisson.

3. Couvrir le plat de papier d'aluminium et cuire au four de 20 à 30 minutes ou jusqu'à ce que la chair du poisson se défasse facilement à la fourchette. Découvrir et cuire 5 minutes ou jusqu'à ce que la croûte soit croustillante.

| Éléments nutritifs par portion | |
|---|---|
| Calories | 220 |
| Glucides | 8 g |
| Fibres | 1 g |
| Protéines | 23 g |
| Lipides | 10 g |
| Fer | 1 mg |
| Calcium | 41 mg |

Ces galettes sont si délicieuses qu'il est difficile de n'en manger qu'une – mangez-en deux!

# Galettes de saumon

Préchauffer le four à 350 °F (180 °C).

Plaque de cuisson à rebords, tapissée de papier sulfurisé.

| | | |
|---|---|---|
| 2 | conserves (de 6 oz/170 g chacune) de saumon, égouttées | 2 |
| 1 | œuf, battu | 1 |
| 1 tasse | fromage cheddar à teneur réduite en gras, râpé | 250 ml |
| 1 tasse | céleri, finement haché | 250 ml |
| ¼ tasse | oignon, finement haché | 60 ml |
| 2 c. à t. | persil frais, haché | 10 ml |
| | jus de ½ citron | |

1. Dans un grand bol, écraser le saumon avec une fourchette, écraser les arêtes. Incorporer l'œuf, le fromage, le céleri, l'oignon, le persil et le jus de citron jusqu'à ce qu'ils soient bien mélangés. En utilisant vos mains, façonner le mélange en 8 galettes de 1 cm (½ po) d'épaisseur.

2. Placer les galettes sur la plaque de cuisson et cuire au four pendant 20 minutes. Retourner les galettes et cuire pendant 10 minutes ou jusqu'à ce qu'elles soient brun doré et que le centre soit chaud.

## Conseil

Si vous préférez, vous pouvez retirer les arêtes du saumon, mais sachez qu'elles fournissent beaucoup de calcium. Si vous les enlevez, il n'y aura plus que 24 g de calcium par portion.

En plus de faciliter le nettoyage, le papier sulfurisé est biodégradable.

| Éléments nutritifs par portion | |
|---|---|
| Calories | 190 |
| Glucides | 3 g |
| Fibres | 1 g |
| Protéines | 28 g |
| Lipides | 7 g |
| Fer | 1 mg |
| Calcium | 372 mg |

Le mari de Theresa aime pêcher la truite, et cette recette est l'une de ses façons préférées de la manger.

# Truite aux noix

## Conseil

La margarine végétalienne, comme les bâtonnets végétaliens au goût de beurre de Earth Balance, contient presque la moitié moins de graisses saturées que le beurre ordinaire et ne contient pas de cholestérol. Quand une recette exige du beurre, la margarine végétalienne peut être une solution délicieuse et bénéfique pour la santé du cœur.

| | | |
|---|---|---|
| 1 c. à s. | huile de pépin de raisins | 15 ml |
| 1 c. à s. | margarine végétalienne ou beurre | 15 ml |
| 1 | filet de truite avec la peau (environ 8 oz/250 g), coupé en deux | 1 |
| | Jus de ½ citron | |
| | sel et poivre noir fraîchement moulu | |
| ¼ tasse | noix, hachées | 60 ml |
| | tranches de citron | |

1. Dans une grande poêle, chauffer l'huile et la margarine à feu moyen-élevé. Ajouter le poisson, peau vers le haut, et cuire 5 minutes par côté ou jusqu'à ce que la chair du poisson se défasse facilement à la fourchette.

2. Transférer le poisson dans une assiette. Arroser de jus de citron et assaisonner de poivre et de sel, au goût. Saupoudrer de noix et garnir de tranches de citron.

## Éléments nutritifs par portion

| | |
|---|---|
| Calories | 300 |
| Glucides | 3 g |
| Fibres | 1 g |
| Protéines | 21 g |
| Lipides | 23 g |
| Fer | 1 mg |
| Calcium | 35 mg |

Le thon à la casserole est l'un des repas les plus faciles à préparer. Grâce au quinoa, cette délicieuse recette est riche en protéines et en saveur. Savourez-la accompagnée d'une salade.

# Thon à la casserole

**Préchauffer le four à 350 °F (180 °C).**

**Cocotte de 25 × 20 cm (10 × 8 po) avec couvercle, légèrement graissée.**

| | | |
|---|---|---|
| 1 c. à t. | huile de pépins de raisin | 5 ml |
| 1 tasse | oignons, hachés | 250 ml |
| 1 tasse | céleri, haché | 250 ml |
| 1 c. à s. | persil frais, haché | 15 ml |
| 1 c. à t. | margarine végétalienne ou beurre | 5 ml |
| 1 | conserve de thon en flocons dans l'eau, égouttée | 1 |
| ½ tasse | riz brun à longs grains | 125 ml |
| ½ tasse | quinoa, rincé | 125 ml |
| 2 tasses | succédané de lait sans gluten enrichi ou lait sans lactose à 1 % | 500 ml |

1. Dans une poêle, chauffer l'huile à feu moyen-élevé. Faire revenir les oignons, le céleri et le persil de 3 à 5 minutes ou jusqu'à ce que les oignons commencent à brunir. Incorporer la margarine. Retirer du feu.

2. Dans la cocotte préparée, mélanger le thon, le riz, le quinoa et le lait. Incorporer le mélange d'oignons.

3. Couvrir et cuire au four pendant 45 minutes ou jusqu'à ce que le riz et le quinoa soient tendres et que le liquide soit absorbé. Découvrir et cuire pendant 5 minutes ou jusqu'à ce que le dessus soit doré.

## Conseil

La margarine végétalienne, comme les bâtonnets végétaliens au goût de beurre de Earth Balance, contient presque la moitié moins de graisses saturées que le beurre ordinaire et ne contient pas de cholestérol. Quand une recette exige du beurre, la margarine végétalienne peut être une solution délicieuse et bénéfique pour la santé du cœur.

## Variation

Ajoutez ½ tasse (125 ml) de pois congelés au riz.

| Éléments nutritifs par portion | |
|---|---|
| Calories | 300 |
| Glucides | 39 g |
| Fibres | 3 g |
| Protéines | 19 g |
| Lipides | 7 g |
| Fer | 3 mg |
| Calcium | 210 mg |

Parfois, la simplicité est la meilleure chose – cette recette le prouve!

# Galettes de thon

| | | |
|---|---|---|
| 2 | conserves (6 oz/170 g) de thon en flocons dans l'eau, égouttées | 2 |
| 2 | œufs, battus | 2 |
| ¼ tasse | fécule de pomme de terre | 60 ml |
| ½ tasse | pois congelés, cuits, égouttés, réduits en purée | 125 ml |
| ½ tasse | céleri, finement haché | 125 ml |
| ¼ tasse | oignon rouge, finement haché | 60 ml |
| ¼ tasse | poivron rouge, haché, rôti | 60 ml |
| 1 c. à s. | huile de pépins de raisin (environ) | 15 ml |

1. Dans un grand bol, mélanger le thon, les œufs, la fécule de pomme de terre, les pois, le céleri, l'oignon rouge et le poivron rôti. En utilisant vos mains, façonner des galettes de 1 cm (½ po) d'épaisseur et les placer dans une assiette.

2. Dans une grande poêle, chauffer l'huile à feu moyen-élevé. En travaillant par lots pour éviter d'empiler les galettes, utiliser une spatule à crêpes et placer délicatement les galettes dans la poêle. Cuire les galettes de 3 à 4 minutes par côté ou jusqu'à ce qu'elles soient dorées et chaudes au centre. Ajouter de l'huile et ajuster le feu entre les lots si nécessaire.

### Éléments nutritifs par portion

| | |
|---|---|
| Calories | 230 |
| Glucides | 16 g |
| Fibres | 2 g |
| Protéines | 26 g |
| Lipides | 7 g |
| Fer | 2 mg |
| Calcium | 37 mg |

La sœur de Theresa, Linda, lui a donné l'idée de mélanger le rapini et les palourdes. Le résultat est cette quiche, un excellent choix pour le brunch ou pour un souper léger.

# Quiche sans croûte au rapini et aux palourdes

## Conseil

Enlevez les tiges dures du rapini avant de le hacher et de le mesurer.

Préchauffer le four à 375 °F (190 °C).
Assiette à tarte en verre de 23 cm (9 po), **légèrement graissée.**

| | | |
|---|---|---|
| 5 tasses | rapini, paré et haché | 1,25 l |
| 1 c. à s. | huile de pépins de raisin | 15 ml |
| 1 c. à t. | beurre | 5 ml |
| 1 | gousse d'ail, hachée | 1 |
| ½ tasse | oignon rouge, haché | 125 ml |
| 4 | œufs | 4 |
| 1 ½ tasse | ricotta légère | 375 ml |
| ½ tasse | romano, râpé | 125 ml |
| 1 | conserve de petites palourdes (5 oz/142 g), **égouttée** | 1 |

1. Dans une grande casserole d'eau salée bouillante, cuire le rapini de 10 à 15 minutes ou jusqu'à ce qu'il soit tendre. Égoutter et mettre de côté.

2. Dans une grande poêle, chauffer l'huile et le beurre à feu moyen-élevé. Faire revenir l'ail et l'oignon rouge de 3 à 5 minutes ou jusqu'à ce qu'ils soient tendres et dorés. Laisser refroidir légèrement.

3. Dans un grand bol, fouetter les œufs jusqu'à consistance homogène. Au fouet, ajouter la ricotta et le romano. Incorporer le rapini, le mélange d'oignon et d'ail et les palourdes. Étendre uniformément dans l'assiette à tarte préparée.

4. Cuire au four pendant 45 minutes ou jusqu'à ce que le mélange ait pris et soit gonflé et doré. Laisser reposer 10 minutes avant de couper en morceaux.

| Éléments nutritifs par portion | |
|---|---|
| Calories | 210 |
| Glucides | 7 g |
| Fibres | 1 g |
| Protéines | 16 g |
| Lipides | 13 g |
| Fer | 8 mg |
| Calcium | 284 mg |

La belle-mère de Theresa préparait souvent un plat semblable à celui-ci. Theresa a utilisé des ingrédients sans gluten, mais le goût demeure le même.

# Casserole de champignons

## Conseil

La margarine végétalienne, comme les bâtonnets végétaliens au goût de beurre de Earth Balance, contient presque la moitié moins de graisses saturées que le beurre ordinaire et ne contient pas de cholestérol. Quand une recette exige du beurre, la margarine végétalienne peut être une solution délicieuse et bénéfique pour la santé du cœur.

## Variation

Si vous préparez ce repas pour des non-végétariens, vous pouvez glisser 4 cuisses de poulet désossées et sans la peau dans le riz.

Remplacez les pois par du brocoli haché.

**Préchauffer le four à 350 °F (180 °C).**
**Plat allant au four de 25 × 20 cm (10 × 8 po).**

| | | |
|---|---|---|
| 1 c. à s. | huile de pépins de raisin | 15 ml |
| 1 c. à s. | margarine végétalienne ou beurre | 15 ml |
| 8 oz | champignons, tranchés | 250 g |
| ½ tasse | pois congelés | 125 ml |
| ⅓ tasse | céleri, haché | 75 ml |
| 1 c. à t. | farine de riz blanc | 5 ml |
| 1⅓ tasse | succédané de lait sans gluten enrichi ou lait sans lactose à 1 % | 325 ml |
| ⅓ tasse | riz brun à longs grains | 75 ml |
| ⅓ tasse | quinoa, rincé | 75 ml |
| 1 c. à s. | sauce de soya sans gluten | 15 ml |

1. Dans une poêle, chauffer l'huile et la margarine à feu moyen. Faire revenir les champignons, les pois et le céleri de 5 à 10 minutes ou jusqu'à ce que les champignons soient brun doré et légèrement croquants. Saupoudrer de farine et remuer jusqu'à ce que le tout soit mélangé. Incorporer graduellement le lait.

2. Verser le mélange de champignons dans le plat de cuisson et ajouter le riz, le quinoa et la sauce de soya.

3. Couvrir et cuire au four de 45 à 50 minutes ou jusqu'à ce que le riz et le quinoa soient tendres et que la majorité du liquide soit absorbée.

| Éléments nutritifs par portion | |
|---|---|
| Calories | 320 |
| Glucides | 40 g |
| Fibres | 4 g |
| Protéines | 11 g |
| Lipides | 12 g |
| Fer | 3 mg |
| Calcium | 190 mg |

# Viande et volaille

Trouvez un boucher qui coupera votre rôti d'œil de ronde en fines tranches. Si vous le pouvez, achetez la ronde complète et faites-la emballer selon le nombre de portions désirées, puis congelez-les. Laissez ensuite le bœuf décongeler au réfrigérateur pendant la nuit.

# Fatina
# (*schnitzel* à l'italienne)

## Conseils

Si les craquelins que vous utilisez contiennent du sel, il est inutile d'en ajouter au mélange d'œufs.

Pour plus de fibres et de nutriments, utilisez des craquelins multigrains sans gluten comme les Mary's Organic Crackers, ordinaires ou au poivre noir.

Si vous commencez à manquer de mélange d'œufs avant d'y avoir trempé tout le bœuf, ajoutez 1 c. à s. (15 ml) d'eau et mélangez.

| | | |
|---|---|---|
| 1 | œuf | 1 |
| | sel et poivre noir fraîchement moulu | |
| 1 tasse | chapelure de biscuits sans gluten (voir conseil p. 205) ou miettes de pain | 250 ml |
| ¼ tasse | romano, râpé | 60 ml |
| | zeste de 1 citron, râpé | |
| 1 | rôti d'œil de ronde, coupé en tranches de 3 mm (⅛ po) | 500 g |
| ¼ tasse | huile de pépins de raisin (environ) | 60 ml |
| 1 | citron, tranché | 1 |

1. Dans un bol, battre l'œuf légèrement. Assaisonner avec du sel et du poivre.

2. Dans un plat peu profond, mélanger la chapelure, le fromage et le zeste de citron.

3. Un morceau à la fois, tremper le bœuf dans le mélange d'œuf, puis presser dans le mélange de chapelure en enrobant uniformément et secouer afin d'éliminer l'excédent. Se débarrasser de l'excédent de mélange d'œuf et de chapelure.

4. Dans une grande poêle, chauffer 1 c. à s. (15 ml) d'huile à feu moyen-élevé. En travaillant par lots de deux ou trois morceaux, cuire le bœuf de 2 à 3 minutes par côté ou jusqu'à ce que l'enrobage soit doré et que le bœuf soit au degré de cuisson désiré. Transférer dans une assiette tapissée d'une serviette de papier. Ajouter de l'huile et ajuster le feu entre les lots si nécessaire.

5. Servir dans un grand plat, entouré de tranches de citron.

| Éléments nutritifs par portion | |
|---|---|
| Calories | 380 |
| Glucides | 17 g |
| Fibres | 3 g |
| Protéines | 31 g |
| Lipides | 20 g |
| Fer | 3 mg |
| Calcium 1 | 53 mg |

Theresa aime cuisiner, mais c'est certainement un avantage quand il n'y a presque pas de nettoyage à faire. Voici une recette qui satisfait à ce critère.

Donne
4 portions

# Pâté chinois à la poêle

Grande poêle allant au four.

| | | |
|---|---|---|
| 1 lb | pommes de terre, pelées et coupées en morceaux | 500 g |
| ¼ tasse | succédané de lait sans gluten enrichi ou lait sans lactose à 1 % | 60 ml |
| 2 c. à s. | margarine végétalienne ou beurre | 30 ml |
| 1 tasse | cheddar râpé à teneur réduite en matières grasses ou fromage de type cheddar | 250 ml |
| 1 lb | bœuf haché extra-maigre | 500 g |
| ½ tasse | oignon, haché | 125 ml |
| 1 | gousse d'ail, hachée | 1 |
| 1 c. à s. | persil frais, haché | 15 ml |
| 2 c. à t. | basilic séché | 10 ml |
| 1 tasse | mélange de légumes congelé | 250 ml |

1. Placer les pommes de terre dans une grande casserole et couvrir d'eau. Porter à ébullition à feu vif. Réduire à moyen-doux et bouillir de 15 à 20 minutes ou jusqu'à ce que les pommes de terre soient tendres.

2. Égoutter les pommes de terre et les remettre dans la casserole. Ajouter le lait et la margarine; à l'aide d'un pilon, réduire les pommes de terre en purée jusqu'à consistance lisse. Incorporer le fromage et mettre de côté.

3. Dans une poêle allant au four, cuire le bœuf à feu moyen-élevé et le morceler avec le dos d'une cuiller. Cuire 7 minutes ou jusqu'à ce que le bœuf ne soit plus rose. Ajouter l'oignon, l'ail, le persil et le basilic; cuire en remuant de 3 à 4 minutes. Ajouter les légumes et cuire en remuant 5 minutes. Préchauffer le gril du four.

4. Étendre les pommes de terre sur le mélange de bœuf. Griller de 5 à 10 minutes ou jusqu'à ce que les pommes de terre soient dorées.

## Conseils

Si vous le pouvez, optez pour du bœuf provenant de bétail élevé localement et nourri à l'herbe.

Optez pour votre succédané de lait favori, comme le lait de soya, le lait de riz, le lait d'amande ou un lait à base de pomme de terre. Si vous tolérez bien le lactose, utilisez du lait à 1 %

La famille de Theresa aime les mélanges de carottes, de maïs, de haricots et de pois congelés.

Si vous le préférez, vous pouvez utiliser les pommes de terre avec la peau. De cette manière, vous ajoutez des fibres à votre repas et vous lui donnez une allure copieuse et réconfortante.

| Éléments nutritifs par portion | |
|---|---|
| Calories | 370 |
| Glucides | 31 g |
| Fibres | 4 g |
| Protéines | 32 g |
| Lipides | 13 g |
| Fer | 3 mg |
| Calcium | 177 mg |

L'été ne serait pas l'été sans les hamburgers à la salsa. Servez-les avec des pains à hamburger sans gluten et préparez les condiments et un plat de tranches de tomates, d'oignons et de feuilles de laitue pour que tout le monde puisse ajouter la garniture désirée.

# Hamburgers à la salsa

**Préchauffer le four à 350 °F** (180 °C).
**Plaque de cuisson, tapissée de papier sulfurisé.**

| | | |
|---|---|---|
| 1 lb | bœuf haché extra-maigre | 500 g |
| ½ tasse | salsa | 125 ml |
| ½ tasse | mozzarella partiellement écrémée, râpée | 125 ml |

1. Dans un grand bol, en utilisant vos mains, mélanger le bœuf, la salsa et le fromage jusqu'à consistance homogène. Façonner en quatre galettes de 1 cm (½ po) d'épaisseur et les placer sur la plaque de cuisson.

2. Cuire au four de 15 à 20 minutes et les retourner une fois pendant la cuisson jusqu'à ce qu'un thermomètre inséré dans le centre de la galette indique 160 ˚F (71 ˚C). Utiliser une spatule à rainures pour les enlever de la plaque de cuisson; jeter l'excédent de liquide.

| Éléments nutritifs par portion | |
|---|---|
| Calories | 180 |
| Glucides | 3 g |
| Fibres | 0 g |
| Protéines | 26 g |
| Lipides | 7 g |
| Fer | 2 mg |
| Calcium | 103 mg |

Cette recette est basée sur celle de la grand-mère de Theresa. Elle servait souvent ce pain de viande à son gîte touristique en Italie. L'ingrédient secret est l'amour, bien sûr.

# Pain de viande

Préchauffer le four à 350 °F (180 °C).
Plat de cuisson rond de 23 cm (9 po) avec couvercle, légèrement graissé.

| | | |
|---|---|---|
| 1 lb | bœuf haché extra-maigre | 500 g |
| 1 lb | veau haché maigre | 500 g |
| 1 lb | porc haché maigre | 500 g |
| ½ tasse | romano, râpé | 125 ml |
| ¼ tasse | chapelure sans gluten | 60 ml |
| 3 c. à s. | persil frais, haché | 45 ml |
| 2 | œufs, légèrement battus | 2 |
| ⅔ tasse | sauce tomate, divisée | 150 ml |
| 2 c. à s. | huile d'olive | 30 ml |
| | zeste de 1 citron | |

1. Dans un très grand bol, en utilisant vos mains, mélanger le bœuf, le veau, le porc, le fromage, la chapelure, le persil, les œufs, ½ tasse (125 ml) de sauce tomate, l'huile et le zeste de citron. Pétrir jusqu'à ce que le mélange soit lisse et bien combiné. Façonner en un pain de 23 × 12,5 cm (9 × 5 po). Placer le pain dans le plat de cuisson et arroser avec la sauce tomate restante.

2. Couvrir et cuire au four pendant 1 ½ heure ou jusqu'à ce qu'un thermomètre à viande inséré au centre du pain de viande indique 160 ˚F (71 ˚C). Laisser reposer pendant 10 minutes avant de trancher.

## Conseils

Pour plus de fibres et de nutriments, utilisez des craquelins multigrains sans gluten comme les Mary's Organic Crackers. Pour plus de saveur, utilisez les craquelins aux herbes sans gluten.

Pour émietter les craquelins, placez-les dans un sac en plastique à fermeture hermétique. Fermez-le et utilisez un rouleau à pâte pour les réduire en morceaux de la grosseur de la chapelure de pain sec. Sinon, vous pouvez les émietter à l'aide d'un mélangeur.

| Éléments nutritifs par portion | |
|---|---|
| Calories | 260 |
| Glucides | 3 g |
| Fibres | 1 g |
| Protéines | 24 g |
| Lipides | 17 g |
| Fer | 2 mg |
| Calcium | 78 mg |

Les fils de Theresa s'assurent d'être à la maison pour le souper quand elle sert ce repas. Il s'agit de leur repas préféré, particulièrement s'il est servi sur du nokedli (p. 235). Ce ragoût de veau est délicieux sur du riz ou des pâtes sans gluten.

# Ragoût de veau

## Conseil

Ce ragoût est assez juteux, parfait pour faire tremper le nokedli, le riz ou les pâtes sans gluten.

| | | |
|---|---|---|
| 2 c. à t. | huile de pépins de raisin | 10 ml |
| 1 lb | veau à ragoût, coupé en morceaux | 500 g |
| 1 | oignon, haché | 1 |
| 1 | poivron rouge, haché | 1 |
| 1 | gousse d'ail, hachée | 1 |
| 2 c. à t. | paprika | 10 ml |
| ¼ c. à t. | poivre de Cayenne, au goût | 1 ml |
| 4 tasses | bouillon de poulet sans gluten à teneur réduite en sodium | 1 l |
| | sel et poivre noir fraîchement moulu | |

1. Dans une grande casserole, chauffer l'huile à feu moyen-élevé. Cuire le veau pendant 5 minutes ou jusqu'à ce qu'il soit brun de tous les côtés. À l'aide d'une cuiller à rainures, transférer dans une assiette.

2. Baisser le feu à température moyenne. Ajouter les oignons, les poivrons rouges, l'ail, le paprika et le poivre de Cayenne; faire revenir de 3 à 4 minutes ou jusqu'à ce que les légumes soient tendres. Incorporer le bouillon et amener à ébullition, en grattant les morceaux bruns qui pourraient coller à la casserole.

3. Remettre le veau et tous les jus accumulés dans la casserole. Réduire le feu à doux et laisser mijoter en remuant à l'occasion de 45 à 60 minutes ou jusqu'à ce que le veau se défasse à la fourchette. Assaisonner avec du sel et du poivre, au goût.

## Éléments nutritifs par portion

| | |
|---|---|
| Calories | 190 |
| Glucides | 8 g |
| Fibres | 2 g |
| Protéines | 26 g |
| Lipides | 6 g |
| Fer | 2 mg |
| Calcium | 32 mg |

Traditionnellement, le poulet cacciatore est préparé avec des champignons. Mais la famille de Theresa préfère ne pas en utiliser. Si vous le voulez, ajoutez 1 tasse (250 ml) de champignons tranchés aux légumes. Servez-le avec des biscuits salés pour le thé (p. 161), des popovers (p. 159) ou encore sur du riz ou des pâtes en spirale sans gluten.

Donne de
4 à 6 portions

# Poulet cacciatore

| 2 c. à t. | huile de pépins de raisin | 10 ml |
| 1 ½ lb | cuisses de poulet désossées et sans la peau | 750 g |
| ½ tasse | oignon, haché | 125 ml |
| ½ tasse | poivron rouge, haché | 125 ml |
| ½ tasse | poivron jaune, haché | 125 ml |
| 1 c. à t. | thym séché | 5 ml |
| 1 c. à t. | basilic séché | 5 ml |
| 1 c. à t. | marjolaine séchée | 5 ml |
| 2 tasses | bouillon de poulet ou de légumes sans gluten à teneur réduite en sodium | 500 ml |
| ½ tasse | sauce tomate | 125 ml |
| | sel et poivre noir fraîchement moulu | |

1. Dans une grande casserole, chauffer l'huile à feu moyen-élevé. Cuire le poulet 5 minutes par côté ou jusqu'à ce qu'il soit bruni des deux côtés.

2. Réduire le feu à température moyenne. Ajouter l'oignon, le poivron rouge, le poivron jaune, le thym, le basilic et la marjolaine ; faire revenir de 3 à 4 minutes ou jusqu'à ce que les légumes soient tendres.

3. Incorporer le bouillon et la sauce tomate ; amener à ébullition, en grattant les morceaux bruns qui pourraient coller à la casserole. Réduire le feu à doux, couvrir et laisser mijoter en remuant à l'occasion pendant environ 45 minutes ou jusqu'à ce que le ragoût épaississe et que le jus du poulet soit clair quand la chair est piquée. Assaisonner avec du sel et du poivre, au goût.

| Éléments nutritifs par portion | |
| --- | --- |
| Calories | 190 |
| Glucides | 5 g |
| Fibres | 2 g |
| Protéines | 29 g |
| Lipides | 6 g |
| Fer | 3 mg |
| Calcium | 33 mg |

Quand elle le peut, Theresa ajoute des canneberges à ses repas en raison de leurs avantages pour la santé. Le goût combiné des canneberges et des mangues est délicieux dans cette salade. Avec l'ajout de poulet et de riz, vous avez un repas complet et nutritif en plus d'un moyen simple de nourrir votre famille.

# Salade de poulet, canneberges et mangues

## Conseil

Optez pour un mélange de riz brun entier et de riz noir japonais ou utilisez votre mélange de riz préféré. Quand vous achetez des mélanges de riz, vérifiez attentivement l'étiquette pour vous assurer que des grains contenant du gluten n'y ont pas été ajoutés.

| | | |
|---|---|---|
| 2 tasses | bouillon de légumes sans gluten à teneur réduite en sodium | 500 ml |
| 1 tasse | mélange de riz brun et noir sans gluten | 250 ml |
| 1 tasse | poulet ou dinde cuit(e), tranché(e) | 250 ml |
| ½ tasse | canneberges séchées | 125 ml |
| ½ tasse | mangues, hachées | 125 ml |
| ⅓ tasse | amandes effilées | 75 ml |
| ¼ tasse | oignons verts, hachés | 60 ml |
| 1 c. à t. | jus de citron fraîchement pressé | 5 ml |
| 2 c. à s. | huile d'olive extra-vierge | 30 ml |
| 1 c. à s. | vinaigre de riz brun ou de riz nature | 15 ml |
| 1 c. à s. | basilic frais, haché | 15 ml |
| | sel et poivre noir fraîchement moulu | |

1. Dans une grande casserole, mélanger le bouillon et le riz. Amener à ébullition à feu élevé. Réduire le feu à doux, couvrir et laisser mijoter pendant 50 minutes ou selon les instructions sur l'emballage, jusqu'à ce que le riz soit tendre et que le liquide soit absorbé.

2. Dans un grand bol, mélanger le poulet, les canneberges, les mangues, les amandes et les oignons verts. Arroser de jus de citron.

3. Dans un petit bol, fouetter ensemble l'huile, le vinaigre et le basilic. Verser sur la salade et brasser. Assaisonner de sel et de poivre, au goût.

4. Étendre le riz dans un plat de service et placer la salade sur le dessus.

## Éléments nutritifs par portion

| | |
|---|---|
| Calories | 430 |
| Glucides | 58 g |
| Fibres | 5 g |
| Protéines | 17 g |
| Lipides | 14 g |
| Fer | 2 mg |
| Calcium | 32 mg |

Pour préparer cette recette, Theresa aime mettre le poulet à mariner au réfrigérateur dès le matin. Puis, vers l'heure du souper, elle n'a qu'à enfiler le poulet sur les brochettes et les faire griller. Servez-les avec une sauce tzatziki et une salade de quinoa (p. 183) ou une salade grecque (p. 180).

Donne
4 portions

# Brochettes de poulet grillé

**Quatre brochettes de métal ou de bois de 20 à 23 cm** (8 ou 9 po).

| | | |
|---|---|---|
| 2 à 3 | gousses d'ail, hachées | 2 à 3 |
| 1 ½ c. à s. | huile d'olive | 22 ml |
| 1 c. à t. | persil, haché | 5 ml |
| ½ c. à t. | origan, séché | 2 ml |
| 1 lb | poitrines de poulet désossées sans la peau, coupées en cubes de 4 cm (1 ½ po) | 500 g |
| | sel et poivre noir fraîchement moulu | |

### Éléments nutritifs par portion

| | |
|---|---|
| Calories | 180 |
| Glucides | 1 g |
| Fibres | 0 g |
| Protéines | 26 g |
| Lipides | 7 g |
| Fer | 1 mg |
| Calcium | 19 mg |

1. Dans un grand sac à fermeture hermétique, mélanger l'ail, l'huile, le persil et l'origan. Ajouter le poulet, fermer et brasser. Réfrigérer au moins 6 heures ou toute la nuit.

2. Régler le barbecue à puissance moyenne. Si vous utilisez des brochettes en bois, trempez-les dans l'eau pendant 10 minutes.

3. Retirer le poulet de la marinade et la jeter. Enfiler le poulet sur les brochettes en laissant de l'espace entre les morceaux. Griller le poulet en le tournant souvent de 7 à 10 minutes par côté ou jusqu'à ce que le poulet ne soit plus rose à l'intérieur. Assaisonner avec du sel et du poivre, au goût.

# Pâté au poulet

**Préchauffer le four à 350 °F** (180 °C).
**Assiette à tarte profonde en verre de 23 cm** (9 po), légèrement graissée.

| | | |
|---|---|---|
| 1 c. à t. | huile de pépins de raisin | 5 ml |
| 1 c. à t. | beurre | 5 ml |
| 8 | cuisses de poulet désossées sans la peau (ou 4 poitrines de poulet désossées sans la peau), **en morceaux** | 8 |

### Éléments nutritifs par portion

| | |
|---|---|
| Calories | 400 |
| Glucides | 33 g |
| Fibres | 5 g |
| Protéines | 30 g |
| Lipides | 16 g |
| Fer | 3 mg |
| Calcium | 245 mg |

Utilisez toute combinaison de légumes que vous avez sous la main, pour un total d'environ 6 tasses (1,5 l). Pour cuire les brochettes au four, placez-les sur une plaque tapissée de papier sulfurisé et cuire à 350 °F (180 °C) pendant 20 minutes, jusqu'à ce que le poulet ne soit plus rose à l'intérieur.

## Conseil

Optez pour votre succédané de lait favori, comme le lait de soya, le lait de riz, le lait d'amande ou un lait à base de pomme de terre. Si vous tolérez bien le lactose, utilisez du lait à 1 %.

## Variation

Plutôt que de recouvrir l'assiette à tarte de pâte, étendez 2 tasses (500 ml) de pommes de terre en purée ou de patates douces en couche mince avant la cuisson.

| | | |
|---|---|---|
| 1 | gousse d'ail, hachée | 1 |
| 1 tasse | oignons, hachés | 250 ml |
| 1 tasse | poivron rouge, haché | 250 ml |
| 1 tasse | céleri, haché | 250 ml |
| 1 tasse | carottes, hachées | 250 ml |
| 1 tasse | brocoli, haché | 250 ml |
| 1 tasse | pois congelés | 250 ml |
| ¼ c. à t. | poivre de Cayenne | 1 ml |
| ¼ c. à t. | estragon séché | 1 ml |
| ¼ c. à t. | assaisonnement italien séché | 1 ml |
| 1 c. à s. | farine de riz blanc | 15 ml |
| 1 tasse | succédané de lait sans gluten enrichi ou lait sans lactose à 1 % | 250 ml |
| 1 tasse | mozzarella partiellement écrémée râpée, ou fromage de type mozzarella | 250 ml |
| | sel et poivre noir fraîchement moulu | |
| | pâte à tarte pour un fond de tarte de 23 cm (9 po) (voir p. 250) | |

1. Dans une grande casserole, chauffer l'huile et le beurre à feu moyen-élevé. Cuire le poulet de 5 à 7 minutes par côté ou jusqu'à ce qu'il soit bruni des deux côtés. À l'aide d'une cuiller à rainures, transférer dans une assiette.

2. Réduire le feu à intensité moyenne. Ajouter l'ail, les oignons, le poivron rouge, le céleri, les carottes, le brocoli, les pois, le poivre de Cayenne, l'estragon et l'assaisonnement italien; faire revenir de 3 à 4 minutes ou jusqu'à ce que les légumes soient tendres. Saupoudrer de farine et cuire en remuant pendant 1 minute. Graduellement, incorporer le lait.

3. Remettre le poulet et les jus accumulés dans la casserole. Réduire le feu à intensité moyenne-faible et laisser mijoter en remuant fréquemment de 10 à 12 minutes ou jusqu'à ce que le jus du poulet soit clair quand la chair est piquée et que la sauce épaississe.

4. Retirer du feu et incorporer le fromage jusqu'à ce qu'il soit fondu. Assaisonner de sel et de poivre, au goût.

5. Transférer dans l'assiette à tarte préparée. Placer la pâte sur le dessus et presser le pourtour pour la sceller. Enlever l'excédent de pâte. Entailler pour laisser la vapeur s'échapper.

6. Cuire au four pendant 20 minutes ou jusqu'à ce que la garniture bouillonne et que la pâte soit dorée.

La dinde fait agréablement changement du poulet et se trouve dans les épiceries toute l'année et non seulement pendant la période des Fêtes. Ces doigts de dinde sont particulièrement délicieux avec des frites de patates douces (p. 236).

Donne
**4 portions**

# Doigts de dinde

Préchauffer le four à 350 °F (180 °C).
Plaque de cuisson, tapissée de papier sulfurisé.

| | | |
|---|---|---|
| 1 | œuf | 1 |
| | sel et poivre noir fraîchement moulu | |
| ½ tasse | chapelure de pain ou de craquelins | 125 ml |
| 1 c. à s. | romano, râpé | 15 ml |
| ¼ c. à t. | marjolaine séchée | 1 ml |
| ¼ c. à t. | basilic séché | 1 ml |
| ¼ c. à t. | poivre de Cayenne | 1 ml |
| 1 lb | escalopes de poitrine de dinde, coupées en lamelles | 500 g |

## Conseils

Pour plus de fibres et de nutriments, utilisez des craquelins multigrains sans gluten comme les Mary's Organic Crackers. Utilisez votre saveur préférée.

Pour émietter les craquelins, placez-les dans un sac en plastique à fermeture hermétique. Fermez-le et utilisez un rouleau à pâte pour les réduire en morceaux de la grosseur de la chapelure de pain sec. Sinon, vous pouvez les émietter à l'aide d'un mélangeur.

1. Dans un bol, battre l'œuf légèrement. Assaisonner avec du sel et du poivre.

2. Dans un plat peu profond, mélanger la chapelure, le fromage, la marjolaine, le basilic et le poivre de Cayenne.

3. Tremper les lamelles de dinde dans le mélange d'œuf, puis presser dans le mélange de chapelure pour enrober légèrement. Secouer afin d'éliminer l'excédent. Placer la dinde sur la plaque de cuisson. Jeter l'excédent du mélange d'œuf et de chapelure.

4. Cuire au four pendant 20 minutes ou jusqu'à ce que l'enrobage soit brun doré et que la dinde ne soit plus rose à l'intérieur.

| Éléments nutritifs par portion | |
|---|---|
| Calories | 210 |
| Glucides | 10 g |
| Fibres | 1 g |
| Protéines | 31 g |
| Lipides | 4,5 g |
| Fer | 2 mg |
| Calcium | 43 mg |

Ce divin mélange de haricots de Lima, de brocoli et de champignons est encore plus succulent quand on y ajoute des saucisses de dinde. Servez-le sur du riz brun et savourez un verre de vin rouge avec votre repas.

# Saucisses de dinde et mélange de haricots de Lima

| | | |
|---|---|---|
| 2 c. à s. | huile de pépins de raisin | 30 ml |
| 1 lb | saucisses de dinde (environ 4), sans leur enveloppe | 500 g |
| 1 tasse | champignons, tranchés | 250 ml |
| ½ tasse | oignon, haché | 125 ml |
| 1 tasse | brocoli congelé, haché | 250 ml |
| 1 tasse | haricots de Lima congelés | 250 ml |
| 1 c. à s. | persil frais, haché | 15 ml |
| 1 c. à s. | vinaigre de vin rouge | 15 ml |
| | sel et poivre noir fraîchement moulu | |

1. Dans une grande poêle, chauffer l'huile à feu moyen. Cuire les saucisses en les réduisant en morceaux à l'aide du dos d'une cuiller de 7 à 10 minutes ou jusqu'à ce qu'elles ne soient plus roses. À l'aide d'une cuiller à rainures, les transférer dans une assiette tapissée de papier absorbant.

2. Ajouter les champignons et l'oignon dans la poêle ; faire revenir pendant 5 minutes ou jusqu'à ce que les champignons soient bruns et croquants. Ajouter le brocoli, les haricots, le persil et le vinaigre ; faire revenir de 5 à 8 minutes ou jusqu'à ce qu'ils soient tendres. Remettre les saucisses dans la poêle et laisser mijoter en remuant jusqu'à ce que le mélange soit bien chaud. Assaisonner de sel et de poivre, au goût.

| Éléments nutritifs par portion | |
|---|---|
| Calories | 280 |
| Glucides | 16 g |
| Fibres | 4 g |
| Protéines | 19 g |
| Lipides | 16 g |
| Fer | 3 mg |
| Calcium | 58 mg |

Les haricots offrent tellement d'options différentes qu'il serait dommage de préparer un chili en en utilisant seulement une sorte. Ce délicieux chili contient donc trois des haricots préférés de Theresa.

Donne
8 portions

# Chili aux trois haricots et à la dinde

| | | |
|---|---|---|
| 1 c. à t. | huile de pépins de raisin | 5 ml |
| 1 lb | dinde hachée maigre | 500 g |
| 1 | gousse d'ail, hachée | 1 |
| 1 tasse | oignons, hachés | 250 ml |
| 1 tasse | céleri, haché | 250 ml |
| 1 tasse | carottes, hachées | 250 ml |
| 1 | conserve (28 oz/796 ml) de tomates broyées (voir conseil ci-contre) | 1 |
| 2 tasses | haricots romains en conserve, rincés et égouttés | 500 ml |
| 2 tasses | haricots noirs en conserve, rincés et égouttés | 500 ml |
| 2 tasses | lentilles en conserve, rincées et égouttées | 500 ml |
| 1 c. à t. | origan séché | 5 ml |
| 1 c. à t. | poivre de Cayenne | 5 ml |
| ½ c. à t. | cumin moulu | 2 ml |
| ½ c. à t. | coriandre moulue | 2 ml |
| ¼ c. à t. | sel | 1 ml |

1. Dans une grande casserole, chauffer l'huile à feu moyen-élevé. Cuire la dinde en la réduisant en morceaux à l'aide du dos d'une cuiller pendant environ 7 minutes ou jusqu'à ce qu'elle ne soit plus rose. Ajouter l'ail, les oignons, le céleri et les carottes ; faire revenir de 3 à 4 minutes ou jusqu'à ce que les légumes soient tendres.

2. Incorporer les tomates, 3 ¼ tasses (800 ml) d'eau, les haricots romains, les haricots noirs, les lentilles, l'origan, le poivre de Cayenne, le cumin, la coriandre et le sel ; amener à ébullition. Couvrir en laissant le couvercle entrouvert, réduire le feu à doux et laisser mijoter en remuant à l'occasion pendant 1 ½ heure pour amalgamer les saveurs.

## Conseils

Après avoir vidé la conserve de tomates, rincez-la avec l'eau (la quantité d'eau spécifiée à l'étape 2 est une conserve complète) avant de l'ajouter à la casserole afin de récupérer tous les jus qui pourraient coller aux parois.

Une conserve de 19 oz (540 ml) de haricots donnera environ 2 tasses (500 ml) une fois les haricots égouttés et rincés. Si vous avez des conserves plus petites ou plus grosses, vous pouvez utiliser le volume recommandé ou ajouter le volume de votre conserve.

Plutôt que d'utiliser du cumin et de la coriandre, vous pouvez utiliser 1 c. à t. (5 ml) de poudre de chili.

| Éléments nutritifs par portion | |
|---|---|
| Calories | 260 |
| Glucides | 33 g |
| Fibres | 11 g |
| Protéines | 21 g |
| Lipides | 6 g |
| Fer | 4 mg |
| Calcium | 105 mg |

Ce ragoût est plein de saveur – y compris le goût boisé du thym, l'une des herbes favorites de Theresa. Servez-le avec des pommes de terre en purée ou sur du riz, des pâtes sans gluten ou du quinoa.

# Ragoût de bœuf cuit au four

**Préchauffer le four à 350 °F (180 °C).**
**Plat de cuisson en verre de 20 cm (8 po).**

| | | |
|---|---|---|
| 1 c. à s. | huile de pépins de raisin | 15 ml |
| 1 lb | bœuf à ragoût maigre, coupé en morceaux | 500 g |
| 3 | gousses d'ail, hachées | 3 |
| ½ tasse | oignon, haché | 125 ml |
| 2 c. à t. | persil séché | 10 ml |
| 1 c. à t. | thym séché | 5 ml |
| 1 c. à s. | farine de riz blanc | 15 ml |
| 1 ¼ tasse | bouillon de légumes à teneur réduite en sodium, sans gluten | 300 ml |
| 2 c. à t. | beurre | 10 ml |
| | sel et poivre noir fraîchement moulu | |

1. Dans une grande poêle, chauffer l'huile à feu moyen élevé. Cuire le bœuf pendant 5 minutes ou jusqu'à ce qu'il soit brun de tous les côtés. À l'aide d'une cuiller à rainures, transférer dans le plat de cuisson.

2. Réduire le feu à moyen. Ajouter l'ail, l'oignon, le persil et le thym dans la poêle; faire revenir de 3 à 4 minutes ou jusqu'à ce que l'oignon soit tendre. Saupoudrer de farine et cuire en remuant pendant 1 minute. Verser graduellement le bouillon et amener à ébullition, et gratter les morceaux bruns qui pourraient coller à la poêle. Incorporer le beurre jusqu'à ce qu'il soit fondu. Verser sur le bœuf.

3. Couvrir et cuire au four pendant 1 heure ou jusqu'à ce que la viande se défasse à la fourchette. Assaisonner de sel et de poivre, au goût.

## Éléments nutritifs par portion

| | |
|---|---|
| Calories | 230 |
| Glucides | 6 g |
| Fibres | 2 g |
| Protéines | 26 g |
| Lipides | 11 g |
| Fer | 3 mg |
| Calcium | 55 mg |

# Plats
# d'accompagnement

Tout le mérite de la création de ce simple et délicieux plat d'accompagnement revient au frère aîné de Theresa, Louis.

# Wraps aux asperges

**Préchauffer le four à 300 °F (150 °C).**

**Plaque de cuisson, tapissée de papier sulfurisé.**

| Éléments nutritifs par portion | |
|---|---|
| Calories | 190 |
| Glucides | 4 g |
| Fibres | 1 g |
| Protéines | 5 g |
| Lipides | 13 g |
| Fer | 0,5 mg |
| Calcium | 217 mg |

| | | |
|---|---|---|
| 4 | tranches de prosciutto | 4 |
| 12 | asperges, pointes coupées | 12 |
| 4 | fines lanières de poivron rouge | 4 |
| 4 | fines tranches de mozzarella partiellement écrémée | 4 |
| 2 c. à s. | huile d'olive | 30 ml |

1. Étendre le prosciutto sur une surface de travail. Placer 3 asperges, 1 lanière de poivron rouge et 1 tranche de mozzarella au centre de chaque tranche de prosciutto et l'enrouler autour de la garniture. Placer les wraps sur la plaque de cuisson et les badigeonner d'huile.

2. Cuire au four pendant 20 minutes ou jusqu'à ce que les asperges soient tendres.

Sauté, le fenouil a un léger goût de réglisse. Il est délicieux servi seul ou sur du riz.

# Fenouil et tomates séchées au soleil

| | | |
|---|---|---|
| 1 c. à s. | huile de pépins de raisin | 15 ml |
| 1 | bulbe de fenouil, paré et coupé en tranches de 0,5 cm (¼ po) d'épaisseur | 1 |
| ¼ tasse | tomates séchées dans l'huile, égouttées et tranchées | 60 ml |
| 1 c. à s. | persil frais, haché | 15 ml |
| | sel et poivre noir fraîchement moulu | |

| Éléments nutritifs par portion | |
|---|---|
| Calories | 160 |
| Glucides | 20 g |
| Fibres | 8 g |
| Protéines | 4 g |
| Lipides | 9 g |
| Fer | 2 mg |
| Calcium | 119 mg |

1. Dans une poêle, chauffer l'huile à feu moyen. Faire revenir le fenouil de 5 à 7 minutes ou jusqu'à ce qu'il soit tendre et de couleur brun doré. Ajouter les tomates séchées et le persil; faire revenir pendant 1 minute. Assaisonner de sel et de poivre, au goût.

Ce délicieux plat d'accompagnement est une très bonne façon de faire manger des légumes aux enfants. Servez-le avec du steak, du poulet ou un repas de pâtes.

Donne
4 portions

# Haricots verts et romano

| | | |
|---|---|---|
| 2 c. à s. | huile de pépins de raisin | 30 ml |
| 3 ou 4 | gousses d'ail, hachées | 3 ou 4 |
| 4 tasses | haricots verts congelés, coupés | 1 l |
| 2 c. à s. | persil frais, haché | 30 ml |
| ¼ tasse | romano, râpé | 60 ml |
| | poivre noir fraîchement moulu | |

1. Dans une poêle, chauffer l'huile à feu moyen. Faire revenir l'ail au goût, les haricots verts et le persil de 12 à 15 minutes ou jusqu'à ce que les haricots soient légèrement croquants. Incorporer le fromage. Assaisonner de poivre, au goût.

## Conseil

Si vous utilisez des haricots verts frais plutôt que congelés, blanchissez-les d'abord dans une casserole d'eau bouillante pendant 3 minutes.

## Variation

Remplacer les haricots par du brocoli frais ou congelé. Si vous utilisez du brocoli frais, blanchissez-le d'abord.

| Éléments nutritifs par portion | |
|---|---|
| Calories | 160 |
| Glucides | 10 g |
| Fibres | 3 g |
| Protéines | 6 g |
| Lipides | 11 g |
| Fer | 1 mg |
| Calcium | 233 mg |

Donne
**4 portions**

Ce plat d'accompagnement est servi à pratiquement toutes les fêtes italiennes, souvent avec des *schnitzels* à l'italienne (p. 213), mais vous n'avez pas besoin d'attendre une fête – dégustez ce plat n'importe quel jour de la semaine!

# Pois et champignons

| Éléments nutritifs par portion | |
|---|---|
| Calories | 150 |
| Glucides | 16 g |
| Fibres | 5 g |
| Protéines | 6 g |
| Lipides | 7 g |
| Fer | 2 mg |
| Calcium | 34 mg |

| | | |
|---|---|---|
| 2 c. à s. | huile d'olive ou de pépins de raisin | 30 ml |
| 8 oz | champignons, tranchés | 250 g |
| ½ tasse | oignon haché | 125 ml |
| 2 tasses | pois congelés | 500 ml |
| | sel et poivre noir fraîchement moulu | |

1. Dans une poêle, chauffer l'huile à feu moyen-élevé. Faire revenir les champignons et l'oignon de 5 à 7 minutes ou jusqu'à ce qu'ils brunissent. Ajouter les pois et faire revenir de 5 à 7 minutes ou jusqu'à ce qu'ils soient bien chauds. Assaisonner de sel et de poivre, au goût.

Donne
**4 portions**

Saviez-vous que les épinards cuits contiennent plus de fer que les épinards crus? Vous pouvez rehausser encore la teneur en fer en y ajoutant des amandes.

# Épinards et amandes

| | | |
|---|---|---|
| 1 sac | épinards frais, parés (10 oz/300 g) | 1 |
| 2 c. à s. | huile d'olive | 30 ml |
| ½ tasse | amandes effilées | 125 ml |
| | sel et poivre noir fraîchement moulu | |

| Éléments nutritifs par portion | |
|---|---|
| Calories | 140 |
| Glucides | 5 g |
| Fibres | 3 g |
| Protéines | 5 g |
| Lipides | 12 g |
| Fer | 2 mg |
| Calcium | 106 mg |

1. Rincer les épinards à l'eau froide. Dans une grande casserole, à feu moyen-élevé, cuire les épinards dans l'eau qui reste sur les feuilles en remuant de 3 à 5 minutes ou jusqu'à ce qu'ils flétrissent. Égoutter et transférer dans une assiette de service.

2. Arroser d'huile et saupoudrer d'amandes. Assaisonner de sel et de poivre, au goût.

Le rapini, aussi appelé brocoli italien, est une source de vitamine A, de vitamine C, de potassium, de calcium et de fer. Dans cette recette, son goût amer est adouci par le goût sucré des poivrons rouges.

Donne
4 portions

# Rapini, poivron rouge et tomates séchées

| 1 | botte de rapini (environ 1 lb/500 g), parée et coupée en morceaux | 1 |
| 2 c. à s. | huile de pépins de raisin | 30 ml |
| 1 tasse | poivron rouge, haché | 250 ml |
| ½ tasse | tomates séchées dans l'huile, égouttées et tranchées | 125 ml |
| | sel et poivre noir fraîchement moulu | |

1. Placer le rapini dans une grande casserole et ajouter assez d'eau pour le couvrir. Amener à ébullition à feu vif. Égoutter.

2. Dans une poêle, chauffer l'huile à feu moyen-élevé. Faire revenir le rapini pendant 1 minute. Ajouter le poivron rouge et faire revenir de 5 à 7 minutes ou jusqu'à ce qu'il soit tendre. Ajouter les tomates séchées et faire revenir pendant une minute. Assaisonner de sel et de poivre, au goût.

| Éléments nutritifs par portion | |
|---|---|
| Calories | 130 |
| Glucides | 11 g |
| Fibres | 2 g |
| Protéines | 5 g |
| Lipides | 9 g |
| Fer | 2 mg |
| Calcium | 62 mg |

Cet amusant sauté contient toutes les meilleures garnitures de pizza végétarienne (selon Theresa). Dégustez-le tel quel, sur du riz sauvage ou sur des pâtes sans gluten.

# Sauté de garnitures pour pizza

| | | |
|---|---|---|
| 2 c. à t. | huile de pépins de raisin | 10 ml |
| 1 ½ tasse | aubergine, hachée | 375 ml |
| 1 tasse | poivron rouge, haché | 250 ml |
| ¼ tasse | oignon, haché | 60 ml |
| ⅓ tasse | cœurs d'artichauts, égouttés et coupé en 4 | 75 ml |
| ¼ tasse | tomates séchées dans l'huile, égouttées et tranchées | 60 ml |
| ¼ tasse | olives vertes avec piment, tranchées poivre noir fraîchement moulu | 60 ml |

1. Dans une casserole, chauffer l'huile à feu moyen-élevé. Faire revenir l'aubergine, le poivron rouge et l'oignon de 5 à 7 minutes ou jusqu'à ce qu'ils soient tendres. Ajouter les cœurs d'artichauts, les tomates séchées et les olives. Faire revenir 1 minute ou jusqu'à ce que le tout soit bien chaud. Assaisonner de poivre, au goût.

## Éléments nutritifs par portion

| | |
|---|---|
| Calories | 190 |
| Glucides | 15 g |
| Fibres | 5 g |
| Protéines | 3 g |
| Lipides | 15 g |
| Fer | 1 mg |
| Calcium | 37 mg |

Les courgettes ont un goût doux et délicat qui, dans cette recette, est renforcé par la garniture d'ail et d'herbes. La garniture est délicieuse avec des tomates aussi !

Donne
**4 portions**

# Courgettes farcies

**Préchauffer le four à 350 °F (180 °C).**
**Plat de cuisson carré de 20 cm (8 po), légèrement graissé.**

| | | |
|---|---|---|
| 2 | courgettes | 2 |
| 1 | gousse d'ail, hachée | 1 |
| ¼ tasse | chapelure de pain sec ou de craquelins, sans gluten | 60 ml |
| 1 c. à s. | persil frais, haché | 15 ml |
| 2 c. à t. | huile d'olive | 10 ml |
| | sel et poivre noir fraîchement moulu | |

1. Parer les courgettes, puis les couper en deux sur le sens de la longueur. À l'aide d'une cuiller, enlever une partie de la chair du centre de chaque moitié de courgette. Les placer dans le plat de cuisson, le côté coupé sur le dessus.

2. Dans un petit bol, mélanger l'ail, la chapelure, le persil et l'huile. Assaisonner de sel et de poivre, au goût. Étendre uniformément dans les courgettes vidées.

3. Couvrir et cuire au four de 20 à 30 minutes ou jusqu'à ce que les courgettes soient tendres.

## Variation

Remplacer les courgettes par 2 grosses tomates et les faire cuire de 20 à 30 minutes ou jusqu'à ce qu'elles soient tendres.

| Éléments nutritifs par portion | |
|---|---|
| Calories | 60 |
| Glucides | 7 g |
| Fibres | 1 g |
| Protéines | 1 g |
| Lipides | 3,5 g |
| Fer | 0,5 mg |
| Calcium | 21 mg |

Les croustilles à la sauge sont délicieuses servies avec un pain de viande (p. 216), un pâté au poulet (p. 220) ou des doigts de dinde (p. 222). Vous pouvez les préparer dans la poêle pendant que votre repas principal est au four. Elles sont délicieuses comme collation aussi !

# Croustilles à la sauge

## Variation

Remplacez les feuilles de sauge par des rondelles de courgette d'une épaisseur de 3 mm (⅛ po) et augmentez le temps de cuisson de 1 ou 2 minutes par côté.

| | | |
|---|---|---|
| 1 | œuf | 1 |
| 2 c. à s. | farine de sorgho | 30 ml |
| | sel et poivre noir fraîchement moulu | |
| 24 | feuilles de sauge fraîches | 24 |
| 2 c. à s. | huile de pépins de raisin | 30 ml |

1. Dans un petit bol, fouetter ensemble l'œuf et la farine jusqu'à consistance homogène. Assaisonner de sel et de poivre.

2. En travaillant avec 12 feuilles de sauge à la fois, les tremper dans le mélange d'œuf et recouvrir les deux côtés. Dans une poêle, chauffer l'huile à feu moyen. Cuire les feuilles de sauge 1 minute par côté ou jusqu'à ce qu'elles soient dorées. À l'aide de pinces, les transférer dans une assiette tapissée de papier absorbant. Répéter avec les feuilles de sauge restantes.

| Éléments nutritifs par portion | |
|---|---|
| Calories | 100 |
| Glucides | 5 g |
| Fibres | 0 g |
| Protéines | 2 g |
| Lipides | 9 g |
| Fer | 0,4 mg |
| Calcium | 53 mg |

Pommes de terre cuites au four : bonnes. Patates douces cuites au four : bonnes. Pommes de terre et patates douces cuites au four ? Excellentes. Ce plat est un très bon accompagnement aux *schnitzels* à l'italienne (p. 213) ou aux brochettes de poulet grillé (p. 220).

Donne
4 portions

# Pommes de terre et patates douces cuites au four

**Préchauffer le four à 350 °F** (180 °C).
**Plat de cuisson en verre de 33 × 23 cm** (13 × 9 po).

| | | |
|---|---|---|
| 8 oz | pommes de terre, coupées en cubes de 2,5 cm (1 po) | 250 g |
| 8 oz | patates douces, coupées en cubes de 2,5 cm (1 po) | 250 g |
| ¼ tasse | raisins | 60 ml |
| 1 c. à s. | huile d'olive | 15 ml |
| 1 c. à s. | beurre, fondu | 15 ml |
| 1 c. à t. | romarin séché | 5 ml |
| | sel et poivre noir fraîchement moulu | |

1. Dans un plat de cuisson, mélanger les pommes de terre, les patates douces et les raisins. Ajouter l'huile, le beurre, le romarin, le sel et le poivre au goût ; agiter pour qu'ils s'enrobent.

2. Couvrir et cuire au four pendant 20 minutes. Découvrir et cuire de 20 à 25 minutes ou jusqu'à ce que les pommes de terre soient tendres et croustillantes.

| Éléments nutritifs par portion | |
|---|---|
| Calories | 120 |
| Glucides | 19 g |
| Fibres | 2 g |
| Protéines | 2 g |
| Lipides | 4 g |
| Fer | 1 mg |
| Calcium | 16 mg |

Les nokedli sont de petits *dumplings* à la farine faits avec un appareil à *spätzle* (en vente dans les boutiques d'équipement de cuisine). Cette version sans gluten est inspirée de la recette de Janice, une amie de Theresa.

# Nokedli

## Conseil

Pour servir les nokedli, divisez les *dumplings* dans des bols et ajoutez du ragoût, comme du ragoût de veau (p. 217). Ou, pour un repas rapide, ajoutez tout simplement de la sauce à spaghetti sur le dessus et saupoudrez de romano râpé.

**Appareil à *spätzle*.**

| | | |
|---|---|---|
| 1 tasse | farine de sorgho | 250 ml |
| 1 tasse | farine de riz blanc | 250 ml |
| ½ tasse | fécule de pomme de terre | 125 ml |
| ½ c. à t. | sel | 2 ml |
| 2 | œufs | 2 |
| 1 tasse | eau froide | 250 ml |

1. Dans un bol, fouetter ensemble la farine de sorgho, la farine de riz, la fécule de pomme de terre et le sel.

2. Dans un grand bol, fouetter ensemble les œufs et l'eau froide. À l'aide d'une cuiller de bois, incorporer les ingrédients secs jusqu'à consistance homogène.

3. Dans une grande casserole, amener 12 tasses (3 l) d'eau à ébullition à feu vif. Réduire le feu à moyen et placer l'appareil à *spätzle* au-dessus de la casserole. Remplir l'appareil de 1 tasse (250 ml) de pâte et faire coulisser la poignée de l'avant vers l'arrière pour que la pâte tombe dans l'eau. Répéter jusqu'à ce que toute la pâte soit utilisée. Faire bouillir de 1 à 2 minutes ou jusqu'à ce que les nokedli remontent vers la surface. Égoutter.

### Éléments nutritifs par portion

| | |
|---|---|
| Calories | 230 |
| Glucides | 46 g |
| Fibres | 3 g |
| Protéines | 6 g |
| Lipides | 3 g |
| Fer | 1 mg |
| Calcium | 7 mg |

Qui n'aime pas les frites ? Et quand vous remplacez les pommes de terre par des patates douces et les faites cuire au four plutôt que de les faire frire, les frites deviennent bonnes pour vous en plus d'être délicieuses !

# Frites de patates douces

Préchauffer le four à 350 °F (180 °C).
Plaque de cuisson, tapissée de papier sulfurisé.

| 1 lb | patates douces, pelées et coupées en tranches de 0,5 cm (¼ po) | 500 g |
| 2 c. à t. | huile de pépins de raisin | 10 ml |
| 2 c. à s. | romano, râpé | 30 ml |
| | sel et poivre noir fraîchement moulu | |

### Éléments nutritifs par portion

| | |
|---|---|
| Calories | 120 |
| Glucides | 20 g |
| Fibres | 3 g |
| Protéines | 3 g |
| Lipides | 3 g |
| Fer | 1 mg |
| Calcium | 61 mg |

1. Dans un grand bol, mélanger l'huile, le fromage et les patates douces jusqu'à ce qu'elles soient bien enrobées. Les déposer en une seule couche sur la plaque de cuisson.

2. Cuire au four de 20 à 30 minutes en retournant les patates douces une fois, jusqu'à ce qu'elles soient croustillantes et dorées. Assaisonner de sel et de poivre, au goût.

# Gnocchis

Batteur sur socle, avec un crochet à pétrir.
Plaques de cuisson, légèrement saupoudrées de farine de riz blanc.

| 2 lb | pommes de terre de cuisson de forme oblongue, comme les Russet (environ 4) | 1 kg |
| 3 | œufs | 3 |
| ¾ tasse | fécule de pomme de terre | 175 ml |
| ¾ tasse | farine de pomme de terre | 175 ml |
| ½ tasse | farine de riz blanc (environ) | 125 ml |

### Éléments nutritifs par portion

| | |
|---|---|
| Calories | 290 |
| Glucides | 61 g |
| Fibres | 3 g |
| Protéines | 6 g |
| Lipides | 2 g |
| Fer | 1 mg |
| Calcium | 25 mg |

La préparation des gnocchis était une tradition du dimanche matin dans la famille de Theresa. Avec cette version sans gluten, vous pouvez créer vos propres souvenirs de famille.

## Conseil

Pour cuire les gnocchis, ajoutez-les à une casserole d'eau bouillante salée et cuire en remuant délicatement de 2 à 3 minutes (ou environ 5 minutes si congelés), jusqu'à ce que tous les gnocchis remontent à la surface. Égoutter, ajouter de la sauce à spaghetti et servir saupoudrés de romano râpé.

1. Placer les pommes de terre dans une grande casserole et ajouter assez d'eau pour les couvrir. Amener à ébullition à feu vif. Réduire le feu et laisser mijoter de 30 à 45 minutes ou jusqu'à ce que la peau des pommes de terre se fendille et qu'elles soient tendres. Égoutter.

2. Peler la peau et placer les pommes de terre dans le bol du batteur sur socle et réduire en purée avec un pilon. En utilisant le batteur sur socle et le crochet à pétrir, incorporer les œufs, un à la fois, en battant à basse vitesse. Incorporer graduellement la fécule et la farine de pomme de terre en mélangeant jusqu'à ce que la pâte se détache des parois du bol. Incorporer environ ½ tasse (125 ml) d'eau, 1 c. à s. (15 ml) à la fois, jusqu'à ce que la pâte soit molle et souple, mais pas collante. Diviser la pâte en 16 portions égales.

3. Saupoudrer une planche à découper de farine de riz. En travaillant avec une portion de pâte à la fois, la rouler avec vos mains en une corde longue et mince d'une longueur de 30 cm (12 po) et d'une épaisseur de 1 cm (½ po) en gardant vos mains sur la planche bien farinée. À l'aide d'un couteau tranchant, couper la corde à angle léger en morceaux de 1 cm (½ po). Saupoudrer les morceaux de pâte de farine de riz blanc et les placer sur une plaque de cuisson. Répéter jusqu'à ce que toute la pâte soit coupée en gnocchis. Déplacer la plaque de l'avant vers l'arrière pour s'assurer que tous les morceaux sont enrobés de farine.

4. Cuire immédiatement ou couvrir d'une feuille de papier sulfurisé et congeler jusqu'à consistance ferme. Une fois congelés, transférer les morceaux de pâte dans un sac de congélation hermétique et conserver jusqu'à 3 mois.

Le quinoa est délicieux et polyvalent en plus d'être nutritif! La fille d'Alexandra, Brooke, adore ce plat d'accompagnement (elle l'appelle «couscous»). Servez-le avec du poisson grillé ou des pilons de poulet et du blé d'Inde. Ou essayez-le avec des brochettes de poulet grillé (p. 220) et une salade grecque (p. 180).

Donne de
**4 à 6 portions**

# Pilaf au quinoa et au pesto

| | | |
|---|---|---|
| 1 tasse | quinoa, rincé | 250 ml |
| 1 tasse | tomates séchées dans l'huile, égouttées, hachées | 250 ml |
| 3 c. à s. | pesto au basilic | 45 ml |
| 1 c. à s. | huile d'olive | 15 ml |
| | poivre noir fraîchement moulu | |

1. Dans une casserole, amener 2 tasses (500 ml) d'eau à ébullition à feu vif. Ajouter le quinoa, réduire le feu à doux, couvrir et laisser mijoter pendant 20 minutes ou jusqu'à ce que le quinoa soit tendre et que le liquide soit presque absorbé entièrement. Retirer du feu et laisser reposer, couvert, pendant 5 minutes ou jusqu'à ce que le liquide soit absorbé.

2. À l'aide d'une fourchette, incorporer les tomates, le pesto et l'huile en remuant doucement. Assaisonner de poivre, au goût.

| Éléments nutritifs par portion | |
|---|---|
| Calories | 250 |
| Glucides | 31 g |
| Fibres | 5 g |
| Protéines | 8 g |
| Lipides | 11 g |
| Fer | 3 mg |
| Calcium | 85 mg |

En plus d'être une très bonne source de fer, les artichauts sont très agréables à manger. Détachez un pétale, placez-le entre vos dents et tirez en laissant la partie tendre dans votre bouche et jetez la feuille. Quand vous arrivez au centre, enlevez le foin et savourez le cœur.

# Artichauts farcis

## Conseil

Le temps de cuisson dépend de la taille de l'artichaut. Quand vous les choisissez, assurez-vous qu'ils sont tous de la même taille afin que le temps de cuisson soit identique. Theresa, elle, préfère les petits artichauts.

| | | |
|---|---|---|
| 8 | petits artichauts (environ 1 lb/500 g) | 8 |
| | quartiers de citron | |
| ½ tasse | chapelure sans gluten | 125 ml |
| 2 à 3 | gousses d'ail, hachées | 2 à 3 |
| 2 c. à t. | persil séché | 10 ml |
| | sel et poivre noir fraîchement moulu | |
| 2 c. à s. | huile d'olive | 30 ml |

1. Couper les pieds des artichauts afin de créer une base plate. Enlever les feuilles extérieures dures. Couper environ 1 cm (½ po) sur le dessus, puis utiliser des ciseaux pour couper les pointes. Écarter les feuilles pour ouvrir l'artichaut et rincer. Frotter les surfaces coupées avec du citron.

2. Dans un petit bol, mélanger la chapelure, l'ail et le persil. Assaisonner avec du sel et du poivre, au goût. Incorporer l'huile pour faire une pâte.

3. Farcir les artichauts avec le mélange de chapelure et les placer droits dans une grande casserole. Ajouter assez d'eau pour couvrir la moitié des artichauts. Couvrir et amener à ébullition à feu élevé. Réduire le feu et laisser mijoter pendant 45 minutes ou jusqu'à ce qu'ils soient tendres.

### Éléments nutritifs par portion

| | |
|---|---|
| Calories | 180 |
| Glucides | 22 g |
| Fibres | 8 g |
| Protéines | 5 g |
| Lipides | 9 g |
| Fer | 2 mg |
| Calcium | 74 mg |

# Collations et desserts

Cette trempette est une alternative savoureuse au hoummos. Elle ne prend que quelques minutes à préparer en plus d'être faible en gras et nutritive. Idéale pour une collation rapide accompagnée de craquelins multigrains sans gluten ou de jeunes carottes.

# Trempette de haricots blancs

## Conseils

Une conserve de 19 oz (540 ml) de haricots donnera environ 2 tasses (500 ml) une fois les haricots égouttés et rincés. Si vous avez des conserves plus petites ou plus grosses, vous pouvez utiliser le volume recommandé ou ajouter le volume de votre conserve. Si vous faites tremper et cuire des haricots secs, vous aurez besoin de 1 tasse (250 ml).

Le tahini est une pâte à base de graines de sésame. Elle se trouve dans la section des aliments internationaux ou dans les magasins d'aliments naturels. Puisque l'huile contenue dans la pâte a tendance à flotter sur le dessus, assurez-vous de bien la remuer avant de la mesurer.

**Robot culinaire.**

| | | |
|---|---|---|
| 2 tasses | haricots blancs cuits ou en conserve, égouttés et rincés | 500 ml |
| 1 c. à t. | paprika | 5 ml |
| 1 c. à t. | cumin moulu | 5 ml |
| ½ c. à t. | poudre d'ail | 2 ml |
| ¼ c. à t. | sel | 1 ml |
| ¼ c. à t. | poivre noir fraîchement moulu | 1 ml |
| 2 c. à s. | jus de citron fraîchement pressé | 30 ml |
| 1 c. à s. | huile d'olive | 15 ml |
| 1 c. à s. | tahini (voir conseil ci-contre) | 15 ml |

1. Dans un robot culinaire muni d'une lame de métal, mélanger les haricots, le paprika, le cumin, la poudre d'ail, le sel, le poivre, le jus de citron, l'huile et le tahini. Mélanger jusqu'à l'obtention d'un mélange homogène, en ajoutant 2 c. à s. (30 ml) d'eau à la fois jusqu'à ce que la trempette ait la consistance désirée.

2. Servir immédiatement ou transférer dans un contenant fermé hermétiquement et réfrigérer jusqu'à une semaine.

### Éléments nutritifs par portion

| | |
|---|---|
| Calories | 110 |
| Glucides | 15 g |
| Fibres | 3 g |
| Protéines | 5 g |
| Lipides | 3 g |
| Fer | 2 mg |
| Calcium | 54 mg |

Commencez avec cette simple recette et ajoutez les ingrédients qui frappent votre imagination et ce que vous avez sous la main. Les raisins, la noix de coco râpée, les noisettes et même les morceaux de chocolat noir sont de bons ajouts. Soyez créatifs – le mélange du randonneur peut être différent à chaque fois!

Donne
**3 ½ tasses (875 ml)**

(¼ tasse/
60 ml par portion)

# Mélange du randonneur

| | | |
|---|---|---|
| ½ tasse | abricots séchés, coupés en quartiers | 125 ml |
| ½ tasse | canneberges séchées | 125 ml |
| ½ tasse | baies de Goji séchées (facultatif) | 125 ml |
| ½ tasse | amandes entières | 125 ml |
| ½ tasse | noix, hachées | 125 ml |
| ½ tasse | graines de tournesol non salées | 125 ml |
| ½ tasse | noix de citrouille vertes (pepitas) | 125 ml |

1. Dans un grand bol, mélanger les abricots, les canneberges, les baies de Goji (si vous en utilisez), les amandes, les noix, les graines de tournesol et les noix de citrouille.

2. Conserver dans un contenant fermé hermétiquement à température ambiante jusqu'à un mois.

### Éléments nutritifs par portion

| | |
|---|---|
| Calories | 150 |
| Glucides | 10 g |
| Fibres | 2 g |
| Protéines | 4 g |
| Lipides | 11 g |
| Fer | 1 mg |
| Calcium | 24 mg |

Quand Theresa sert cette trempette, elle disparaît en 20 minutes. Chaude ou froide, elle est merveilleuse. Servez-la avec des crudités, des craquelins sans gluten, des croustilles normales ou des croustilles de maïs.

# Trempette d'épinards et de brocoli chaude

**Préchauffer le four à 350 °F (180 °C).**
**Moule rond, en métal de 20 cm (8 po), légèrement graissé.**

| | | |
|---|---|---|
| 1 tasse | épinards frais, hachés | 250 ml |
| ½ tasse | brocoli, finement haché | 125 ml |
| ¼ tasse | oignon rouge, haché | 60 ml |
| ¼ tasse | poivron rouge, haché | 60 ml |
| 3 | gousses d'ail, hachées (facultatif) | 3 |
| 1 tasse | fromage cheddar à teneur réduite en gras ou fromage de type cheddar, râpé | 250 ml |
| ¼ tasse | romano, râpé | 60 ml |
| ¾ tasse | yogourt nature faible en gras ou yogourt de soya | 175 ml |
| ¼ tasse | mayonnaise légère sans gluten | 60 ml |

1. Dans un grand bol, mélanger les épinards, le brocoli, l'oignon, le poivron et l'ail (si vous en utilisez). Incorporer le cheddar, le romano, le yogourt et la mayonnaise. Étendre uniformément dans le moule.

2. Cuire au four de 30 à 40 minutes ou jusqu'à ce que le fromage soit doré et bouillant. Laisser refroidir de 10 à 15 minutes et transférer dans un plat de service.

### Éléments nutritifs par portion

| | |
|---|---|
| Calories | 80 |
| Glucides | 4 g |
| Fibres | 1 g |
| Protéines | 6 g |
| Lipides | 5 g |
| Fer | 0,2 mg |
| Calcium | 129 mg |

Theresa cuisine ces biscuits depuis plus de quinze ans, et ils sont savoureux à chaque fois. Jeune ou moins jeune, tout le monde aime les biscuits aux brisures de chocolat.

Donne
**24 biscuits**
(1 par portion)

# Biscuits aux brisures de chocolat

**Préchauffer le four à 350 °F (180 °C).**

**Plaques de cuisson, tapissées de papier sulfurisé.**

## Conseil

Conservez ces biscuits dans une tine ou dans une boîte de cuisine à température ambiante jusqu'à 5 jours.

| | | |
|---|---|---|
| ½ tasse | farine de riz blanc | 125 ml |
| ½ tasse | farine de riz brun | 125 ml |
| 1 c. à t. | bicarbonate de sodium | 5 ml |
| ¼ c. à t. | sel | 1 ml |
| ¾ tasse | sucre brut de canne | 175 ml |
| ½ tasse | beurre, ramolli | 125 ml |
| 2 | œufs | 2 |
| 2 c. à t. | extrait de vanille | 10 ml |
| 1 tasse | brisures de chocolat mi-sucré, sans gluten | 250 ml |

1. Dans un petit bol, fouetter ensemble la farine de riz blanc, la farine de riz brun, le bicarbonate de sodium et le sel.

2. Dans un grand bol, à l'aide d'un mixeur, crémer le sucre et le beurre. Incorporer les œufs, un à la fois et l'extrait de vanille ; battre jusqu'à consistance homogène. Incorporer le mélange de farine jusqu'à consistance homogène. Incorporer les brisures de chocolat.

3. À l'aide d'une cuiller, déposer la pâte sur la plaque de cuisson en gardant 5 cm (2 po) entre les biscuits. Aplatir délicatement avec une fourchette.

4. Cuire au four, une plaque à la fois de 8 à 10 minutes ou jusqu'à ce que les bords soient dorés et que le centre des biscuits ait pris. Laisser refroidir sur la plaque de cuisson sur une grille pendant 2 minutes, puis transférer sur la grille pour refroidir.

| Éléments nutritifs par portion | |
|---|---|
| Calories | 120 |
| Glucides | 15 g |
| Fibres | 1 g |
| Protéines | 1 g |
| Lipides | 6 g |
| Fer | 0,3 mg |
| Calcium | 5 mg |

Suzanne, la sœur de Theresa, fait les meilleurs biscuits sablés. Voici une version sans gluten de sa recette.

## Conseils

La pâte peut être conservée au réfrigérateur jusqu'à 3 jours ou au congélateur jusqu'à 1 mois.

Pour un petit plaisir additionnel, trempez les biscuits refroidis dans du chocolat fondu sans gluten et saupoudrez-les de noisettes finement broyées.

# Biscuits sablés aux noisettes

*four 325 %* (handwritten)

**Plaques de cuisson, tapissées de papier sulfurisé.**

| | | |
|---|---|---|
| 1 tasse | farine de riz blanc | 250 ml |
| ½ tasse | farine de sorgho | 125 ml |
| ⅓ tasse | noisettes, finement broyées | 75 ml |
| 1 pincée | sel | 1 pincée |
| ½ tasse | sucre brut de canne | 125 ml |
| 1 tasse | beurre, ramolli | 250 ml |
| 1 | œuf | 1 |
| ½ c. à t. | extrait de vanille | 2 ml |

1. Dans un bol de grandeur moyenne, fouetter ensemble la farine de riz blanc, la farine de sorgho, les noisettes et le sel.

2. Dans un grand bol, à l'aide d'un mixeur, crémer le sucre et le beurre jusqu'à consistance légère et mousseuse. Incorporer l'œuf et la vanille en battant jusqu'à consistance homogène. Ajouter le mélange de farine et battre jusqu'à consistance homogène.

3. Diviser la pâte en deux. Placer la moitié de la pâte sur une feuille de papier sulfurisé et la rouler sous vos mains en un rouleau de 2,5 cm (1 po) d'épaisseur. Répéter avec la seconde moitié. Emballer les deux rouleaux dans une pellicule plastique et réfrigérer pendant 30 minutes ou jusqu'à ce qu'ils soient fermes. Pendant ce temps, préchauffer le four à 325 °F (160 °C).

4. Trancher la pâte en rondelles de 0,5 cm (¼ po) d'épaisseur. Les placer à 2,5 cm (1 po) de distance sur la plaque de cuisson.

5. Cuire au four, une plaque à la fois, de 12 à 15 minutes ou jusqu'à ce que les bords soient dorés. Transférer les biscuits sur une grille et laisser refroidir complètement.

*Cuire sur la roche du bas du four* (handwritten)

### Éléments nutritifs par portion

| | |
|---|---|
| Calories | 50 |
| Glucides | 4 g |
| Fibres | 0 g |
| Protéines | 0 g |
| Lipides | 4 g |
| Fer | 0 mg |
| Calcium | 2 mg |

Ces biscuits festifs sont un très bon choix pour les échanges de biscuits pendant la période des Fêtes, mais ils sont aussi savoureux à tout moment de l'année!

Donne
**24 biscuits**
(1 par portion)

# Rochers aux canneberges

**Préchauffer le four à 375 °F (190 °C).**
**Plaques de cuisson, tapissées de papier sulfurisé.**

## Conseil

Conservez ces biscuits dans une tine ou dans une boîte de cuisine à température ambiante jusqu'à 5 jours.

| ¾ tasse | farine de riz blanc | 175 ml |
|---|---|---|
| ¼ c. à t. | bicarbonate de sodium | 1 ml |
| ¼ tasse | sucre brut de canne | 60 ml |
| ¼ tasse | beurre, ramolli | 60 ml |
| 2 | œufs | 2 |
| 1 tasse | canneberges séchées | 250 ml |
| ½ tasse | brisures de chocolat mi-sucré, sans gluten | 125 ml |
| ½ tasse | noix, hachées | 125 ml |

1. Dans un petit bol, fouetter ensemble la farine de riz blanc et le bicarbonate de sodium.

2. Dans un grand bol, à l'aide d'un mixeur, crémer le sucre et le beurre jusqu'à consistance légère et mousseuse. Incorporer les œufs, un à la fois et battre jusqu'à consistance homogène. Incorporer le mélange de farine jusqu'à consistance homogène. Incorporer les canneberges et les brisures de chocolat.

3. À l'aide d'une cuiller, déposer la pâte sur la plaque de cuisson en gardant 5 cm (2 po) entre les biscuits. Aplatir délicatement avec une fourchette.

4. Cuire au four, une plaque à la fois de 8 à 10 minutes ou jusqu'à ce que les bords soient dorés et que le centre des biscuits ait pris. Laisser refroidir sur la plaque de cuisson sur une grille pendant 2 minutes, puis transférer sur la grille pour refroidir.

| Éléments nutritifs par portion | |
|---|---|
| Calories | 90 |
| Glucides | 11 g |
| Fibres | 1 g |
| Protéines | 1 g |
| Lipides | 5 g |
| Fer | 0,3 mg |
| Calcium | 22 mg |

En Italie, ces biscuits en deux cuissons sont servis au déjeuner avec un espresso ou un cappuccino. Les biscuits durs ramollissent un peu quand ils sont trempés dans le café.

# Biscottis au chocolat noisette

## Conseils

Pour les occasions spéciales, étendez du chocolat fondu sur les biscottis froids et saupoudrez le tout de noix finement hachées.

Conservez ces biscottis dans une tine ou dans une boîte de cuisine à température ambiante jusqu'à 2 semaines.

**Préchauffer le four à 350 °F (180 °C).**
**Plaques de cuisson, tapissées de papier sulfurisé.**

| | | |
|---|---|---|
| 1 tasse | farine de riz brun | 250 ml |
| 2 c. à s. | poudre de cacao non sucrée | 30 ml |
| 2 c. à t. | poudre à pâte sans gluten | 10 ml |
| ¼ c. à t. | sel | 1 ml |
| ½ tasse | sucre brut de canne | 125 ml |
| 3 | œufs | 3 |
| ½ tasse | noisettes ou noix, hachées | 125 ml |

1. Dans un petit bol, fouetter ensemble la farine de riz brun, le cacao, la poudre à pâte et le sel.

2. Dans un grand bol, fouetter ensemble le sucre et les œufs jusqu'à ce que le mélange soit mousseux. Incorporer le mélange de farine en remuant pour bien mélanger. Incorporer les noisettes. Laisser la pâte reposer pendant 15 minutes pour qu'elle épaississe. Mélanger la pâte.

3. À l'aide d'une cuiller, former deux monticules de forme rectangulaire de 23 × 10 cm (9 × 4 po), à environ 5 cm (2 po) de distance sur une plaque de cuisson. Cuire au four de 15 à 20 minutes ou jusqu'à ce qu'un cure-dent inséré au centre en ressorte propre. Retirer du four, laisser le four en marche et laisser reposer pendant 10 minutes.

4. À l'aide d'un couteau dentelé, couper les monticules à la diagonale en tranches de 1 cm (½ po). Placer les tranches sur la plaque de cuisson, le côté coupé vers le haut.

5. Cuire de 8 à 10 minutes ou jusqu'à ce que le dessus soit ferme. Retourner les biscottis et cuire de 8 à 10 minutes ou jusqu'à ce qu'ils soient fermes et secs. Transférer sur une grille et laisser refroidir complètement.

### Éléments nutritifs par portion

| | |
|---|---|
| Calories | 40 |
| Glucides | 6 g |
| Fibres | 0 g |
| Protéines | 1 g |
| Lipides | 2 g |
| Fer | 0,2 mg |
| Calcium | 6 mg |

Joseph, le fils de Theresa, adore ces gâteries, ce n'est pas étonnant – la combinaison du chocolat et du beurre d'arachide est imbattable!

Donne
**12 barres**
(1 par portion)

# Barres croustillantes de riz au beurre d'arachide et chocolat

**Moule de forme carrée de 20 cm (8 po), légèrement graissé.**

| | | |
|---|---|---|
| 1 tasse | beurre d'arachide naturel | 250 ml |
| 1 tasse | brisures de chocolat mi-sucré, sans gluten | 250 ml |
| ½ tasse | sirop d'agave | 125 ml |
| ¼ c. à t. | sel | 1 ml |
| 4 tasses | grains de riz brun grillé | 1 l |
| 1 c. à t. | extrait de vanille | 5 ml |

1. Dans une grande casserole, à feu doux, mélanger le beurre d'arachide, les brisures de chocolat, le sirop d'agave et le sel. Cuire en remuant, jusqu'à ce que le mélange soit fondu et lisse.

2. Retirer du feu et incorporer les grains de riz et la vanille jusqu'à ce que les grains soient bien enrobés. Presser la préparation uniformément dans le moule. Réfrigérer pendant 20 minutes ou jusqu'à ce qu'elle soit ferme. Couper en barres.

## Conseil

Assurez-vous d'utiliser du beurre d'arachide non sucré et non salé.

## Variation

Remplacez le beurre d'arachide par du beurre de noix de cajou ou du beurre de noisettes.

### Éléments nutritifs par portion

| | |
|---|---|
| Calories | 270 |
| Glucides | 33 g |
| Fibres | 3 g |
| Protéines | 7 g |
| Lipides | 15 g |
| Fer | 1 mg |
| Calcium | 17 mg |

Si vous aimez le chocolat, vous adorerez ces carrés. Savourez-les avec vos amis et votre famille – personne ne saura qu'ils sont sans gluten!

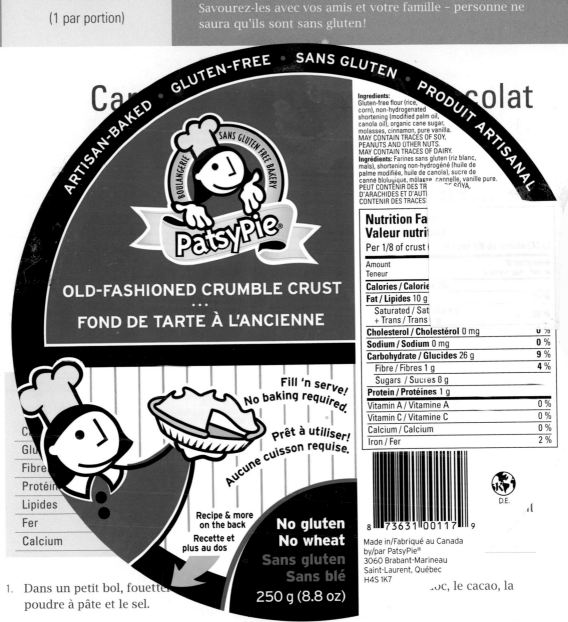

1. Dans un petit bol, fouetter ... loc, le cacao, la poudre à pâte et le sel.

2. Dans un grand bol, fouetter ensemble le sucre, l'huile et la compote de pommes. Incorporer les œufs et la vanille en battant pour bien mélanger. Incorporer le mélange de farine et mélanger légèrement. Incorporer les brisures de chocolat et les noix. Étendre uniformément dans le moule.

3. Cuire au four de 35 à 40 minutes ou jusqu'à ce qu'un cure-dent inséré au centre en ressorte propre. Laisser refroidir complètement dans le moule placé sur une grille.

4. *Glaçage*: pendant ce temps, si désiré, placer les brisures de chocolat dans une petite casserole. La placer sur le dessus du four et laisser la chaleur faire fondre le chocolat. Remuer jusqu'à consistance lisse et étendre sur les carrés refroidis.

5. Laisser refroidir complètement dans le moule ou sur une grille. En utilisant le papier sulfurisé comme poignée, transférer sur une planche à découper pour couper en carrés.

Cette pâte à tarte polyvalente fonctionne tout aussi bien pour les recettes salées que pour les desserts sucrés.

Donne
**7 fonds de tarte**
de 23 cm (9 po)

# Pâte à tarte

| | | |
|---|---|---|
| 3 tasses | farine de sorgho | 750 ml |
| 2 ½ tasses | farine de riz brun | 625 ml |
| ¾ tasse | fécule de manioc | 175 ml |
| ¼ tasse | farine de teff | 60 ml |
| ¼ tasse | sucre brut de canne | 60 ml |
| 1 c. à t. | sel | 5 ml |
| 2 tasses | shortening végétal froid, coupé en cubes (voir conseil ci-contre) | 500 ml |
| 2 | œufs | 2 |
| 1 c. à s. | vinaigre de riz sans gluten | 15 ml |
| | eau froide | |

Pour chaque fond de tarte :

| | | |
|---|---|---|
| 1 | blanc d'œuf | 1 |

## Conseil

Nous préférons utiliser de la graisse végétale non hydrogénée, comme le shortening naturel Earth Balance.

### Éléments nutritifs par ⅙ de tarte

| | |
|---|---|
| Calories | 140 |
| Glucides | 18 g |
| Fibres | 1 g |
| Protéines | 3 g |
| Lipides | 6 g |
| Fer | 0,7 mg |
| Calcium | 3 mg |

1. Dans un très grand bol, mélanger la farine de sorgho, la farine de riz brun, la fécule de manioc, la farine de teff, le sucre et le sel. À l'aide d'un mélangeur à pâtisserie ou de deux couteaux, incorporer le shortening en coupant pour obtenir un mélange granuleux. Mettre de côté.

2. Dans une tasse à mesurer en verre, fouetter ensemble les œufs et le vinaigre. Ajouter suffisamment d'eau froide pour obtenir 1 tasse (250 ml). À l'aide d'une cuiller de bois, incorporer au mélange de farines pour que la pâte devienne homogène.

3. Façonner la pâte avec vos mains et former 7 portions égales (environ 8 oz/250 g chacune) en pressant pour former des boules. Utiliser immédiatement ou emballer dans une pellicule plastique et réfrigérer jusqu'à 2 jours ou congeler jusqu'à 4 mois. Décongeler la pâte à tarte congelée au réfrigérateur pendant la nuit.

4. Quand vous êtes prêt à préparer un fond de tarte, placer une portion de pâte et un blanc d'œuf dans un grand bol. À l'aide d'un mixeur, mélanger jusqu'à l'obtention d'une pâte molle.

5. Fariner légèrement une feuille de papier sulfurisé avec de la farine de riz. Façonner la pâte en une boule, puis aplatir de façon à former un disque. Placer sur le papier sulfurisé fariné et couvrir d'une autre feuille de papier sulfurisé. À l'aide d'un rouleau à pâtisserie, étirer la pâte de manière à former un cercle de 28 cm (11 po) tout en gardant la pâte farinée pour éviter qu'elle ne colle et retourner la pâte et le papier pour fariner des deux côtés. Utiliser tel qu'indiqué dans votre recette de tarte.

Donne
**1 fond de tarte**
de 23 cm (9 po)

Voici une bonne solution de rechange à la recette de pâte à tarte de la page 250 qui fonctionne particulièrement bien pour les tartes au pouding ou les gâteaux au fromage.

# Pâte à tarte aux noisettes

## Conseils

Pour mettre la pâte dans l'assiette à tarte, enlever la feuille de papier sulfurisé du dessus et placer une assiette à tarte à l'envers sur la pâte. Placer votre main sous la feuille de papier sulfurisé du dessous et retourner la pâte pour la mettre délicatement dans l'assiette. Enlever soigneusement le papier sulfurisé.

Si votre recette recommande de cuire partiellement la pâte à tarte avant de la garnir, piquer le fond et les côtés avec une fourchette. Cuire à 325 °F (160 °C) de 10 à 15 minutes ou jusqu'à ce que les bords soient dorés. Laisser refroidir complètement avant de garnir.

| | | |
|---|---|---|
| ¾ tasse | noisettes fraîchement moulues | 175 ml |
| ½ tasse | farine de sorgho | 125 ml |
| 2 c. à s. | sucre brut de canne | 30 ml |
| ¼ c. à t. | sel | 1 ml |
| 2 c. à s. | beurre, ramolli | 30 ml |

1. Dans un grand bol, mélanger les noisettes, la farine, le sucre et le sel. À l'aide d'un mélangeur à pâtisserie ou de deux couteaux, incorporer le beurre en coupant pour obtenir un mélange granuleux. Incorporer ¼ tasse (60 ml) d'eau et mélanger jusqu'à consistance homogène.

2. Quand vous êtes prêt à préparer un fond de tarte, fariner légèrement une feuille de papier sulfurisé avec de la farine de riz. Façonner la pâte en une boule, puis aplatir de façon à former un disque. Placer sur le papier sulfurisé fariné et couvrir d'une autre feuille de papier sulfurisé. À l'aide d'un rouleau à pâtisserie, étirer la pâte de manière à former un cercle de 28 cm (11 po) tout en gardant la pâte farinée. Utiliser tel qu'indiqué dans votre recette de tarte.

## Éléments nutritifs par ⅙ de tarte

| | |
|---|---|
| Calories | 150 |
| Glucides | 14 g |
| Fibres | 2 g |
| Protéines | 3 g |
| Lipides | 10 g |
| Fer | 1 mg |
| Calcium | 12 mg |

Voici la tarte préférée du fils de Theresa, Eli. Puisque sa famille ne peut attendre jusqu'à l'Action de grâce, Theresa la prépare à tout moment de l'année.

Donne
8 portions

# Tarte à la citrouille

Préchauffer le four à 425 °F (220 °C).
Assiette à tarte en verre de 23 cm (9 po), **graissée.**

| | | |
|---|---|---|
| | pâte à tarte pour un fond de tarte de 23 cm (9 po) (voir p. 250) | |
| 2 | **œufs, légèrement battus** | 2 |
| 1 | **conserve de citrouille en purée** (14 oz/398 ml) (pas de la garniture pour tarte) | 1 |
| ½ tasse | **sucre brut de canne** | 125 ml |
| 1 c. à t. | **piment de la Jamaïque moulu** | 5 ml |
| ½ c. à t. | **cannelle moulue** | 2 ml |
| ¼ c. à t. | **sel** | 1 ml |
| ½ tasse | **succédané de lait enrichi, sans gluten ou lait sans lactose à 1 %** | 125 ml |
| 1 c. à t. | **extrait de vanille** | 5 ml |

1. Placer la pâte dans une assiette à tarte. Mettre de côté.

2. Dans un grand bol, mélanger les œufs, la citrouille, le sucre, le piment, la cannelle, le sel, le lait et la vanille. Verser dans la croûte à tarte.

3. Cuire au four pendant 15 minutes. Réduire la température à 350 °F (180 °C) et cuire de 30 à 40 minutes ou jusqu'à ce que la garniture soit bien chaude. Laisser refroidir sur une grille au moins 30 minutes avant de servir.

## Conseils

Si vous avez une plus grande conserve de citrouille en purée, utilisez 1 ⅔ tasse (400 ml) pour cette recette.

Optez pour votre succédané de lait favori, comme le lait de soya, le lait de riz, le lait d'amande ou un lait à base de pomme de terre. Si vous tolérez bien le lactose, utilisez du lait à 1 %.

| Éléments nutritifs par portion | |
|---|---|
| Calories | 190 |
| Glucides | 31 g |
| Fibres | 3 g |
| Protéines | 5 g |
| Lipides | 6 g |
| Fer | 1 mg |
| Calcium | 40 mg |

Ce succulent crumble peut être préparé avec n'importe quelle combinaison de fruits que vous aimez. Essayez les fraises et la rhubarbe, les pêches et les bleuets ou les pommes et les poires.

*Croustade aux fruits*

# Crumble aux bleuets et aux framboises

## Conseil

Vous pouvez utiliser des bleuets et des framboises congelés ; vous n'avez qu'à augmenter le temps de cuisson de 10 minutes.

**Préchauffer le four à 350 °F** (180 °C).
**Plat allant au four de 25 × 18 cm** (10 × 7 po), **légèrement graissé.**

| ½ tasse | sucre brut de canne | 125 ml |
| ¼ tasse | farine de riz blanc | 60 ml |
| ¼ tasse | farine de sorgho | 60 ml |
| ½ c. à t. | cannelle moulue | 2 ml |
| ⅓ tasse | beurre froid, coupé en morceaux | 75 ml |
| 2 tasses | bleuets | 500 ml |
| 2 tasses | framboises | 500 ml |

1. Dans un grand bol, mélanger le sucre, la farine de riz, la farine de sorgho et la cannelle. À l'aide d'un mélangeur à pâtisserie ou de deux couteaux, incorporer le beurre en coupant pour obtenir un mélange granuleux.

2. Mettre les bleuets et les framboises dans le plat et saupoudrer également avec le mélange.

3. Cuire au four pendant 20 minutes ou jusqu'à ce que le mélange soit doré et que les fruits bouillonnent.

### Éléments nutritifs par portion

| | |
|---|---|
| Calories | 340 |
| Glucides | 52 g |
| Fibres | 6 g |
| Protéines | 3 g |
| Lipides | 16 g |
| Fer | 1 mg |
| Calcium | 15 mg |

Rien ne bat le sirop d'érable pur. Pour un meilleur goût, assurez-vous d'utiliser du vrai sirop. Le mélange du sirop d'érable et des noix est un classique!

# Tartelettes à l'érable et aux noix

Préchauffer le four à 425 °F (220 °C).
Emporte-pièce rond de 7,5 cm (3 po).
12 coupelles de papier pour muffins.
Moule pour 12 muffins.

|  | pâte à tarte pour un fond de tarte de 23 cm (9 po) (voir p. 250) |  |
| --- | --- | --- |
| ¼ tasse | noix, hachées | 60 ml |

Garniture

|  |  |  |
| --- | --- | --- |
| 1 | œuf | 1 |
| ⅓ tasse | sirop d'érable pur | 75 ml |
| 2 c. à t. | beurre, fondu | 10 ml |
| ½ c. à t. | extrait de vanille | 2 ml |
| ½ tasse | noix, hachées | 125 ml |

1. Placer la pâte à tarte sur une surface de travail et étendre en un cercle de 30 cm (12 po) de diamètre. À l'aide d'un emporte-pièce, couper 12 ronds en réutilisant le reste de la pâte si nécessaire. Étendre une coupelle de papier pour former un cercle plat et placer un rond de pâte au milieu. Placer soigneusement dans le moule. Répéter avec la pâte et les coupelles restantes. Ajouter 1 c. à t. (5 ml) de noix dans chaque coupelle.

2. *Garniture:* dans un bol, fouetter les œufs jusqu'à consistance mousseuse. Au fouet, ajouter le sirop d'érable, le beurre et la vanille jusqu'à ce qu'ils soient bien mélangés. Incorporer les noix. Verser dans les moules en divisant le mélange également.

3. Cuire au four de 12 à 15 minutes ou jusqu'à ce que les tartelettes soient gonflées et dorées. Laisser refroidir complètement dans le moule placé sur une grille.

| Éléments nutritifs par portion | |
| --- | --- |
| Calories | 150 |
| Glucides | 16 g |
| Fibres | 1 g |
| Protéines | 3 g |
| Lipides | 9 g |
| Fer | 1 mg |
| Calcium | 16 mg |

Ce gâteau est un jeu d'enfant à préparer et à cuire, mais le résultat est si délicieux que les fils de Theresa et leurs amis l'ont surnommé le «gâteau des dieux».

# Gâteau des dieux

## Conseils

Optez pour votre succédané de lait favori, comme le lait de soya, le lait de riz, le lait d'amande ou un lait à base de pomme de terre. Si vous tolérez bien le lactose, utilisez du lait à 1 %

La margarine végétalienne, comme les bâtonnets végétaliens au goût de beurre de Earth Balance, contient presque la moitié moins de graisses saturées que le beurre ordinaire et ne contient pas de cholestérol. Quand une recette exige du beurre, la margarine végétalienne peut être une solution délicieuse et bénéfique pour la santé du cœur.

**Préchauffer le four à 350 °F** (180 °C).

**Moule à gâteau métallique rond de 20 cm** (8 po)**, graissé, tapissé de papier sulfurisé.**

| | | |
|---|---|---|
| 1 tasse | farine de riz blanc | 250 ml |
| ¾ tasse | sucre brut de canne | 175 ml |
| ½ tasse | farine de sorgho | 125 ml |
| ¼ c. à t. | sel | 1 ml |
| ¼ tasse | margarine végétalienne dure et froide ou beurre, en morceaux | 60 ml |
| 2 c. à t. | bicarbonate de sodium | 10 ml |
| 1 c. à t. | cannelle moulue | 5 ml |
| 1 tasse | succédané de lait enrichi, sans gluten ou lait sans lactose à 1 % | 250 ml |
| ½ c. à t. | extrait de vanille | 2 ml |
| ½ c. à t. | jus de citron fraîchement pressé | 2 ml |

1. Dans un grand bol, mélanger la farine de riz, le sucre, la farine de sorgho et le sel. À l'aide d'un mélangeur à pâtisserie ou de deux couteaux, incorporer la margarine en coupant pour obtenir un mélange granuleux. Mettre ½ tasse (125 ml) de côté pour la garniture.

2. Ajouter le bicarbonate de sodium, la cannelle, le lait, l'extrait de vanille et le jus de citron au mélange de farine restant et remuer jusqu'à ce que le tout soit bien mélangé. Verser dans le moule et saupoudrer uniformément avec le mélange de farine.

3. Cuire au four pendant 30 minutes ou jusqu'à ce qu'un cure-dent inséré au centre en ressorte propre. Laisser refroidir complètement dans le moule placé sur une grille.

## Éléments nutritifs par portion

| | |
|---|---|
| Calories | 180 |
| Glucides | 30 g |
| Fibres | 1 g |
| Protéines | 2 g |
| Lipides | 5 g |
| Fer | 0,5 mg |
| Calcium | 48 mg |

Si vous avez la dent sucrée, vous adorerez ces petits gâteaux, surtout s'ils sont nappés de glaçage sans gluten – bien qu'ils soient délicieux sans glaçage –, si vous voulez éviter les calories et les matières grasses supplémentaires.

Donne
**12 petits gâteaux**
(1 par portion)

# Petits gâteaux en moins de deux

**Préchauffer le four à 350 °F** (180 °C).

**Moule pour 12 muffins, graissé ou tapissé de coupelles de papier.**

| | | |
|---|---|---|
| 1 tasse | farine de riz blanc | 250 ml |
| 2 c. à t. | poudre à pâte sans gluten | 10 ml |
| ¼ c. à t. | sel | 1 ml |
| ½ tasse | sucre brut de canne | 125 ml |
| ⅓ tasse | margarine dure végétarienne ou beurre, ramolli(e) | 75 ml |
| 1 | œuf | 1 |
| ½ c. à t. | extrait de vanille | 2 ml |
| ¾ tasse | succédané de lait enrichi, sans gluten ou lait sans lactose à 1 % | 175 ml |

1. Dans un bol de grandeur moyenne, fouetter ensemble la farine de riz blanc, la poudre à pâte et le sel.

2. Dans un grand bol, à l'aide d'un mixeur, crémer le sucre et la margarine jusqu'à consistance légère et mousseuse. Incorporer l'œuf, puis la vanille en battant jusqu'à consistance homogène. Incorporer le lait et battre jusqu'à consistance homogène. Incorporer le mélange de farine et remuer jusqu'à consistance homogène.

3. À l'aide d'une cuiller, placer le mélange dans le moule en le divisant également. Cuire au four pendant 20 minutes jusqu'à ce que les petits gâteaux soient dorés et qu'un cure-dent inséré au centre en ressorte propre. Laisser refroidir dans le moule placé sur une grille pendant 5 minutes, puis transférer sur la grille pour refroidir. Ces petits gâteaux sont meilleurs s'ils sont servis le jour où ils ont été cuisinés.

## Conseil

Optez pour votre succédané de lait favori, comme le lait de soya, le lait de riz, le lait d'amande ou un lait à base de pomme de terre. Si vous tolérez bien le lactose, utilisez du lait à 1 %

La margarine végétalienne, comme les bâtonnets végétaliens au goût de beurre de Earth Balance, contient presque la moitié moins de graisses saturées que le beurre ordinaire et ne contient pas de cholestérol. Quand une recette exige du beurre, la margarine végétalienne peut être une solution délicieuse et bénéfique pour la santé du cœur.

| Éléments nutritifs par portion | |
|---|---|
| Calories | 120 |
| Glucides | 17 g |
| Fibres | 0 g |
| Protéines | 2 g |
| Lipides | 6 g |
| Fer | 0,2 mg |
| Calcium | 31 mg |

Ce glaçage est parfait pour les petits gâteaux en moins de
deux, mais nous sommes certains que vous penserez à
d'autres usages!

# Glaçage en moins de deux

| | | |
|---|---|---|
| 1 tasse | sucre de fruit soluble (fruits ou baies) | 250 ml |
| ½ tasse | beurre, légèrement ramolli, coupé en cubes | 125 ml |
| 3 c. à s. | poudre de cacao non sucrée | 45 ml |
| 2 c. à t. | extrait de vanille | 10 ml |

1. Dans un bol, à l'aide d'un mixeur, crémer le sucre et le beurre jusqu'à consistance mousseuse. Incorporer le cacao, la vanille et 1 c. à s. (15 ml) d'eau et battre de 2 à 3 minutes ou jusqu'à consistance lisse.

### Éléments nutritifs par portion

| | |
|---|---|
| Calories | 110 |
| Glucides | 11 g |
| Fibres | 0 g |
| Protéines | 0 g |
| Lipides | 8 g |
| Fer | 0,2 mg |
| Calcium | 4 mg |

Chez Theresa, le souper de l'Action de grâce ne serait pas complet sans ce délicieux gâteau aux épices en deux couches avec une succulente garniture de fromage à la crème au milieu, sur le dessus et sur les côtés. Voici un excellent moyen de dire «merci pour tout».

**Donne de 8 à 10 portions**

# Gâteau de l'Action de grâce

**Préchauffer le four à 350 °F (180 °C).**
**Deux moules à gâteau métalliques de 20 cm (8 po), légèrement graissés, tapissés de papier sulfurisé.**

| | | |
|---|---|---|
| ¾ tasse | farine de sorgho | 175 ml |
| ¾ tasse | farine de riz brun | 175 ml |
| 2 ½ c. à t. | poudre à pâte sans gluten | 12 ml |
| 1 c. à t. | cannelle moulue | 5 ml |
| ½ c. à t. | gingembre moulu | 2 ml |
| ½ c. à t. | muscade moulue | 2 ml |
| ½ c. à t. | piment de la Jamaïque | 2 ml |
| ¼ c. à t. | sel | 1 ml |
| ½ tasse | sucre brut de canne | 125 ml |
| ½ tasse | margarine végétalienne dure ou beurre, ramolli(e) | 125 ml |
| 3 | œufs | 3 |
| ¾ tasse | succédané de lait enrichi, sans gluten ou lait sans lactose à 1 % | 175 ml |
| ⅓ tasse | mélasse de fantaisie | 75 ml |

Garniture

| | | |
|---|---|---|
| 8 oz | fromage à la crème, ramolli | 250 g |
| ½ tasse | sucre de fruit soluble (fruits ou baies) | 125 ml |
| ½ c. à t. | extrait de vanille | 2 ml |

1. Dans un bol de grandeur moyenne, fouetter ensemble la farine de sorgho, la farine de riz brun, la poudre à pâte, la cannelle, le gingembre, la muscade, le piment et le sel.

2. Dans un grand bol, à l'aide d'un mixeur, crémer le sucre et la margarine jusqu'à consistance légère et mousseuse. En battant, incorporer les œufs, un à la fois, jusqu'à consistance homogène. Incorporer le lait et la mélasse jusqu'à consistance homogène. Incorporer le mélange

## Conseil

La margarine végétalienne, comme les bâtonnets végétaliens au goût de beurre de Earth Balance, contient presque la moitié moins de graisses saturées que le beurre ordinaire et ne contient pas de cholestérol. Quand une recette exige du beurre, la margarine végétalienne peut être une solution délicieuse et bénéfique pour la santé du cœur.

Optez pour votre succédané de lait favori, comme le lait de soya, le lait de riz, le lait d'amande ou un lait à base de pomme de terre. Si vous tolérez bien le lactose, utilisez du lait à 1 %.

| Éléments nutritifs par portion | |
|---|---|
| Calories | 360 |
| Glucides | 43 g |
| Fibres | 1 g |
| Protéines | 6 g |
| Lipides | 19 g |
| Fer | 2 mg |
| Calcium | 100 mg |

de farines jusqu'à consistance homogène. Verser dans les moules à gâteau en divisant le mélange également.

3. Cuire au four de 20 à 25 minutes ou jusqu'à ce qu'un cure-dent inséré au centre en ressorte propre. Laisser refroidir dans les moules placés sur une grille pendant 5 minutes. Passer un couteau entre les gâteaux et les parois des moules, puis renverser les gâteaux sur la grille. Enlever le papier et laisser refroidir complètement.

4. *Garniture* : dans un bol, à l'aide d'un mixeur, battre le fromage à la crème, le sucre et la vanille jusqu'à consistance légère et mousseuse.

5. Placer un gâteau, le dessous vers le haut, sur un plat à gâteau. Étendre uniformément la moitié de la garniture sur le dessus et les côtés du gâteau. Placer le second gâteau, le dessous vers le bas, sur le dessus. Étendre la garniture restante de façon uniforme sur le dessus et sur les côtés. Réfrigérer jusqu'au moment de servir, jusqu'à une journée.

---

**Donne de
6 à 8 portions**

À l'automne, quand les poires fraîches sont abondantes, essayez cette savoureuse compote. Elle est une bonne solution de rechange à la compote de pommes quand vous avez envie d'un dessert léger.

# Compote de poires

| 8 | poires bien mûres, pelées et coupées | 8 |
| 2 c. à s. | eau | 30 ml |
| ½ c. à t. | cannelle moulue | 2 ml |
| | noisettes entières (facultatif) | |

### Éléments nutritifs par portion

| Calories | 100 |
|---|---|
| Glucides | 26 g |
| Fibres | 6 g |
| Protéines | 1 g |
| Lipides | 0 g |
| Fer | 0 mg |
| Calcium | 21 mg |

1. Dans une casserole de grandeur moyenne, mélanger les poires, l'eau et la cannelle. Amener à ébullition à feu moyen. Couvrir, réduire le feu et laisser mijoter, en remuant de temps à autre de 20 à 30 minutes ou jusqu'à ce que les poires soient tendres.

2. À l'aide d'un pilon, réduire les poires en purée jusqu'à consistance lisse. Servir saupoudré de noisettes, si désiré.

Personne ne devinera que ce pouding instantané au goût chocolaté est à base de tofu. Il est génial tel quel ou sous forme de tarte (voir la variation plus bas).

Donne
4 portions

# Pouding au chocolat

**Mélangeur.**

| | | |
|---|---|---|
| 6 oz | tofu extra-ferme, égoutté | 175 ml |
| ½ tasse | eau | 125 ml |
| ½ tasse | sucre brut de canne | 125 ml |
| ¼ tasse | poudre de cacao non sucrée | 60 ml |
| 1 c. à t. | extrait de vanille | 5 ml |

1. Dans un mélangeur, mélanger le tofu et l'eau jusqu'à consistance lisse. Ajouter le sucre, le cacao et la vanille; mélanger jusqu'à consistance homogène en arrêtant le mélangeur périodiquement pour gratter le pouding qui pourrait coller aux parois.

2. Transférer dans un bol et servir immédiatement ou couvrir et réfrigérer jusqu'à refroidissement complet.

## Variation

*Tarte au chocolat*: préparer la pâte à tarte aux noisettes (voir p. 251), placer la pâte dans une assiette à tarte en verre de 23 cm (9 po), piquer le dessous et les côtés avec une fourchette et cuire au four à 325 °F (160 °C) de 10 à 15 minutes ou jusqu'à ce qu'elle soit dorée. Laisser refroidir complètement. Préparer du pouding au chocolat en double, comme indiqué à gauche, mais réduisez la quantité d'eau à ¼ tasse (60 ml). Étendre dans la tarte refroidie. Réfrigérer jusqu'à refroidissement complet.

| Éléments nutritifs par portion | |
|---|---|
| Calories | 150 |
| Glucides | 28 g |
| Fibres | 2 g |
| Protéines | 1 g |
| Lipides | 5 g |
| Fer | 1 mg |
| Calcium | 40 mg |

Cette recette nous provient de Joni Frydrych de *Joni's Kitchen*. Joni est la vice-présidente de la section torontoise de l'Association canadienne de la maladie cœliaque, elle cuisine sans gluten depuis que sa fille Haley a reçu un diagnostic de maladie cœliaque.

# Biscuits aux amandes

## Conseil

Pour une belle présentation, trempez une extrémité des biscuits refroidis dans du chocolat fondu sans gluten.

**Préchauffer le four à 350 °F (180 °C).**
**Robot culinaire.**
**Plaques de cuisson, tapissées de papier sulfurisé.**

| 2 ½ tasses | amandes moulues | 625 ml |
|---|---|---|
| 1 tasse | sucre cristallisé | 250 ml |
| 1 c. à t. | extrait de vanille ou d'amande | 5 ml |
| 3 | blancs d'œuf | 3 |

1. Dans un robot culinaire muni d'une lame de métal, réduire les amandes et le sucre jusqu'à consistance homogène. Ajouter l'extrait d'amande et les blancs d'œufs ; réduire en une pâte ferme.

2. Déposer environ 1 c. à s. (15 ml) de pâte et façonner en boule, puis les pincer pour former un quart de lune. Placer les biscuits à 2,5 cm (1 po) de distance sur les plaques de cuisson.

3. Cuire au four, une plaque à la fois, de 10 à 12 minutes ou jusqu'à ce que les biscuits soient dorés mais mous. Laisser reposer sur la plaque de cuisson sur une grille pendant 2 minutes, puis transférer sur la grille pour refroidir.

| Éléments nutritifs par portion | |
|---|---|
| Calories | 60 |
| Glucides | 7 g |
| Fibres | 1 g |
| Protéines | 2 g |
| Lipides | 4 g |
| Fer | 0,3 mg |
| Calcium | 21 mg |

# À propos de l'analyse des éléments nutritifs

L'analyse des éléments nutritifs contenus dans les recettes de ce livre provient du Food Processor Nutrition Analysis Software, version 10.5.0, ESHA Research (2009).

Si nécessaire, ces renseignements ont été enrichis à l'aide des références suivantes.

1. Shelley Case, *Gluten-Free Diet : A Comprehensive Resource Guide*, Expanded Edition, Regina, Case Nutrition Consulting, 2006

2. Bob's Red Mill Natural Food. Renseignements nutritionnels extraits le 15 avril 2009, tirés de www.bobsredmill.com/our-story-on-gluten-free.html.

3. Avoine et farine d'avoine sans gluten de Château Cream Hill (www.creamhillestates.com/fr_home.php). Certificat d'analyse d'avoine pure, Lasalle, Silliker Canada Co., 2005. Certificat d'analyse de la farine d'avoine, Lasalle, Silliker Canada Co., 2006.

4. Mary's Gone Crackers. Renseignements nutritionnels extraits le 10 novembre 2009, tirés de www.marysgonecrackers.com/product_info.php?products_id=1.

5. Agropur Inc. Lait Natrel sans lactose 1 % M.G. Renseignements nutritionnels extraits le 1er juillet 2010, tirés de www.natrel.ca/nutrition_shared/nut_natrel_lactose_1.html.

6. Earth Balance Natural Spreads. Bâtons Earth Balance au goût de beurre. Renseignements nutritionnels extraits le 28 septembre 2009, tirés de www.earthbalancenatural.com/eb_pdfs/products/vegan-sticks-nutrition-info.pdf.

7. Earth Balance Natural Spreads. Vegan Natural Shortening. Renseignements nutritionnels extraits le 5 décembre 2009, tirés de www.earthbalancenatural.com/eb_pdfs/products/shortening-nutrition-info.pdf.

8. Rizopia. Spiral Brown Rice Pasta. Renseignements nutritionnels extraits de l'emballage le 16 décembre 2009, de www.rizopia.com/M1Sel2.htm.

9. Food Directions Inc. Lasagne Tinkyàda avec son de riz. Renseignements nutritionnels extraits de l'emballage, le 11 novembre 2009.

10. Unico Foods Canada. Marinated Artichoke Hearts in Oil. Renseignements nutritionnels extraits le 17 juillet 2010, tirés de www.unico.ca/cgi-bin/products.cgi.

11. Unico Foods Canada. Romano Beans. Renseignements nutritionnels extraits le 17 juillet 2010, tirés de www.unico.ca/cgi-bin/products.cgi.

Les recettes ont été évaluées comme suit :
- le plus grand nombre de portions a été utilisé lorsqu'il y a un écart ;
- là où des solutions de rechange sont proposées, les quantités et les ingrédients inscrits ont été utilisés ;
- les ingrédients facultatifs et ceux qui ne sont pas quantifiés ne sont pas inclus ;
- les calculs sont basés sur des mesures impériales ;
- les valeurs nutritives ont été arrondies au nombre entier le plus proche ;
- les calculs concernant la viande et la volaille sont faits à partir de portions maigres, sans la peau ;
- là où le type de gras n'est pas indiqué, de l'huile de canola a été utilisée ;
- les recettes ont été analysées avant la cuisson.

Il est important de noter que la méthode de cuisson peut modifier la valeur nutritive par portion. La substitution d'ingrédients et l'utilisation de produits de différentes marques peuvent également modifier la valeur nutritive par portion.

# Remerciements

Nous remercions Robert Rose Inc. de nous avoir donné l'occasion de créer ce guide. Un merci tout spécial à Bob Dees, Bob Hilderley, Sue Sumeraj, Jennifer MacKenzie, Marian Jarkovich, Martine Quibell et tout le personnel chez Robert Rose pour leur expertise, leur attention au détail et leur engagement envers l'excellence. Un grand merci au Dr Ralph Warren et à Mavis Molloy, MAEd., RD, pour la révision de certaines parties du livre.

## Remerciements d'Alexandra

Ce livre n'aurait pas été possible sans l'influence de mes mentors, le Dr Ralph Warren et les diététistes Shelley Case, Marion Zarkadas et Mavis Molloy. Je suis aussi très reconnaissante envers les autres membres du Conseil consultatif professionnel : le Dr Connie Switzer, le Dr Decker Butzner, le Dr Mohsin Rashid et Vernon Burrows, de même qu'envers les membres de la direction de l'Association canadienne de la maladie cœliaque pour leur soutien constant au fil des années.

Pour ceux que j'appelle les miens – Craig et Brooke –, merci de votre infinie patience et de m'avoir donné l'espace pour me concentrer sur ce projet. Merci à mes parents pour leur soutien inconditionnel et la possibilité d'une nouvelle vie. À mes beaux-parents, merci d'être avec moi.

Mes sincères remerciements aux médecins et aux gastroentérologues qui m'ont soutenue et encouragée au fil de ce projet. Je remercie mes patients de m'avoir offert le privilège de faire partie de leurs vies et de leurs soins et d'avoir partagé leurs histoires, leurs défis et leurs victoires. J'espère que ce livre rendra l'adoption d'un régime sans gluten un peu plus facile.

## Remerciements de Theresa

Un grand merci à Alex, ma partenaire d'écriture dans cette aventure. Merci de m'avoir choisie ainsi que mes recettes. J'ai toujours adoré travailler avec toi.

Le meilleur emploi au monde est celui de mère, particulièrement celle de Eli et Joseph; merci de m'avoir choisie pour jouer ce rôle. Et à mon mari, Andrew : sans toi, il n'y aurait pas de «nous», notre famille. Je t'aime, je nous aime.

Enfin, et ce n'est pas le moins important, à ma mère, mon père, mes sœurs et mes frères qui m'ont appris la signification de l'amour, de la vie, du rire et de la famille à chaque repas. Merci. Je suis très reconnaissante pour toutes mes bénédictions.

# Index

Suivez les Éditions du Trécarré sur le Web:
www.edtrecarre.com

Cet ouvrage a été composé en Lucida Bright 9/13
et achevé d'imprimer en décembre 2012
sur les presses de Imprimerie Lebonfon, Val-d'Or, Canada.